VERBUM NARRATIVA

CARMEN,
CARMELA,
CARMIÑA,
(FLUORESCENCIA)

Verbum **Narrativa**

Dirigida por: Eugenio Suárez Galbán

Novelas y relatos de autores clásicos y contemporáneos. Entre las figuras más significativas presentes en la colección, destacan los nombres de: Mario Vargas Llosa, Mario Szichman, Miguel de Cervantes, Benito Pérez Galdós, Enrique Jardiel Poncela, Miguel de Unamuno, Ramón del Valle Inclán, Pablo de la Torriente Brau, Vicente Blasco Ibáñez, Luis Coloma, Juan Pérez Zúñiga, Jaime Marchán, Consuelo Triviño, Gerardo Pérez Sánchez, Víctor Fuentes, Gloria Macher, Claudio Aguiar, Luis Martínez de Mingo, Antonio Cavanillas de Blas, Lourdes Vázquez, Josefina Verde, Roberto Payró, entre otros.

Introducción.
“Carmen, Carmela, Carmiña (fluorescencia)”

A mí me anticiparon mucho dinero, bueno, mucho dinero para mi exhausta bolsa, la verdad es que no llegó a los seiscientos mil dólares, y aunque al principio lo dudé, ahora que ya no me queda más que un año escaso de vida, eso es lo que dicen los médicos a mi marido y a nuestros hijos y nueras, todos crueles y avergonzados, todos ávidos y parásito, acepto la propuesta y empiezo esta crónica desorientada y levemente ortodoxa: todos debemos someternos a las sabias normas dictadas por los comerciantes y los síndicos.

CAMILO JOSÉ CELA, *La Cruz de San Andrés*

Es la pérdida la que nos enseña el valor de las cosas.

SCHOPENHAUER

I

Me encargan la redacción de la introducción de la novela escrita por mi madre, Carmen Formoso, una obra que fue objeto de plagio por parte de un Premio Nobel de Literatura y de la mayor editorial de Europa.

Introducción que narra el desenlace de una novela inconclusa o comunica sus consecuencias, la primera de las cuales ha sido verme obligado a recordar. Sentir el dolor del recuerdo. Porque hoy, solo queda la tristeza de la pérdida.

Me obligo a volver a pasar por todo aquello. La primera pregunta ha de ser: ¿Qué fue lo que robaron con la novela escrita por mi madre?

Lo que defraudaron fue mucho más que una novela, mucho más, incluso, que la semblanza desinteresada de una época, la Dictadura, y de su desenlace, la Transición, narrada por quien presenció, vivió y sufrió las calamidades de esos años; en primera persona, siempre, desde la abuela a la nieta. La narración de vivencias propias de su autora.

Mucho más que una novela, decimos, porque en ella Carmen Formoso plasma el espíritu feminista, que fue el de su propia vida, de su lucha por la igualdad. Pone a nuestro alcance la comprensión del espíritu indómito que animó a las mujeres subyugadas por el "Viejo Orden", quienes al sacudirse las cadenas han alumbrado –y siguen haciéndolo– un "Nuevo Orden", aún por definir.

Si, como mujer, la dictadura le causó graves quebrantos a su personalidad, con la Transición el nudo construido sobre las mujeres pareció que se aflojaba. Pero solo lo pareció. La realidad no cambió sustancialmente.

Si antes, como mujer, le eran negados los Derechos Humanos, ahora, como Ciudadana, habría de comprobar que, en realidad, ningún derecho había recobrado. El único cambio real, que descubriría con gran dolor en el seno de las actuaciones judiciales por el plagio de su primera novela, *Carmen, Carmela, Carmiña*, es la apariencia del cambio.

Comprobó que el poder seguía siendo el mismo poder dictatorial, dulcificado mediante la apariencia de una igualdad que nunca existió. Ninguna realidad tenía la proclamación constitucional de la Igualdad ante la Ley.

Si hasta entonces había creído que sus padecimientos tenían como explicación el hecho de ser mujer, ahora comprobaría que, en realidad, la desigualdad era consecuencia del desigual reparto del Poder entre los ciudadanos de hecho y los ciudadanos de derecho. Entre ricos y pobres.

Comprobó en sus carnes que, en realidad, nada había cambiado, desde luego, no en lo sustancial. Ella seguía siendo discriminada; comprobó que la corrupción que formó los poderes privados durante la etapa final del franquismo era la misma que dominaba en la Transición. El franquismo, como máquina de enriquecer a una minoría sin escrúpulos, se había conservado intacto en el orden económico y social.

Ella continuaba excluida del Poder. Los que robaron su novela, ilustres próceres del franquismo, eran los mismos: las mismas familias, los mismos canallas. Y, sobre todo, estaban protegidos por los mismos jueces, por los mismos fiscales, por los hijos de los mismos políticos franquistas, ahora encumbrados por el inmenso poder económico y mediático heredado de la Dictadura.

En esta novela, Carmen Formoso quiso dejar escrita su historia y para ello diseñó un argumento con un esquema temporal inverso al de su propia vida. Ella es Mamita Carmen, la sabia, la que conoce el destino y acepta como inevitable la infelicidad de su hija, pero con la certeza de que su nieta habrá de recuperar la dignidad de ser mujer, de ser libre para elegir su propio camino. Ella es Carmela, la angustiada mujer que intenta en vano ser libre en un mundo en el que solo a los hombres les está permitido elegir su destino. Y ella es Carmiña, la afortunada, la mujer que podrá mirar de igual a igual a los hombres, inteligente y bella, y que será dueña de su propia existencia.

O eso creyó hasta que el poder descarnado se arrojó sobre ella, despojándole de su obra, que en este caso fue tanto como despojarla de su vida, pues no era otro el argumento de su novela.

Porque aquí comienza otra novela, de la que es prefacio esta introducción. Que quizás nunca se escriba, quedando confinada dentro de áridos escritos jurídicos, de difícil lectura.

O quizás, no tan difícil.

Porque el juicio por plagio nunca se celebró. Me pregunto: ¿La Historia de las actuaciones judiciales por delito de plagio es la misma –su continuación– que cuenta Carmen Formoso en su novela?

Dejemos aquí sembrado el campo para futuras cosechas, haciendo una brevísima recensión de lo sucedido en sede judicial, comenzando por dar razón del porqué hemos reiniciado, de nuevo, esta empresa editorial.

No es esta la primera edición de la novela de Carmen Formoso, hubo una anterior, una autoedición de 3.000 ejemplares, de los que nos robaron 2.000.

La distribuidora, Editorial CIENCIA 3, manifestó que había recibido amenazas para obligarle a destruir los 2.000 ejemplares que le habíamos enviado para su distribución. Y, en efecto, ya habíamos recibido constantes negativas a su distribución, que se excusaban en que Editorial Planeta amenazaba con no servirles pedidos a las librerías que distribuyesen la novela de Carmen Formoso.

Esto nos lo contaría un buen amigo, librero de referencia en La Coruña, que se ofreció a distribuir el libro en secreto. De inmediato vino a nuestra memoria la distribución de los libros prohibidos por la Dictadura, de la que, evidentemente, nunca nos liberamos.

Cuando fuimos absueltos de los delitos de calumnias por los que fuimos juzgados (porque en toda esta pesadilla solo mi madre y yo fuimos juzgados, en un simulacro perverso en el que se nos negaron todas las garantías, aunque finalmente fuimos absueltos: juzgaron a los Denunciantes, pero en los veinte años que transcurrieron hasta la muerte del último imputado, Lara Bosch, nunca se juzgó a los poderosos denunciados), con la Sentencia absolutoria definitiva, la Audiencia Provincial de Barcelona nos amenazó con condenarnos si volvíamos a hablar públicamente del plagio.

Fue entonces cuando nos enteramos de que ya habían sido destruidos los 2.000 ejemplares. Poco después fallecería el dueño de la distribuidora, Juan Casado, y se cerraría su empresa, dejándonos sin posibilidad de reparación, pues pese a que en privado reconoció que había sido amenazado por la editorial que llevó a cabo el plagio, se negó siempre a decirlo públicamente.

La “secuela” judicial de *Carmen, Carmela, Carmiña* comenzó cuando la prensa se hizo eco de la presentación de la querella de Carmen Formoso contra Camilo José Cela y la Editorial Planeta (en la persona de su presidente, Sr. Lara Bosch, pues entonces no era posible querellarse contra sociedades, solo contra su representante legal).

Comenzaron las injurias y calumnias contra Carmen Formoso, la víctima. La prensa corrupta preparaba la defensa de los delincuentes, intentando posicionar a la opinión pública contra ella.

Los mercenarios de la pluma, al servicio de la mayor editorial de Europa y segunda del mundo, Editorial Planeta, se cebaron con ella.

Nos cancelaron, cuando ni siquiera se había inventado tal palabra. Y lo hicieron los mismos que luego impondrían la cancelación del disidente, del denunciante de corrupción, como norma general: El Grupo Planeta, dueño de periódicos, televisiones, radios y de un imperio económico global. El grupo empresarial que hoy sabemos que nos manipula a todos, de derecha a izquierda, ya que es propietario de importantísimos medios masivos de todo el espectro de colorines políticos, desde La Sexta hasta Antena 3, entre otros muchos.

Las cosas pintaban muy mal para nosotros. No podíamos distribuir la novela plagiada, por lo que ni siquiera podíamos comunicar la realidad del plagio denunciado.

Pero todo ello cambió gracias a un periodista, maestro de periodistas: don Eduardo Sotillos, que leyó ambas obras, informando de los verdaderos hechos en su programa de Radio Nacional, “El ojo crítico”.

A partir de ese momento, todo empeoró.

El absoluto dominio editorial y mediático de Editorial Planeta iba a quedar demostrado. Son los imperiales dueños de la opinión publicada y constructores, por tanto, de la opinión pública.

Si tan brutal diferencia de medios y posibilidades de actuación no hubiese tenido reflejo en sede judicial, nada más tendríamos que añadir a lo expuesto en el prólogo de esta novela, pero las cosas, en este mundo perverso de la formación de la opinión pública, son mucho peores.

Así, la verdadera demostración de poder fue la condena al silencio de la denuncia de un Premio Nobel de Literatura. Silenciada por el denunciado, la mayor editorial de España y la segunda del mundo entonces.

Todo lo demás vino rodado: la opinión publicada se convirtió en pública y nos convertimos en los malos de la película. Hasta el punto de ser juzgados como calumniadores.

En todo este desviado proceso la corrupción fue la única dirección. Comenzó por la juez de instrucción, Eugenia Canal, quien se posicionó en nuestra contra hasta la sentencia del Tribunal Constitucional que ordenó reabrir las actuaciones judiciales por plagio y practicar las pruebas que se negaba a practicar, momento en que recuperó su imparcialidad. Merece ser destacado también el papel de la corrupta fiscal Raquel Amado, de la que ya hemos hablado en el prólogo de esta novela.

Raquel Amado, la fiscal perteneciente a la Asociación de Fiscales del PSOE, siempre al servicio del poder, que se negó a aceptar la Sentencia del TC que ordenaba investigar el plagio, y se opuso a todo acto e investigación judicial, pidiendo en todo momento el archivo de las actuaciones judiciales. Fue el inicio de su particular asalto a los cielos de la corrupción judicial. En 2010 fue nombrada vocal del Consejo Fiscal y condecorada con la medalla de San Raimundo de Peñafort (que premia el mérito a la Justicia y recompensa hechos distinguidos o servicios relevantes, de carácter civil, en el campo del derecho) al salir del Consejo Fiscal.

La vida siempre sonríe a los corruptos.

II

En la serie de artículos publicados en el digital Punto Crítico con el título "Camilo José Cela y el plagio. El prólogo de la novela de Carmen Formoso, censurado y perseguido: el plagio del siglo, del que está prohibido hablar", parte 4, apartado 3º, titulado "*La Cruz de San Andrés*: claves para su comprensión", hacemos referencia a los textos que Cela introduce en *La Cruz de San Andrés*, carentes por completo de cualquier relación con la trama de la novela, en los que relata la verdadera novela: cuenta crudamente la trama del plagio.

Así, como se expone en el prólogo de la novela de Carmen Formoso, *Carmen, Carmela, Carmiña*:

> Editorial Planeta, por su parte, recibe de Cela un texto escrito, desde el principio hasta el fin, sobre papel higiénico, o lo que es igual, Cela les proporciona un libro de Mierda. Mierda que Planeta se ve obligada a premiar con su máximo galardón. Mierda que el mercader paga a precio de oro. Y que se ve obligada a publicar. Y es tras esta publicación cuando Cela consuma su venganza: Con *La Cruz de San Andrés* Planeta hace público su comportamiento delictivo, pone a disposición del público la evidencia que la delata.
>
> Camilo José Cela se muestra implacablemente cruel con el mercader, a quien hace víctima de una genial historia cuya trama y desenlace no consienten ser encerrados entre las páginas de un libro. *La Cruz de San Andrés* es el instrumento con el que Cela nos quiere hacer ver la verdad oculta tras la literatura de nuestros días: la literatura es un negocio manejado por unos mercaderes sin escrúpulos que son incapaces de diferenciar el oro de la mierda. Pero esto no es algo que preocupe a los editores, ya que el público tampoco lo distingue.
>
> *La Cruz de San Andrés* es un estado de ánimo. Es el desprecio con que el genio de Cela nos invita a descubrir nuestra propia estupidez. Pero también es el guiño que nos

permite comprender su mensaje. Entre sus páginas vacías se esconde una historia real, sencilla y triste, cuyo desenlace no está escrito.

***

La corrupción informativa española (de la que el entramado empresarial de Planeta S.A. es un actor esencial) lo ha silenciado todo, pero en realidad Cela nos abrió la puerta al conocimiento de un mundo interesantísimo: el mundo del plagio y los premios literarios. De primerísima mano, contado por un Premio Nobel. Me siento obligado a decirlo. No lo hice porque esta era una "bala" que reservaba para el juicio. Pero nunca se celebró. Y la "bala" se desactivó.

A mí me "cancelaron" antes de haber sido "inventada" la denominada "Cultura de la Cancelación" y todo quedó olvidado. "Cancelación", decretada por Planeta y su filial Antena 3, quienes años después, desde otra televisión, La Sexta, extenderían la cancelación a cualesquiera opositores al Globalismo. La muerte civil, la anulación de las personas, como mecanismo censor.

Incluso se "cancela" la obra literaria de un Premio Nobel. Tal es el poder del dinero en este mundo global, en el que ya no son los estados los actores principales, sino los poderes privados de gigantescas corporaciones trasnacionales.

Sin embargo, desde este punto de vista, la lectura de *La Cruz de San Andrés*, a partir del prólogo de la novela de Carmen Formoso, *Carmen, Carmela, Carmiña,* resulta bien distinta, enriquecedora y más que digna de atención. No solo por lo que dice el Premio Nobel, sino por cómo lo va a decir al mundo: utilizando como plataforma un importante certamen literario, ejemplo vivo de cuanto nos muestra Cela en *La Cruz de San Andrés*: el Premio Planeta, 1994. Tampoco carece de interés conocer la estrategia por medio de la cual esa potente voz pudo ser desactivada globalmente.

Tantos años después, tengo que reconocer que Cela, en *La Cruz de San Andrés*, nos regaló algo importante; nos dio los mimbres para conocer la realidad del Premio Planeta; el negocio a costa de los escritores desconocidos, un expolio silenciado, que nos empobrece a todos.

> El Gladiador que va a morir saluda al Cesar con un corte de mangas porque también él juega y juzga y se ríe a carcajadas del César y de quienes van a escupir sobre su cadáver, sería espantoso imaginarnos a la humanidad demasiado sumisa, suenan los clarines porque ya empieza la misa negra de la confusión, el solemne acto académico de la más turbia de todas las confusiones (Camilo José Cela, *La Cruz de San Andrés*).

Porque es lo que hace. En *La Cruz de San Andrés* nos proporciona pasajes ajenos por completo a la trama. "A mí me ofrecieron mucho dinero". Es uno de ellos. Cuenta la historia del plagio dentro de la obra plagiaria, lo que he referido en el prólogo de *Carmen, Carmela, Carmiña*. Así, en el tan citado prólogo a la novela de Carmen Formoso, se expone:

> El libro es escrito por Cela de manera que, en primera instancia, aparenta ser una sucesión de elementos inconexos. Con ello intenta aparentar un primer sentido de la novela: una innovación de estilo pretendidamente original. Oculto tras este disfraz, se esconde una nueva confusión, esta vez dirigida a Planeta. Cela sabe que Planeta comprenderá este trasfondo. Gráficamente se puede apreciar que el corte de mangas que el Gladiador Cela dirige a Planeta, en una primera lectura, parece consistir en la pública confesión que se esconde tras la metafórica afirmación, reiterada desde el principio hasta el final de *La Cruz de San Andrés*: la novela merece ser escrita en el más humilde de los soportes, en un papel al cual, por definición, va pegada la mierda. Así, entre otras, en la página 9: *"Aquí, en estos rollos de papel*

de retrete marca La Condesita ... se va a narrar la crónica de un derrumbamiento", o en la página 237: "Aquí termina esta crónica de un derrumbamiento, también se me acabó el último rollo de papel de retrete" –respectivamente, primera y última página de la novela *La Cruz de San Andrés*–, otras páginas inciden en ello. *página 124*: "Guillermina me regaló tres rollos de papel de retrete marca La Condesita, es el mejor sin duda, pero ahora anda muy escaso, es más fácil escribir la crónica de un derrumbamiento en un papel de retrete bueno que en uno malo", o en la página 146: "Aquí, en estos rollos de papel de retrete marca El Gaiteiro Bucólico, voy narrando por regurgitación, también algo pasmada, la crónica...").

Claramente, Cela hace ver a Planeta cuál es su contribución al premio del editor: una novela de mierda.

Pero no acaba aquí la confusión urdida por el Nobel. Recordemos que se trata de "la más turbia de todas las confusiones". Camilo José Cela oculta a Planeta el verdadero significado que esconde *La Cruz de San Andrés*. Y es precisamente aquí donde reside la verdadera genialidad de la novela. Cela consigue que Planeta imprima y distribuya miles de ejemplares de una obra en la que se relata la comisión de la mayor de las infamias.

El final de la concatenación de confusiones desvela la realidad que se esconde tras el negocio de la literatura, la verdadera actividad que constituye el negocio de las grandes editoriales. Cela denuncia cuál es la mercancía que estos Césares de la literatura distribuyen: textos desprovistos de valor artístico. Productos cuya única justificación reside en su capacidad para generar beneficios económicos, amparados por la acción publicitaria y mediática de las editoriales, quienes dirigen la atención de los consumidores de libros a su entera voluntad y en su exclusivo beneficio. Cela considera espantosa la imagen de una humanidad sumisa, de unos lectores idiotizados por la acción editorial. Y se revela contra quienes para él son los culpables de la pérdida del compromiso artístico de la literatura actual.

La Cruz de San Andrés se describe por el mismo Cela como "El solemne acto académico de la más turbia de todas las confusiones". Y efectivamente, la novela utiliza una enrevesada maniobra, en la cual se esconden, una tras otra, la serie de revelaciones que finalmente permitirán al lector avezado comprender que, tras la denuncia del delito cometido por Planeta al apropiarse de la obra de una autora novel y utilizar su enorme poder para asegurarse la impunidad, se esconde el verdadero fraude: el terrible daño que ha sufrido la literatura al haber caído en manos de unos mercaderes desprovistos de sensibilidad, que han convertido el arte en el mero objeto de un negocio dirigido a una única meta: el beneficio económico, el aumento de sus ventas.

Toda la trama habría de quedar desvelada desde la cita inicial de *La Cruz de San Andrés*: "*What is this quintessence of dust? Man delights not me; no, nor woman neither*" (Shakespeare, *Hamlet*, Acto II, Escena II, 316): "¿Qué es esta quintaesencia de polvo? El hombre no me deleita; no, ni mujer tampoco".

Esta cita conduce directa e inmediatamente a la obra de teatro que Shakespeare ubicó dentro de *Hamlet*: *El asesinato de Gonzaga*. Teatro dentro de teatro.

III

La sentencia del tribunal constitucional (stc 190/2006) que ordena la reapertura de las actuaciones por delito de plagio.

Tanto Camilo José Cela como José Manuel Lara Bosch, fallecieron estando imputados por el plagio a Carmen Formoso. Tras veinte años de instrucción judicial, no quedó nadie vivo para ser juzgado.

En este asunto sólo hubo un juicio: el juicio por calumnias contra Carmen Formoso y su hijo y abogado, Jesús Díaz

Formoso, quien redacta estas líneas. Juicio del que seríamos absueltos en las dos instancias, si bien con la amenaza por parte de la Audiencia Provincial de Barcelona de condenarnos si volvíamos a hablar del asunto.

Meses después resultaría estimada nuestra demanda de amparo constitucional, que ordenó la reapertura de las actuaciones por delito de plagio, llevándose a cabo la prueba pericial que nos había sido denegada y abriendo juicio oral contra Lara Bosch por haber fallecido ya Camilo José Cela. Nunca se celebraría el juicio, por la muerte de Lara tras veinte años de tramitación judicial.

Así, el Auto de la Sección Décima de la Audiencia Provincial de Barcelona, de 28 de julio de 2003, confirmó el sobreseimiento libre y archivo decretado por la Juez de Instrucción.

Contra dicho Auto, previo Incidente de Nulidad de Actuaciones (desestimado por Auto de la Sección Décima de la Audiencia Provincial de Barcelona, de 16 de octubre de 2003), Carmen Formoso interpone ante el Tribunal Constitucional la procedente demanda de amparo, que se tramitaría ante la Sección Segunda de la Sala Primera del Tribunal Constitucional, como Recurso de Amparo nº 7364/03, que resultaría estimado por la STC 190/2006, de 19 de junio de 2006, que daría lugar a la reapertura de las Diligencias Previas nº 1050/2001, del Juzgado de Instrucción nº 2 de Barcelona.

IV

Una vez reabiertas las actuaciones judiciales se practica la prueba pericial de don Luis Izquierdo, quien concluye señalando: "Con todo, la acumulación de detalles a los que me he referido como curiosos y la cuestión de fechas y plazos, resulta excesiva. De modo que casos de transformaciones en la contemplación reflexiva de ambos textos, sí se producen a juicio de quien esto escribe. Y no siempre la mera casualidad ofrece una explicación satisfactoria".

Se dicta Auto de Apertura de Juicio Oral contra Lara Bosch, el dueño del Grupo Planeta, Auto que, por mandato legal, resulta irrecurrible. Y, sin embargo, se admitieron todos los recursos formulados por los presuntos plagiarios y su tramitación duró más años, hasta que todos los imputados fallecieron y no se pudo celebrar el juicio contra ellos, archivándose lo actuado, dejando impunes a los poderosos hijos del franquismo, que hoy se presentan como "demócratas de toda la vida", dispuestos a destruir a quien insinúe lo contrario.

Mi despacho, durante todos esos años, recibió decenas de consultas por parte de escritores que habían sido plagiados, quienes en un principio se mostraron dispuestos a reclamar por sus derechos vulnerados, pero que al ver lo que a nosotros nos estaba sucediendo, prefirieron, todos y cada uno de ellos, conformarse con lo que ya habían perdido, su propiedad intelectual, y no arriesgarse a perder todo lo que nosotros perdimos –que fue mucho, muchísimo– por pretender encontrar justicia dónde sólo hay corrupción.

Acabo estas líneas con tristeza, con el recuerdo de mi madre, Carmen Formoso, que escribió una novela y que, por tal pecado, fue destruida junto con todos los que la apoyaron, incluido su hijo, autor de estas líneas, quien todavía hoy se sigue enfrentando a la venganza de los jueces corruptos que reinan sobre los restos de una sociedad que un día se creyó libre.

JESÚS DÍAZ FORMOSO
Abogado
A Coruña, en diciembre del año 2021

DOSSIER: “EL PLAGIO DEL SIGLO, DEL QUE ESTÁ PROHIBIDO HABLAR”

• “Camilo José Cela y el plagio. *La Cruz de San Andrés* y el Cervantes?” / Por: Ian Gibson.

• “La interminable querella de *La Cruz de San Andres*». / Por: Ian Gibson.

• “Camilo José Cela y el plagio. El juicio de represalia contra Carmen Formoso”.

• “El prólogo de la novela de Carmen Formoso, censurado y perseguido”.

• “Teatro dentro del teatro: ‘El asesinato de Gonzago’ (la ratonera), *Hamlet*”. / Por: William Shakespeare.

• “La sentencia del tribunal constitucional (STC 190/2006) que ordena la reapertura de las actuaciones por delito de plagio”.

• Escrito de acusación de Carmen Formoso contra José Manuel Lara Bosch, por delito de plagio (el juicio no llegó a celebrarse por el fallecimiento del imputado, Sr. Lara, quien, tras fallecer Camilo José Cela, había quedado como único imputado).

(ACCEDA A LA PÁGINA WEB DEL DOSSIER ESCANEANDO EL SIGUIENTE CÓDIGO QR)

El plagio de un Premio Nobel, el escándalo censurado

Prólogo a la primera edición de *Carmen, Carmela, Carmiña*
(Ed. Punto Crítico, 2020).

1.- Introducción

La novela *Carmen, Carmela, Carmiña (Fluorescencia)* adquirió una cierta notoriedad a principios del año 1999, con motivo de la presentación de una Querella Criminal en la que su autora acusaba al escritor Camilo José Cela y a la Editorial Planeta, S.A. de la comisión de los delitos de Apropiación Indebida y Contra la Propiedad Intelectual (Plagio, entre otros).

Los hechos relatados en la Querella se remontan al año 1994, cuando Carmen Formoso presenta su novela al certamen literario Premio Planeta 1994, en el cual resultaría ganador Camilo José Cela, con la novela *La Cruz de San Andrés*.

Es a raíz de la lectura de *La Cruz de San Andrés* cuando la autora de *Carmen, Carmela, Carmiña (Fluorescencia)* comenzará a recorrer el tortuoso camino que le conduciría a la presentación de la referida Querella Criminal.

No es difícil de imaginar el enorme daño que esta autora ha tenido que sufrir, viendo como la mayor empresa editorial del país se apropia de su primera novela larga y organiza una trama delictiva cuyo resultado es la publicación de una novela en la cual han sido utilizados los elementos fundamentales de su obra, o, lo que en el caso es igual, sus propias vivencias personales, la historia de su propia familia, los recuerdos novelados de toda su vida, además del producto de tres años de recopilación de la documentación utilizada en su novela.

Pero difícilmente imaginaremos la sensación de impotencia, la humillación, el dolor y la angustia que se siente cuando quien firma esa novela es ¡un Premio Nobel de Literatura!

Tras leer y releer, estupefacta, la novela de Cela, la primera e inmediata reacción de Carmen Formoso fue el silencio. ¿Quién podría creerla? Sumida en una fuerte depresión, y ante la preocupación de su familia, decide contar a sus hijos su descubrimiento. Sin embargo, ninguno de ellos se tomaría en serio sus afirmaciones.

Carmen Formoso había comprobado la verdadera entidad de su situación. Nadie, ni siquiera sus propios hijos, la creería fácilmente. Verdaderamente, resultaba difícil tomarse en serio la afirmación de que un Premio Nobel de Literatura hubiere podido plagiar una novela. Y menos aún cuando se trataba de la primera novela de una desconocida maestra de mediana edad.

Pero la dificultad resultaba todavía mayor: la lectura de *La Cruz de San Andrés* es una pesada tarea. A ello se sumaba el absoluto desorden en el que iban apareciendo los elementos de su novela, la manera en que su obra había sido utilizada por Cela, los mecanismos por medio de los cuales se ocultaba la utilización de su creación.

Sin embargo, Carmen Formoso sabía que todo aquello no podía ser una mera coincidencia. Ella había reconocido su vida en las páginas de *La Cruz de San Andrés*. Había visto en ella su propia intimidad, la misma que había revelado en su novela. Sólo tenía que demostrarlo, hacerlo visible para los demás. Y se puso manos a la obra.

Se dedicó durante meses a desenmascarar la trama, anotando en una lista las pruebas que iba encontrando. Y, poco a poco, esa lista de similitudes y coincidencias existentes entre las dos obras fue aumentando en cantidad, pero también en calidad. No se trataba ya de meras similitudes, de simples anécdotas que ambos libros mencionaban. No sólo los lugares en los que transcurren ambas novelas, ni sólo el tiempo en que se desarrollan los acontecimientos que ambas relatan, ni sólo los personajes de ambas, resultan extraordinariamente coincidentes. Más allá de todo ello, Carmen Formoso fue reuniendo una larga serie de frases textuales que coincidían en ambas obras, idénticos adjetivos para referirse a una misma situación, multitud de detalles claramente coincidentes.

Y, a partir de esta labor inicial, Carmen Formoso toma la decisión de enfrentarse a quienes la habían despojado de su creación, de sus vivencias, de su intimidad. Y, a partir de entonces, comienza otra historia: la historia de una mujer que reclama Justicia, pidiendo el castigo de quienes la han hecho víctima de sus delitos, confiando en la imparcialidad de los Tribunales, convencida de que también los poderosos han de respetar la Ley.

2.- Antecedentes

Carmen Formoso nació en La Coruña, y en esta ciudad pasó la mayor parte de su vida. Su historia está marcada por la época que le tocó vivir. En su juventud sufrió las consecuencias de ser mujer en el sistema social diseñado por la dictadura, al que nunca logró adaptarse. Su madurez coincide con el final del franquismo y la transición democrática. Cuando, por fin, puede sentirse libre, cuando puede exigir ser tratada en pie de igualdad con el sexo opuesto, ya han transcurrido más de cuarenta años de su vida.

Camilo José Cela, escritor que había ejercido como censor al servicio del régimen del General Franco, recibe en 1989 el Premio Nobel de Literatura. Poco tiempo después, por efecto de la anulación de su matrimonio con Rosario Conde, pierde la mitad de su patrimonio, quedando además obligado al pago de una elevada pensión mensual a su exesposa.

Editorial Planeta, que desde principios de la década de los noventa había sufrido una progresiva caída de sus ventas en librerías, se esforzaba por relanzar el Premio al que debía buena parte de su popularidad. En el certamen Premio Planeta 1993, resulta ganador el Premio Nobel de Literatura, Gabriel García Márquez, lo que había sido conocido con anterioridad a la votación del Jurado, desatándose un escándalo literario al afirmarse que la concesión del Premio estaba pactada de antemano.

Carmen Formoso quiso dejar escrita su historia, y para ello diseñó un argumento con un esquema temporal inverso al de su propia vida. Ella es "Mamita Carmen", la sabia, la que conoce el destino y acepta como inevitable la infelicidad de su hija, pero con la certeza de que su nieta habrá de recuperar la dignidad de ser mujer, de ser libre para elegir su propio camino. Ella es "Carmela", la angustiada mujer que intenta en vano ser libre en un mundo en el que solo a los hombres les está permitido elegir su destino. Y ella es "Carmiña, la afortunada, la mujer que podrá mirar de igual a igual a los hombres; inteligente y bella, será dueña de su propia existencia.

Camilo José Cela, que nunca había creído en los Premios Literarios, ve como gracias a uno de ellos, el Nobel, disfruta de las más altas dignidades. Orgulloso de sí mismo, y ya en los últimos años de su vida, se niega a apagar el brillo de su estrella. El día 1ro. de mayo de 1993, el diario *El País* (*Babelia*, páginas 14 y 15) publica un extenso artículo, firmado por Miguel García-Posada, en el que se le acusa de haber "reelaborado" la novela *Cintas Rojas* (publicada en 1916 y escrita por José Luis Pinillos, "Parmeno"), convirtiéndola en su "Pascual Duarte". Esto es un fuerte golpe para Cela, que lo impulsa a reafirmarse en su genio.

Editorial Planeta, en su estrategia de reestructuración, nombra una nueva Directora General de Ediciones, Ymelda Navajo, que se incorpora al cargo a principios de 1994. Una de las principales preocupaciones seguía siendo el prestigiar su buque insignia, el Premio Planeta. Con tal intención ofrecen el Premio al escritor Miguel Delibes, quien lo rechaza, según declaraciones del propio Sr. Delibes, publicadas en la prensa, y no desmentidas desde Planeta. Así las cosas, Planeta se ve obligada a acudir de nuevo a Carmen Balcells, la agente que representaba a Gabriel García Márquez, ganador del año anterior. Esta agente literaria era también la representante de Camilo José Cela.

Carmen Formoso escribió su novela, que tituló *Carmen, Carmela, Carmiña (Fluorescencia)*, para lo que hubo de realizar una intensa labor de documentación que duraría tres años. Los acontecimientos ocurridos en La Coruña durante la Guerra Civil y la Posguerra, los lugares que recordaba de la niñez, los rituales yorubas, las historias de meigas coruñesas de la época, fueron cuidadosamente recopilados y utilizados como material de su novela. Pero la novela de Carmen Formoso se construye en torno a sus propias vivencias, a las historias que, en su familia, se contaban sobre la bisabuela materna, empedernida fumadora de habanos natural de Cuba. Relata sucesos de su vida, que sitúa en los lugares en que le habían realmente ocurrido, y escribe sobre su vida y su mundo.

A finales del mes de abril de 1994, Carmen Formoso presenta su novela al certamen literario Premio Planeta 1994, pero, afortunadamente, decide inscribirla antes en el Registro de la Propiedad Intelectual.

Camilo José Cela recibe la oferta de Planeta, que le propone presentarse al Premio Planeta 1994 con la seguridad de resultar ganador, lo que además le supondría una buena cantidad de dinero: cincuenta millones de pesetas y el correspondiente porcentaje de las ventas.

La oferta le interesa, sin embargo, existe un problema: Cela no dispone de una novela para presentar al certamen. Necesitaba un guion, una grabadora y, sobre todo, tiempo. Tiempo para documentarse, tiempo para crear unos personajes y situarlos en un lugar y un tiempo concreto, tiempo para inventar anécdotas, historias y situaciones. Y tiempo para conjugar todo en una obra literaria digna de ser premiada.

Editorial Planeta recibe, entre las obras presentadas al certamen, una novela titulada *Carmen, Carmela, Carmiña (Fluorescencia),* ambientada en La Coruña, cuya acción transcurre durante los dos últimos tercios del siglo XX. La autora acompaña una carta en la que se presenta como una maestra de cierta edad, que les ha enviado su primera novela, recién terminada.

Se trataba de un material ideal para Cela: ambientada en Galicia y desarrollada entre la posguerra y la actualidad. Ya pueden proporcionarle unos personajes, con sus vivencias, anécdotas, pequeñas historias con los detalles de la época y el lugar. Sólo necesitaban ocultar su delito. Y para ello mutilaron el guion, descomponiéndolo en pequeños fragmentos, que luego ordenaron para componer un relato aparentemente distinto, variando la forma en que se efectúa la narración, dando la vuelta a la sucesión temporal, desdoblando personajes y añadiendo elementos extraños, formando con todo ello un enmarañado relato pretendidamente innovador en su estilo.

Camilo José Cela ultimaba la venta, y acepta de buen grado la necesidad de ocultar su vergonzosa acción, de esconder el hecho de la utilización de una obra ajena. Acepta el encargo y comienza su trabajo. Cela dicta a la grabadora y, siguiendo el guion que le marca Planeta, va introduciendo los personajes, las historias, los sentimientos y las vivencias de una desconocida, que habían sido puestas a su disposición.

Sin embargo, irritado por el poco convencimiento con que realizaba su labor, decide confesar su fechoría, conociendo que esa misma confesión legitimaría su acción, volviendo a convertirle en creador. Y lo confiesa en las mismas páginas en las que va escribiendo las ideas ajenas en riguroso desorden. Sabe que no obtendrá satisfacción de su pacto con el mercader, y se siente engañado y decide vengarse. Y para ello se sirve de su mejor arma: la palabra. Y así, quiso dejar escrita la historia de un laureado escritor cuya muerte se aproxima y, sin saber porque, decide arriesgarlo todo para obtener un reconocimiento que no necesita, un dinero que no podrá disfrutar. Y a la vez que confiesa, delata a su cómplice.

En este proceso, Cela descarga su culpa ridiculizando las vivencias robadas, incluso se dirige por su nombre a la dueña de las historias que se ve obligado a utilizar. Su desmedida vanidad le fuerza a recordarle a esa tal Formoso cuál es el lugar que ocupa en esta historia: Ella entrega una piedra al escultor, al Nobel, quien la convierte en una valiosa estatua. La señora Formoso es, para Cela, una prestamista, una usurera.

Editorial Planeta, por su parte, recibe de Cela un texto escrito, desde el principio hasta el fin, sobre papel higiénico, o lo que es igual, Cela les proporciona un libro de Mierda. Mierda que Planeta se ve obligada a premiar con su máximo galardón. Mierda que el mercader paga a precio de oro. Y que se ve obligada a publicar. Y es tras esta publicación cuando Cela consuma su venganza: Con *La Cruz de San Andrés,* Planeta hace público su comportamiento delictivo, pone a disposición del público la evidencia que la delata.

Camilo José Celase muestra implacablemente cruel con el mercader, a quien hace víctima de una genial historia cuya trama y desenlace no consienten ser encerrados entre las páginas de un libro. *La Cruz de San Andrés* es el instrumento con el que Cela nos quiere hacer ver la verdad oculta tras la literatura de nuestros días: La literatura es un negocio manejado por unos mercaderes sin escrúpulos que son incapaces de diferenciar el oro de la mierda. Pero esto no es algo que preocupe a los editores, ya que el público tampoco lo distingue.

La Cruz de San Andrés es un estado de ánimo. Es el desprecio con que el genio nos invita a descubrir nuestra propia estupidez. Pero también es el guiño que nos permite comprender su mensaje. Entre sus páginas vacías se esconde una historia real, sencilla y triste, cuyo desenlace no está escrito.

3.- *La Cruz de San Andrés*: claves para su comprensión

El mismo día en que se falló el Premio Planeta 1994, Cela declaró: "La trama de la novela es sencilla, pero la preocupación al escribirla ha sido no sólo literaria, sino también ética" (*El País*, página 40).

La novela premiada fue presentada al certamen de manera irregular, varias semanas después del día 30 de junio de 1999, fecha en que finalizaba el plazo de admisión (como expone Paco Umbral en *El Mundo* de 26/7/1994); y ni siquiera le fue expedido el preceptivo recibo de entrega que exigen las Bases del Certamen. Así parece desvelarlo el propio Cela ("ha pasado ya mucho tiempo; el libro lo tengo que entregar el día 1 de setiembre, así que debo darme cierta prisa..." - Camilo José Cela, *La cruz de San Andrés*, página 17).

Señalábamos más atrás a la Agente Carmen Balcells como la representante de los dos Premios Nobel de Literatura que recibieron el Premio Planeta en los certámenes de 1993 y 1994 (García Márquez y Cela), y cuyos nombres eran conocidos desde mucho antes de ser emitido el veredicto del jurado. La participación de la agente literaria en la trama se deduce de las palabras del propio Camilo José Cela, "la agente Paula Fields me encarga que escriba..." (*La Cruz de San Andrés*, páginas 13 y 14).

La narradora de *La Cruz de San Andrés*, Matilde Verdú (junto con otras dos Matilde) es un personaje femenino, que a menudo utiliza la primera persona en la narración. Resulta muy sencillo descubrir que es Camilo José Cela quien se oculta tras Matilde Verdú. Las referencias autobiográficas del Nobel abundan en la novela ("a mí me anticiparon mucho dinero, bueno, mucho dinero para mi exhausta bolsa, la verdad es que no llegó a los seiscientos mil dólares, y aunque al principio lo dudé, ahora que ya no me queda más que un año escaso de vida, eso es lo que dicen los médicos a mi marido y a nuestros hijos y nueras, todos crueles y avergonzados, todos ávidos y parásitos, acepto la propuesta y empiezo esta crónica desorientada y levemente ortodoxa: todos debemos someternos a las sabias normas dictadas por los comerciantes y los síndicos" - *La Cruz de San Andrés*, pág. 14). Este texto explicita varias circunstancias relativas al propio Camilo José Cela: Se encuentra al final de su vida, y tiene desavenencias familiares, en especial con su propio hijo. Por otra parte, seiscientos mil dólares es una cifra acorde con los beneficios obtenidos al ganar el Premio Planeta –dotado con cincuenta millones de pesetas, a los que hay que sumar los derechos de autor respecto a los ejemplares de la novela publicados.

Otras veces Cela aparece imponiéndose como narrador a su propio personaje, que pierde su carácter femenino ("...a veces me gustaría haber nacido mujer..." - *La Cruz de San Andrés*, pág. 16). El propio Cela reconoce haber cometido algunos errores gramaticales en esta novela, motivados por su falta de costumbre en escribir asumiendo el papel de una mujer (*La Voz de Galicia*, 29/8/1999). ¿Cómo hemos de entender esto?

Si resulta claro que Cela se vio obligado a escribir una novela en un breve plazo, no se entiende su decisión de ir contra su costumbre y variar el sexo del narrador, con las lógicas dificultades que él mismo reconoce. Y si pensamos que nada estaba más lejos de su intención que realizar un esfuerzo literario dedicado al Premio Planeta, como lo sería un cambio de su estilo narrativo, las posibles respuestas se desvanecen. Sólo cabe entender que vino motivado por el hecho de que la novela de Carmen Formoso está narrada en femenino.

Aprovecharemos para dejar apuntada una cuestión gramatical muy reveladora: Carmen Formoso, en su novela, utiliza los verbos tal y como suele hablar: como una gallega de La Coruña, castellanohablante y pensante, pero influida por la costumbre de los verbos gallegos. Así, con frecuencia utiliza mal los pretéritos pluscuamperfectos al galleguizarlos, también a menudo escribe "fu-era" en lugar de "fu-ese", o comete otros errores similares.

Pues bien, en *La Cruz de San Andrés* Camilo José Cela comete algunos de estos mismos errores, cosa que no ocurre en el resto de sus obras. Es curioso observar estos errores en un miembro de la Real Academia de la Lengua. Curioso y significativo.

La lectura de *La Cruz de San Andrés* resulta poco menos que imposible. Al menos para quien busque en la novela un contenido comprensible. Sin embargo, teniendo en cuenta lo expuesto anteriormente, ya desde sus primeras páginas podemos realizar una lectura más interesante, en la que se aprecia que el propio Cela muestra, veladamente, su preocupación ética. Se puede apreciar cómo un escritor mundialmente reconocido, Premio Nobel de Literatura, en el final de su carrera, e incluso de su vida, acepta escribir una novela por encargo, con la única motivación de obtener un beneficio económico, unos ingresos que, por otra parte, él no precisa. Para ello utiliza una novela ajena, escrita por un autor desconocido (la novela no es otra que *Carmen, Carmela, Carmiña (Fluorescencia)*, escrita por Carmen Formoso Lapido), lo que supone un comportamiento indigno, no sólo por el hecho en sí, sino especialmente por el reconocimiento de su incapacidad para escribir; y, a la vez, una acción vergonzosa, que hiere el orgullo de quien lo ha sido todo pero se ve abocado a utilizar un trabajo realizado por alguien que no podría soñar con alcanzar una calidad literaria mínimamente comparable a la suya.

Pasemos a analizar algunas de las múltiples afirmaciones que Cela vierte en *La Cruz de San Andrés* y que avalan nuestra tesis. Ya desde su primera página comienza el relato enmascarado de los acontecimientos en cuyo seno fue gestada la novela premiada con el Planeta en 1994: "el Gladiador que va a morir saluda al César con un corte de mangas porque también él juega y juzga y se ríe a carcajadas del César y de quienes van a escupir sobre su cadáver, sería espantoso imaginarnos a la humanidad demasiado sumisa, suenan los clarines porque ya empieza la misa negra de la confusión, el solemne acto académico de la más turbia de todas las confusiones" (Camilo José Cela, *La Cruz de San Andrés*, página 9).

Examinemos el trasfondo que se oculta bajo el texto anterior. Examinemos el sentido del texto resultante de identificar a Camilo José Cela con "El Gladiador", e identifiquemos también a la Editorial Planeta con "El César". Cela saluda a Planeta con un corte de mangas y se ríe a carcajadas. Se burla de quienes creen poder escupir sobre el cadáver del escritor y su genio. Cela se niega a asumir el papel de escritor acabado, sin ideas, incapaz de crear. Es la historia con la que da comienzo a su venganza. Una venganza con la que no sólo quiere lavar la afrenta que Planeta le infiere como escritor, sino que también se dirige a un público idiotizado y sumiso, al que necesita liberar de su letargo, pues es ese público a quien dirige su obra y a quien exige el reconocimiento de su genio.

El final de párrafo anteriormente trascrito es un aviso escrito en clave, destinado a la posteridad, una velada expresión de la trama oculta en la novela, que define como "la más turbia de todas las confusiones". En efecto, *La Cruz de San Andrés* encierra entre sus líneas varios contenidos que se esconden uno tras otro, dificultando la comprensión de su verdadero sentido.

El libro es escrito por Cela de manera que, en primera instancia, aparenta ser una sucesión de elementos inconexos. Con ello intenta aparentar un primer sentido de la novela: una innovación de estilo pretendidamente original. Oculto tras este disfraz, se esconde una nueva confusión, esta vez dirigida a

Planeta. Cela sabe que Planeta comprenderá este trasfondo. Gráficamente se puede apreciar que el corte de mangas que el Gladiador Cela dirige a Planeta, en una primera lectura, parece consistir en la pública confesión que se esconde tras la metafórica afirmación, reiterada desde el principio hasta el final de *La Cruz de San Andrés*: la novela merece ser escrita en el más humilde de los soportes, en un papel al cual, por definición, va pegada la mierda (así, entre otras, en la página 9: "Aquí, en estos rollos de papel de retrete marca La Condesita... se va a narrar la crónica de un derrumbamiento"; o en la página 237:"Aquí termina esta crónica de un derrumbamiento, también se me acabó el último rollo de papel de retrete" –respectivamente, primera y última página de la novela *La Cruz de San Andrés*–;otras páginas inciden en ello: en la página 124, "Guillermina me regaló tres rollos de papel de retrete marca La Condesita, es el mejor sin duda, pero ahora anda muy escaso, es más fácil escribir la crónica de un derrumbamiento en un papel de retrete bueno que en uno malo", o en la página 146, "Aquí, en estos rollos de papel de retrete marca El Gaiteiro Bucólico, voy narrando por regurgitación, también algo pasmada, la crónica..."). Claramente, Cela hace ver a Planeta cuál es su contribución al premio del Editor: una novela de mierda.

Pero no acaba aquí la confusión urdida por el Nobel. Recordemos que se trata de "la más turbia de todas las confusiones". Camilo José Cela oculta a Planeta el verdadero significado que esconde *La Cruz de San Andrés*. Y es precisamente aquí donde reside la verdadera genialidad de la novela. Cela consigue que Planeta imprima y distribuya miles de ejemplares de una obra en la que se relata la comisión de la mayor de las infamias. El final de la concatenación de confusiones desvela la realidad que se esconde tras el negocio de la literatura, la verdadera actividad que constituye el negocio de las grandes editoriales. Cela denuncia cuál es la mercancía que estos Césares de la literatura distribuyen: textos desprovistos de valor artístico. Productos cuya única justificación reside en su capacidad para generar beneficios económicos, amparados por la acción publicitaria y mediática de las editoriales, quienes dirigen la atención de los consumidores de libros a su entera voluntad, y en su exclusivo beneficio. Cela considera espantosa la imagen de una humanidad sumisa, de unos lectores idiotizados por la acción editorial. Y se rebela contra quienes para él son los culpables de la pérdida del compromiso artístico de la literatura actual.

La Cruz de San Andrés se describe por el mismo Cela como "El solemne acto académico de la más turbia de todas las confusiones". Y efectivamente, la novela utiliza una enrevesada maniobra, en la cual se esconden, una tras otra, la serie de revelaciones que finalmente permitirán al lector avezado comprender que, tras la denuncia del delito cometido por Planeta, al apropiarse de la obra de una autora novel, y utilizar su enorme poder para asegurarse la impunidad, se esconde el verdadero fraude: el terrible daño que ha sufrido la literatura al haber caído en manos de unos mercaderes desprovistos de sensibilidad, que han convertido el arte en el mero objeto de un negocio dirigido a una única meta: el beneficio económico, el aumento de sus ventas.

La preocupación de Cela por toda esta situación se transforma en reproche, llegando al extremo de enfrentarse con sus lectores, a los que en diversos pasajes del libro se dirige despreciativamente (pág. 73: "insisto en decirle a usted, lector estúpido"; pág. 86: "¿cuántos estúpidos crees que se precisan para formar un coro que cante la loa de los crucificados?").

Continuamente, a lo largo de *La Cruz de San Andrés*, Cela intercala las claves para desenmarañar la madeja de confusiones. Narra en primera persona, mediante frases que en muchos casos carecen de toda conexión con el contexto en el cual se integran, su propia crónica, oculta y ajena al guion que Planeta le había impuesto, y contra el cual reiteradamente se rebela.

Pese a que en casi todas las páginas de *La Cruz de San Andrés* existen reflexiones en las que Cela muestra el significado oculto entre las líneas de la novela, vamos a señalar sólo algunas de ellas, que ni son las únicas, ni probablemente serán las más significativas, pues ampliar esta lista y descubrir en la novela de Cela otras confesiones íntimas de mayor enjundia, queda en manos de cada lector.

Ya en la página 14 de *La Cruz de San Andrés*, Cela escribe "No sé por dónde empezar. Mi tía Marianita...", lo que parece avalar la ausencia de argumentos propios del autor en la génesis de la novela.

En la página 86 escribe "a mí me dieron un papel en el que se leía que en nuestro interior existen tremendos poderes y facultades de los que no somos conscientes, me lo dieron en los Cantones". No vemos un mejor resumen del contenido de la novela *Carmen, Carmela, Carmiña (Fluorescencia)*, que esta frase. Además, se está reconociendo que "ese papel" se lo dieron en La Coruña, en los Cantones.

En otros momentos Cela se refiere a la motivación económica de su acción. Ya hemos visto anteriormente como confesaba haber recibido un anticipo "que no llegaba a los 600.000 dólares", afirmando que "todos debemos someternos a las sabias normas dictadas por los comerciantes y los síndicos" (pág. 14). En la página 53 se refiere a la narradora (recordemos que tras ella se oculta el propio Cela) como "Matilde Verdú, la circunspecta relatora de esta crónica de sucesos, la mujer que se ganó un sobresueldo para caprichos e imprevistos durante dos o tres años".

En la página 94 existe otra interesante referencia: "yo escribo a veces en primera persona para complacer a mi agente y a mi editor, tanto Paula Fields como Gardner Publisher Co. tienen sus prejuicios y sus manías (y motivaciones maniáticas), lo verdaderamente ejemplar es que todo lo convierten en dinero, todo lo que tocan se vuelve dinero y son capaces de vender los más raros productos de la subinteligencia. Supongo que está completamente claro lo que quiero decir, eso de echar el yo por delante no es más que un subterfugio, otros le llamarían licencia poética".

Examinemos sucintamente esta cita.

Parece claro que la utilización de la primera persona como elemento fundamental de la narración es consecuencia de la intervención de la agente literaria y la editorial. Es importante recordar en este momento que Cela ha reconocido (*La Voz de Galicia*, 29/08/1999) haber cometido algunos errores gramaticales motivados por su falta de costumbre al escribir como si lo hiciera una mujer. Parece claro cuál es el motivo por el que Cela se ve obligado a asumir tal dificultad: el guion de Planeta es fruto de la apropiación de una novela en la cual se plasma el universo femenino, narrada por una mujer que cuenta la historia de tres mujeres. Evidentemente, el esfuerzo que sería preciso para adaptar la obra original a un narrador masculino sería extraordinario, y aun así el resultado podría ser infructuoso.

Por otra parte, el párrafo citado incide en el elemento fundamental que se oculta en la trama de confusiones urdida por Cela: "son capaces de vender los más raros productos de la subinteligencia". El texto es rotundo cuando indica la existencia de un significado oculto ("lo que quiero decir"), si bien Cela quiere suponer que ese significado resulta claro. Claro para todos menos para el editor, quien es visto por Cela como incapaz de apreciar la literatura.

En otros momentos Cela se refiere claramente al hecho de que las pautas del guion le son impuestas. Así, en la página 37 dice: "Entonces Matilde Verdú recibió la orden de continuar con el hilo del cuento, las órdenes las da quien puede y debe hacerlo y nadie más". En la página 10 escribe: "la farsa debe representarse con sencillez para que el gran público se deleite". En la página 14 señala: "la agente Paula Fields me encarga que escriba". En la página 146 leemos:"Mi marido no estuvo en el exilio ni un solo día, lo dejé entrever no más para que se callase Paula Fields y me dejaran de marear los asesores de Gardner Publisher Co.". En la página 148 expone: "la señora Pilar Seixón, la milagrera de Donalbai, tenía un concepto muy flexible del orden, todo aquello que puede ser ordenado deber ser ordenado incluso con desorden y despreocupación". La misma Pilar Seixón aparece en la página 133: "–¿No sería mejor que lo dijese ahora, que viene rodado? –No, ahora no, eso de que venga o deje de venir rodado es lo de menos, cada crónica tiene un ritmo que debe respetarse, la señora Pilar Seixón había previsto ponerlo en el capítulo IV, el reservado para el nudo, y yo no soy quién para desobedecerle". En la página 45 Cela escribe (en referencia a Matty, que conoció a Jaime Vilaseiro, con el que se casó enseguida): "–¿No sería mejor dejar esto para más tarde? –Sí, quizá sí; esto ya se contará después en el capítulo tercero, el que la señora Pilar Seixón, la santa de Donalbai, usted no la conoce, piensa dedicar al planteamiento".

En varias ocasiones, a lo largo del libro, Cela se refiere a su actitud frente al guion que le marcan. Quizás la más significativa de ellas es la de la página 44: "–¿Por qué te ajustas tanto al guion que te marcó la policía? –Tengo mis motivos para hacer lo que hago, también te advierto que por ahora hago lo que quiero y que nadie me marca el guion de lo que tengo que decir, de lo que me conviene decir".

Destacamos el párrafo anterior no sólo por cuanto indica que a Cela le han marcado el guion de la novela, sino porque además deja entrever que, pese a la imposición del guion, él hace lo que quiere, y sobre todo que dice lo que debe decir, aunque de la manera más conveniente para ocultar el significado de su relato a Planeta.

Por último, y antes de entrar a analizar las coincidencias existentes entre *La Cruz de San Andrés* y *Carmen, Carmela, Carmiña*

(Fluorescencia), dedicaremos unas breves líneas a señalar algunas de las confesiones íntimas de Cela que contiene su novela.

En la página 99 de *La Cruz de San Andrés*, al principio del capítulo tercero titulado "Planteamiento", Cela escribe: "Me armo de paciencia y de ira y confieso con un absoluto descaro haber infringido deliberadamente toda cuanta norma se me quiso imponer, mi marido y yo exigimos que se nos reconozca que vamos a pagar un precio muy alto y muy caro, que vamos a pagar en oro y esmeraldas y con cumplidas creces todos nuestros hediondos e ingenuos pecados mortales; si se nos va a quitar la vida clavándonos en la cruz de San Andrés para que los cuervos se rían de nuestras derrotadas miserias, queremos que se nos autorice a seguir pecando sin caridad".

La frase anterior es un verdadero espejo de la ceremonia de confusión urdida por Cela. La frase pudiera atribuirse a la protagonista del guion impuesto por Planeta. Sin embargo, también se puede encontrar al propio Cela detrás de esta cita. Esta segunda lectura se ampara en la propia vida, en la propia situación del escritor. Recordemos que pocos años antes Cela se había casado con su actual joven esposa, tras deshacer su matrimonio anterior que había durado más de 30 años, lo que les supuso convertirse en objeto de numerosas críticas.

El trasfondo no ofrece dudas: la abrumadora diferencia de edad existente entre Cela y su actual esposa motivó que esta fuese acusada de buscar un beneficio económico en el matrimonio. Como resultado de esta situación, la imagen pública de Cela quedaría muy deteriorada. Y esto sería todavía más evidente al hacerse públicas las graves desavenencias existentes entre Cela y su familia, en especial con su propio hijo.

Cela, como consecuencia de todo esto, temía que cualquier escándalo derivado de las circunstancias en las que le sería otorgado el Premio Planeta (no necesariamente una acusación de plagio, sino incluso una mera crítica descalificadora de la novela u otro tipo de insinuaciones de menor gravedad), le supusiese un alto precio en pérdida de prestigio, que podría afectar a la valoración de toda su obra.

Otra interesante cita la encontramos en la página 44 de la novela de Cela: "Cada vez que se me acaba un rollo de papel de retrete me da la risa, es muy emocionante eso de escribir la historia de un derrumbamiento en rollos de papel de retrete, también da mucha risa, ya digo, yo aguanto todo lo que puedo, yo puedo aguantar mucho, soy capaz de aguantar lo indecible, nadie me agradecería nunca lo bastante el buen ejemplo que doy a los jóvenes, yo creo que no hay mujer en toda España capaz de aguantar lo que yo aguanto, no me da ninguna vergüenza proclamarlo con soberbia y con ira, también sin recato alguno. –¿Por qué te ajustas tanto al guion que te marcó la policía? –Tengo mis motivos para hacer lo que hago, también te advierto que por ahora hago lo que quiero y que nadie me marca el guion de lo que tengo que decir, de lo que me conviene decir" (Camilo José Cela - *La cruz de San Andrés*).

Más atrás nos hemos referido a la última parte de esta cita. Ahora podemos apreciar el verdadero significado que se oculta tras ella y que, llegados a este punto, el lector, sin duda alguna, ha de poder interpretar sin nuestra ayuda.

A fin de no alargarnos en exceso, y reiterando nuestra advertencia acerca de la continua aparición de este tipo de confesiones a lo largo de toda la novela de Cela, vamos a citar unas últimas líneas de *La Cruz de San Andrés* que avalan lo hasta ahora expuesto: página 168, "–Usted quizá no sea capaz de entenderlo, pero tenga la completa seguridad de que las palabras no significan más que lo que queremos que signifiquen, tampoco se trata de llevar el crimen hasta su última justificación, ¿está claro? –Hombre, ¡qué quiere usted que le diga! (…) Calímaco quería ser rico y virtuoso al tiempo: la riqueza sin virtud, ¿para qué y por qué sirve?, la virtud sin riqueza, ¿a dónde y cómo nos conduce?, no temáis a los placeres porque tampoco la imbecilidad os ha de redimir de nada".

Por último, en la página 169 de *La Cruz de San Andrés* Cela dice: "–Mujer, ¡no sé!, eso es como querer aprender a jugar al mus a los setenta y ocho años, quizá sea ya un poco tarde, ¿no le parece que es ya un poco tarde para aprender a jugar al mus y para todo? –Pues sí, lo más probable es que sí, no se lo niego". Pese a la aparente intrascendencia de esta cita, su significado cobra importancia si tenemos presente que Cela, en 1994, en el momento en que redacta estas líneas, tenía precisamente setenta y ocho años. ¿Casualidad?

4.- La Querella Criminal presentada por Carmen Formoso, contra Editorial Planeta, S.A. y Camilo José Cela

Como ha quedado expuesto, la novela *Carmen, Carmela, Carmiña (Fluorescencia* se presenta en el Registro General de la Propiedad Intelectual el día 15 de abril de 1994, quedando inscrita con el N.º 1994/15/25228, constando como su titular Carmen Formoso (Clave: 1995/22274, Sección: 1, no divulgada, Clase de obra: Literaria).

El día 20 de abril de 1994, Carmen Formoso envía a Editorial Planeta, S.A., calle Córcega, 273 de Barcelona, a través de la empresa de transportes SEUR, con número de expedición 6.840 (factura de fecha 22 de abril de 1994, n. Exp/Fact. 100016), dos ejemplares de la novela *Carmen, Carmela, Carmiña (Fluorescencia),* al efecto de su presentación al Premio Editorial Planeta 1994, quedando inscrita en dicha convocatoria con el número 15, según el recibo emitido por Editorial Planeta.

La Querella se fundamenta en la existencia de coincidencias esenciales entre las dos obras, por una parte, *Carmen, Carmela, Carmiña (Fluorescencia)*, y por otra *La Cruz de San Andrés*, ganadora del Premio Planeta 1994, y escrita por Camilo José Cela. Dado que la primera se trataba de una obra sin divulgar, la pregunta inmediata era: ¿Cómo había llegado a disponer de ella Cela?

La respuesta era evidente: sólo podía haber sido por medio de Editorial Planeta, que disponía de la obra, pues le había sido entregada para su presentación al Premio Planeta 1994. Así pues, todo indicaba hacia la existencia de un primer delito, cometido por Editorial Planeta: El delito de Apropiación Indebida.

El delito de Apropiación Indebida, es tipificado por el artículo 535 del antiguo Código Penal, vigente en el momento de producirse los hechos, como cometido por quienes, en perjuicio de otro, se apropiaren o distrajeren dinero, efectos o cualquier otra cosa mueble que hubiere recibido en depósito, comisión o administración, o por otro título que produzca obligación de entregarlos o devolverlos. Según reiterada jurisprudencia, el *iter criminis* del delito de Apropiación Indebida comienza en el momento en que el sujeto activo dispone del bien mueble, con la obligación de utilizarlo en los términos convenidos, y de devolverlo según el título contractual, sin que se requiera que exista, en ese momento inicial, engaño ni dolo.

Resulta evidente que el ejemplar de la obra literaria remitido por Carmen Formoso a Editorial Planeta, S.A., es un bien mueble. Lo que en principio pudiera parecer discutible, sería si la apropiación indebida de este bien mueble supone la apropiación indebida de los derechos de propiedad intelectual existentes sobre la obra literaria incorporada al ejemplar en papel.

En principio, la exigencia del tipo penal no es otra que la necesidad de que se esté en presencia de un bien susceptible de apropiación, por ello, se exige un soporte físico sobre el que pueda desarrollarse la conducta delictiva. Resulta evidente que, con carácter general, los bienes inmateriales no son susceptibles de aprehensión física, no son susceptibles de apropiación. Sin embargo, así como la Sentencia del Tribunal Supremo de 9 de febrero de 1989 considera que la estatua incorporada a un edificio, que es un bien inmueble para el derecho civil, es susceptible de apropiación, por lo que, a efectos del tipo penal de apropiación indebida, le otorga la consideración de bien mueble, por este mismo argumento debemos considerar que la incorporación de una obra literaria en un soporte susceptible de apropiación, tal como ocurre en este supuesto, permite considerar como bien mueble, no sólo al ejemplar, sino también a la obra literaria que se incorpora a dicho ejemplar. En apoyo de esta tesis se puede argumentar también la consideración de los Títulos Valores como bienes muebles, concretados en el valor que a ellos se incorpora. La Sentencia del Tribunal Supremo de 9 de febrero de 1989 define con toda claridad el concepto de cosa mueble a efectos del derecho penal: "todo objeto del mundo exterior susceptible de aprovechamiento material y de desplazamiento". Por tanto, debemos concluir que una obra literaria sin divulgar, plasmada en un objeto susceptible de aprovechamiento material y de desplazamiento, debe ser considerada como cosa mueble a efectos penales. En cualquier caso, una obra literaria original y no divulgada plasmada por escrito, al margen de su consideración como propiedad intelectual, impone otorgar a tal ejemplar un valor muy superior al que tendría en el caso de tratarse de un ejemplar ya divulgado, ya que incorpora el trabajo realizado durante años por su autor.

Sin embargo, la apropiación del ejemplar de la obra literaria no divulgada no puede desvincularse de su verdadero significado, que no es otro que la apropiación de la obra literaria plasmada en dicho ejemplar, por lo cual hemos de considerar que la apropiación indebida del ejemplar en que se plasma la obra literaria no divulgada, conlleva la apropiación indebida de la misma obra, al margen de que los derechos de propiedad intelectual que el autor ostenta sobre su obra, pudieran ser objeto de ulteriores agresiones. En este sentido, hemos de hacer mención de la importante Sentencia del Tribunal Supremo de 9/12/1985, según la cual, cuando se produce o crea una obra artística, lo que se protege es el resultado, que hace surgir un derecho especial, el derecho de autor cuyo objeto es un "Bien Inmaterial"; y conlleva la necesidad de la exteriorización, puesto que se crea o produce arte para ser exteriorizado, lo que implica el nacimiento de otro derecho, cuyo objeto es un "Bien Material".

La apropiación indebida del ejemplar de la obra es el medio para la comisión posterior de otros delitos contra la propiedad intelectual. El delito de Apropiación Indebida se consuma cuando el sujeto activo realiza un acto de disposición de la cosa recibida como suya sin serlo, lo que supone una actuación distinta e independiente de la mera reproducción de la obra, que podrá existir o no, según el comportamiento posterior del sujeto activo.

En este sentido, el artículo 3 de la Ley 22/1987, de Propiedad Intelectual, establece que los derechos de autor son independientes y compatibles con la propiedad y otros derechos que tengan por objeto la cosa material a la que está incorporada la creación intelectual. Por otra parte, su artículo 10 establece que son objeto de propiedad intelectual todas las creaciones originales literarias, artísticas o científicas, expresadas por cualquier medio o soporte Tangible o Intangible.

El artículo 534 bis, a), del antiguo código penal, tipifica como delito la conducta de quien intencionadamente reprodujere, en todo o en parte, una obra literaria sin la autorización de los titulares de los correspondientes derechos de propiedad intelectual o de sus cesionarios. El artículo 18 de la Ley 22/1987, del 1ro. de noviembre, de Propiedad Intelectual, define la reproducción como "la fijación de la obra en un medio que permita su comunicación y la obtención de copias de toda o parte de ella".

Dado que, como más adelante tendremos ocasión de exponer con detalle, entre la novela *Carmen, Carmela, Carmiña*, y la novela ganadora del Premio Planeta 1994, *La cruz de San Andrés*, existen innumerables coincidencias (temáticas, argumentales, personajes, tiempo, lugares, circunstancias e incluso frases textuales), que permiten afirmar sin ningún género de dudas su carácter No Casual, y dado que la novela *Carmen, Carmela, Carmiña* es anterior a la novela *La cruz de San Andrés*, resulta evidente que el autor de esta última hubo de conocer la novela de Carmen Formoso con anterioridad a escribir y presentar la suya al Premio Planeta 1994.

Es público y notorio que Editorial Planeta, S.A. había decidido, con mucha anterioridad a ser emitido el fallo del jurado, que fuese Camilo José Cela el premiado. Ello suponía prestigiar un certamen muy devaluado, al tratarse de un Premio Nobel de Literatura. Como se expuso, la novela premiada fue escrita en un breve lapsus de tiempo, existiendo en ella continuas referencias al respecto. Carmen Formoso presenta su obra a este mismo certamen (1994), poniendo, sólo a tal fin, su obra a disposición de Editorial Planeta, S.A. Sin embargo, se trata de una novela no divulgada. ¿Cómo puede entonces ser conocida por el autor premiado? Una única respuesta es posible: gracias a quien la tenía a su disposición; quien a la vez pacta con Camilo José Cela otorgarle el premio Planeta 1994, para lo cual necesita una obra original en un breve espacio de tiempo; quien, apropiándose de una obra que no le pertenecía, contraviniendo las obligaciones asumidas en el pacto en cuya virtud le fue entregada, y quebrantando la confianza del que hizo la entrega de su obra no divulgada, va a resultar beneficiada con el prestigio que un Premio Nobel de Literatura otorgará a su certamen literario, esto es: Editorial Planeta, S.A.

Editorial Planeta, S.A., tras consumar el delito de Apropiación Indebida, al disponer como dueño del ejemplar de la obra no divulgada perteneciente a Carmen Formoso (en cuanto que la esencia de este delito radica en la transmutación de la posesión obtenida lícitamente en disposición ilegítima, abusando de su tenencia material y en general de la confianza recibida

[TS S 24 Mar. 1987], y por ello la consumación del mismo se produce cuando el sujeto activo realiza un acto de disposición de la cosa recibida como suya sin serlo), continuará con su escalada delictiva: Ha de reproducir la obra literaria de la que se había apropiado, al objeto de poder facilitársela al autor de *La cruz de San Andrés*; ejecutará, como colaborador necesario, en concepto, pues, de autor, el delito de plagio, y finalmente culminará su plan distribuyendo el producto de su acción criminal, tras comunicar públicamente la obra Plagiaria, con ocasión del Certamen literario Premio Planeta 1994.

En cuanto a la reproducción, esta se define por el artículo 18 de la Ley 22/1987, de Propiedad Intelectual, como "la fijación de la obra en un medio que permita su comunicación y la obtención de copias de toda o parte de ella". Resulta indiferente el destino de la reproducción, sea para comunicación pública, sea para la obtención de copias, o sea para otro uso. Lo que importa es que la obra sea "fijada" en un soporte material, sin otro condicionante. Pero para que haya lugar a la reproducción, es condición previa disponer del original en un corpus físico (art. 60,7º LPI), a partir del cual se pueda hacer la fijación de referencia. Por ello, se debe reputar que el hecho de apropiarse de tal corpus físico es independiente de la reproducción que pudiera posteriormente producirse.

La distribución se define por el artículo 19 de la Ley 22/1987, de Propiedad Intelectual, como "la puesta a disposición del público del original o copias de la obra mediante su venta, alquiler, préstamo o de cualquier otra forma".

La Comunicación Pública se define por el artículo 20 de la Ley 22/1987, de Propiedad Intelectual, como "todo acto por el cual una pluralidad de personas pueda tener acceso a la obra sin previa distribución de ejemplares a cada una de ellas".

El Plagio plantea el problema de su delimitación respecto de la transformación, aunque, como luego veremos, el aspecto práctico de esta distinción no reviste mayor importancia, dado el similar alcance de la protección que la Ley Penal dispensa al autor que haya visto cómo, sin su autorización, se ha efectuado una transformación de su obra, constitutiva o no de Plagio. El artículo 21 de la Ley 22/1987, de Propiedad Intelectual define como transformación de una obra "su traducción, adaptación y cualquier otra modificación en su forma de la que se derive una obra diferente" (y por tanto, una obra protegida por sí misma), establece en su segundo apartado que "los derechos de propiedad intelectual de la obra resultante de la transformación corresponderán al autor de esta última, sin perjuicio de los derechos del autor de la obra preexistente".

La transformación da lugar, por tanto, a una obra diferente de la preexistente, que según el artículo 11,4º de la Ley 22/1987, de Propiedad Intelectual es por sí misma objeto de Propiedad Intelectual (aunque "sin perjuicio de los derechos de autor sobre la obra original").

El artículo 17 de la Ley 22/1987, de Propiedad Intelectual establece que "corresponde al autor el ejercicio exclusivo de los derechos de explotación de su obra en cualquier forma y, en especial, los derechos de reproducción, distribución, comunicación pública y transformación, que no podrán ser realizados sin su autorización". Pero, a su vez, el artículo 14 de la LPI, permite al autor "impedir cualquier deformación, modificación, alteración (...) que suponga perjuicio a sus legítimos intereses", lo que trasciende al mero derecho moral.

Partiendo de la distinción entre forma (interna y externa) y contenido de la obra, y teniendo en cuenta el "doble carácter" de la transformación (por una parte, facultad del autor de la obra original y acto de explotación, y por otro lado, actividad de otra persona, de la que deriva una obra distinta de la original, y que también es protegida), ha de aceptarse que la transformación requiere una actividad creadora que modifica la identidad de la obra, de manera que resulta una obra "nueva", por lo que habrá de reunir los requisitos del artículo 10,1º LPI, y ser considerada como "creación original". En este dato hemos de fundamentar la delimitación respecto de otras modificaciones de la obra preexistente que no merecen obtener la protección dispensada a la obra transformada.

Pero, en todo caso, lo fundamental es que la transformación es un derecho del autor de la obra original. Es decir, sólo la existencia de una transformación correcta (autorizada por el autor de la obra original y conforme a los límites de la autorización) permite pasar a examinar si la obra derivada cumple con el requisito de ser "creación original". Si se cumplen ambos requisitos, estaremos –sólo entonces– ante una obra nueva protegida por las leyes.

En el supuesto de que nos encontremos ante una transformación ilícita por haber sido efectuada sin autorización del autor de la obra original, pudiéramos considerar que, en tanto creación intelectual, es objeto de protección. Sin embargo, en atención a los derechos del autor de la obra original, que no pueden ser desconocidos y gozan sin duda alguna de protección *ex ante*, la transformación ilícita y la obra derivada han de ver suspendido el ejercicio de los derechos correspondientes (de reproducción, distribución, etc.), por el prevalente derecho del autor de la obra original, que puede recurrir a los artículos 133 y siguientes de la LPI, entre los que está el cese de la actividad ilícita, con la suspensión de la explotación infractora y demás medidas del artículo 134,1º.

El artículo 5 del Reglamento de 1880, no derogado por la LPI de 1987 ni por el TRLPI de 1996, dice que "para refundir, copiar, extractar, compendiar o reproducir obras originales españolas se necesitará acreditar que se obtuvo por escrito el permiso de los autores o propietarios, cuyo derecho de propiedad no haya prescrito con arreglo a la Ley, y faltando aquel requisito no gozarán sus autores de los beneficios legales ni producirá efecto su inscripción en el registro".

El artículo 534 bis a) del Antiguo Código Penal establece el tipo penal básico del delito contra la Propiedad Intelectual: "Será castigado con la pena de multa de 100.000 a 2.000.000 de pesetas quien intencionadamente reprodujere, plagiare, distribuyere o comunicare públicamente, en todo o en parte, una obra literaria, artística o científica o su transformación o una interpretación o ejecución artística fijada en cualquier tipo de soporte o comunicada a través de cualquier medio, sin la autorización de los titulares de los correspondientes derechos de propiedad intelectual o de sus cesionarios".

Estamos ante un "delito de intención" (de "resultado cortado"), pues el legislador procede a "recortar" el tipo objetivo, anticipando el castigo para evitar que se produzca el perjuicio económico, que por ello puede no haber llegado a producirse efectivamente tal perjuicio. Esta afirmación aparece corroborada por la actual redacción del artículo 270 del vigente Código Penal. Por esta razón, podemos estimar que la distinción entre Plagio y Transformación inconsentida no muestra, en derecho penal, una frontera diferenciada, pues tanto uno como otro pueden ser susceptibles de producir efectivamente el perjuicio económico a cuya evitación se dirige la tutela penal de los derechos de autor.

El tipo penal no castiga la mera Transformación inconsentida de una obra. Sólo va a otorgar relevancia penal a los actos que suponen exteriorización de la Transformación ilícita, esto es, que demuestran su peligrosidad e idoneidad para lesionar los derechos del tercero, que en este caso se trataría del autor de la obra original que ha sido transformada sin su autorización.

Lo anterior aparece más claro si tenemos en cuenta que la obra transformada se conceptúa como "creación original", es decir, estaría, en cuanto tal obra transformada, incluida en la expresión "obra literaria", por lo que otra interpretación conduciría al absurdo de entender que el legislador pretendió decir: "quien intencionadamente reprodujere, plagiare, distribuyere o comunicare públicamente, en todo o en parte, Una Obra Literaria, ...o Una Obra Literaria" (situación que se produciría de interpretar que con la expresión "o su transformación" se protegen exclusivamente los derechos de quien ha transformado una obra, al sustituir "o su transformación" por lo que sería entonces su sinónimo "una obra literaria").

La Sentencia de la A.P. de Zaragoza, de 22/10/1991 afirma: "El artículo 534 bis a) no constituye una mera norma penal en blanco, como lo era la precedente, sino que establece los elementos del tipo al sancionar a quien intencionadamente reprodujere, plagiare, distribuyere o comunicare públicamente, o efectuare su transformación". La Sentencia de la A.P. de Zamora, de 16/1/1996 (Fundamento de Derecho Cuarto) afirma: "Si (...) el mismo original de la obra es distribuida o comunicada al público o transformada sin autorización del autor o de sus cesionarios se están infringiendo los derechos de autor, y si dicha infracción reúne los requisitos exigidos en el tipo penal estaríamos en presencia del delito previsto en el artículo 534 bis a) del Código Penal".

Específicamente, el Plagio no aparece definido por la Ley. Por ello, resulta preciso acudir a definiciones jurisprudenciales.

La Sentencia de la Sala 1ª del Tribunal Supremo, de 28/1/1995, define el Plagio: "Por Plagio hay que entender, en su acepción más simplista, todo aquello que supone copiar obras ajenas en lo sustancial. Se presenta más bien como una actividad material mecanizada y muy poco intelectual y menos creativa, carente de toda originalidad y de concurrencia de genio o talento humano, aunque aporte cierta manifestación de ingenio (...). Las situaciones que representan plagio hay que entenderlas como las de identidad, así como las encubiertas, pero que descubren, al despojarlas de los ardides y ropajes que las disfrazan, su total similitud con la obra original, produciendo un estado de apropiación y aprovechamiento de la labor creativa y el esfuerzo ideario o intelectivo ajeno. No procede confusión con todo aquello que es común e integra el acervo cultural generalizado o con los datos que las ciencias aportan para el acceso y conocimiento por todos, con lo que se excluye lo que supone efectiva realidad inventiva, sino más bien relativa, que surge de la inspiración de los hombres y difícilmente, salvo casos excepcionales, alcanza neta, pura y total invención, desnuda de toda aportación exterior. Por todo ello, el concepto de plagio ha de referirse a las coincidencias estructurales básicas y fundamentales y no a las accesorias, añadidas, superpuestas o modificaciones no trascendentales".

El tipo penal sanciona tanto el Plagio Total como el Parcial. ¿Cómo estableceremos el límite a partir del cual sancionar el plagio parcial? Evidentemente no sería relevante penalmente el transcribir una mera frase sin poner la correspondiente nota a pie de página. Podemos encontrar algunos criterios en el artículo 32 LPI: "Es lícita la inclusión en una obra propia de fragmentos de otras ajenas de naturaleza escrita, sonora o audiovisual, así como la de obras aisladas de carácter plástico, fotográfico, figurativo o análogo, siempre que se trate de obras ya divulgadas y su inclusión se realice a título de cita o para su análisis, comentario o juicio crítico. Tal utilización sólo podrá realizarse con fines docentes o de investigación, en la medida justificada por el fin de esa incorporación e indicando la fuente y el nombre del autor de la obra utilizada".

Por último, y ya respecto a los terceros, existe un delito de Estafa, pues confiados en estar adquiriendo una obra original escrita por un premio Nobel, merecedora además de un importante galardón literario, resultan engañados, recibiendo una obra plagiaria, que ha sido premiada sin consideración alguna a sus merecimientos literarios, que sólo es el resultado de una trama urdida con el fin de crear un engaño bastante capaz de impulsar al público a su adquisición.

5.- Breve síntesis del Estudio Comparativo de las novelas *La Cruz de San Andrés* y *Carmen, Carmela, Carmiña (Fluorescencia)*

Con anterioridad tuvimos ocasión de exponer la definición jurisprudencial del Plagio, que ha de referirse a las coincidencias estructurales básicas y fundamentales y no accesorias. Como tendremos ocasión de probar, las coincidencias entre las dos obras son, precisamente, estructurales, constitutivas de plagio, y no de una mera transformación inconsentida. Sin embargo, hemos, desde este mismo momento, de exponer la dificultad extraordinaria que supone desenmascarar la apropiación de las ideas, de la creación y el trabajo ajeno, e incluso, de las mismas vivencias personales de la querellante, dificultad que surge de la misma condición de los agresores: un Premio Nobel de Literatura y la mayor editorial de Europa. No pueden existir mejores y mayores medios a disposición de delincuente alguno, en relación al delito cometido.

Sin lugar a dudas, existen entre las dos obras multitud de coincidencias apreciables a primera vista. Pero no son estas las de mayor gravedad. En realidad, si eliminamos de la obra *La Cruz de San Andrés* todo elemento derivado de *Carmen, Carmela, Carmiña*, lo que resta son algunas reflexiones personales del Nobel, una serie de anécdotas intrascendentes, sin conexión alguna y la propia confesión que este realiza, al describir cómo ejecuta el plagio ahora denunciado. Sin embargo, desentrañar toda esta trama, conviene repetirlo, supone deshacer la enrevesada madeja que, conscientemente tejieron alrededor de la obra *La cruz de San Andrés* quienes disponen de los mejores medios para ello. Con complejas técnicas literarias, hilando yuxtaposiciones y trasposiciones de conceptos, ocultaron el trabajo y las ideas ajenas tras un muro de confusión, cuidadosamente construido.

En los delitos contra la Propiedad Intelectual, posee singular trascendencia la prueba "pericial", el informe de un técnico en literatura que ilustre al juzgador en la apreciación de los hechos enjuiciados, en cuanto su comprensión requiere una adecuada preparación y uno conocimientos específicos de las técnicas literarias, de los que, en general, carecen los Jueces.

Sin embargo, al tener presente el grave riesgo que entrañaría la elección de un perito que pudiere emitir su dictamen para ser presentado por la representación procesal de Carmen Formoso, riesgo motivado por la importancia de las presiones que sobre cualquier persona dedicada a la Literatura, en cuanto escritor o aspirante a escritor, o implicado de cualquier manera en el sector editorial, aun a título de mero informador, han de poder ejercer, tanto la editorial querellada y todo el entramado empresarial a ella ligado, que constituye el mayor grupo editorial europeo, como el Premio Nobel de Literatura querellado, se tomó la decisión de renunciar a este elemento probatorio.

Esta decisión de prescindir, en un primer momento, de la prueba pericial, se motivó en el hecho de que, al efecto de la apreciación de la existencia del Delito de Apropiación Indebida, tal elemento probatorio resulta absolutamente innecesario, por la evidencia manifiesta de la realidad, sino del plagio, sí de la utilización de la obra *Carmen, Carmela, Carmiña (Fluorescencia)* en la novela *La Cruz de San Andrés*, dadas las continuas y evidentes coincidencias, la larga serie de elementos, incluso citas textuales, que se repiten en ambas obras, claramente visibles.

Con este planteamiento, se tomó la decisión de presentar, formando parte de la misma Querella, un Estudio Comparativo, de elaboración propia, señalando algunos de los elementos que evidencian la utilización de la novela de Carmen Formoso, por parte del autor de *La cruz de San Andrés*, y, por tanto, la existencia del delito de Apropiación Indebida que se imputa a los querellados.

El citado Estudio, en su parte final, enumera una selección de las coincidencias existentes entre las dos obras, coincidencias literales, pero también transposiciones de conceptos, técnica mediante la cual se oculta el plagio, consistente en separar los elementos de una historia, relato o anécdota, para posteriormente recomponerlos en distinto orden, en diseccionar los rasgos y los caracteres de los personajes, rehaciendo los personajes y la narración de manera que aparentemente resulten diferentes a los originales. Esta labor, en absoluto creativa, no hace desaparecer la identidad entre ambas obras, sino que simplemente la emborrona, la difumina, oculta el comportamiento delictivo. En matemáticas diríamos que existe una igualdad en la que, al sustituir unas variables por otras en el mismo algoritmo, permanece idéntico valor en los dos miembros de la ecuación. Carmiña se desglosa entre Betty Boop y Matty; Carmela está en Matilde Verdú; Clara y Maruxa comparten mucho más que una casa situada en la misma zona en la que cultivan extrañas flores…

Este Estudio Comparativo, junto con la misma Querella Criminal y otros documentos de interés para quienes quieran ampliar la información proporcionada en este Prólogo, en relación al procedimiento judicial que comentamos, así como en relación al régimen legal y jurisprudencial de los delitos contra la propiedad intelectual, se encuentra a disposición del público en la dirección de Internet que se señala en la contraportada de este libro. A esta dirección podrán también, en su caso, enviar sus ideas, comentarios e informaciones acerca de estas cuestiones, así como solicitar colaboración de naturaleza jurídica, en apoyo de otros casos de agresiones a los derechos de Propiedad Intelectual.

Entrando ya, siquiera sucintamente, en la comparación de las dos obras, pondremos a disposición del lector suficientes datos objetivos con los que eliminar cualquier posible duda que pudiere existir en torno al hipotético carácter fortuito de las coincidencias existentes: resulta estadísticamente imposible.

Carmen, Carmela, Carmiña es la historia de tres mujeres de una misma familia, "las tres Carmen", respectivamente, abuela, madre y nieta. Transcurre en un período temporal que abarca desde la II República Española hasta finales de los años setenta. Su núcleo se sitúa en las décadas de los años sesenta y setenta.

La narradora de *La Cruz de San Andrés* se presenta en su página 11: "Me llamo Matilde Verdú, mi madre también se llamaba Matilde Verdú". Más adelante (página 69) la narradora señala "estos papeles están siendo escritos por varias personas y son tres, al menos, tres mujeres, quienes hablan en primera persona", mientras en la página 125 nos dice "Me llamo Matilde Lens, Matilde Meizoso, Matilde Verdú". Más claramente (pág. 91) Cela señala "ya van tres Matildes". El tiempo en el que transcurre su acción se define en su página 16: "Hoy es el sexagésimo tercero aniversario de la II República Española". Esta narración retrospectiva abarca, pues, desde el nacimiento de la II República, en 1931, hasta el año 1994. Sin embargo, su núcleo se desarrolla en las décadas de los años sesenta y setenta.

Ambas novelas se ambientan en la misma ciudad, esto es, en La Coruña. Esta coincidencia espacial da pie a multitud de referencias comunes. Pese a ello, llama la atención que las coincidencias se produzcan no sólo respecto a los lugares. Así, mientras Carmiña paseaba cerca de la Torre de Hércules, el faro coruñés contra el que rompe el océano Atlántico, "luchaba con el enfurecido viento que se empeñaba en inflarle la falda y ponérsela de pamela" (*Carmen, Carmela, Carmiña*, página 191), la narradora de *La Cruz de San Andrés* (página 61) advierte que "En La Coruña sopla el viento en todas las esquinas, en unas más que en otras pero en todas, aquí las mujeres enseñamos las piernas en todas las esquinas, es igual en las de la bahía que en las de la mar de afuera".

En La Coruña siempre han existido algunos lugares típicos para pasear. Ambas novelas utilizan la expresión "darse una vuelta por la Plaza de María Pita", con la misma finalidad: describir el atractivo de un personaje secundario masculino ("tan apuesto... como un príncipe en su corcel", se detalla en *Carmen, Carmela, Carmiña*, página 179; "parece un playboy" se dice en *La Cruz de San Andrés*, página 18).

Otras veces, las referencias comunes son más directas. Así, *Carmen, Carmela, Carmiña* sitúa en la Ciudad Vieja a "una maga de los negros cubanos" (página 4), conectando en diversas ocasiones la brujería (las meigas) con la Ciudad Vieja de La Coruña. Correlativamente, Cela en *La Cruz de San Andrés*, plantea esa misma relación con la brujería (página 80), "¿Usted cree que entre los coruñeses de la Ciudad Vieja hay muchos endemoniados?").

En *Carmen, Carmela, Carmiña* aparece el Instituto Eusebio da Guarda (página 173), lo que no es extraño, pues en él había estudiado su autora, Carmen Formoso. En *La Cruz de San Andrés* también aparece este mismo Instituto (página 38).

En la novela *Carmen, Carmela, Carmiña* aparece la Torre de Hércules (págs. 192 y 193) como el lugar donde Carmiña, la nieta, hace el amor por vez primera. En *La Cruz de San Andrés*, el personaje Betty Boop, que presenta múltiples características comunes con Carmiña, también va a hacer el amor en la Torre de Hércules (pág. 75).

Otra coincidencia curiosa se produce al asociarse en ambas obras las aguas del Orzán con el cadáver de un ahogado (*Carmen, Carmela, Carmiña*, págs. 72 y 73; *La Cruz de San Andrés*, pág. 17). Pese a que no resulte extraña tal asociación, la coincidencia reside en que no es esta la única zona a la que poder referir la existencia de un ahogado en La Coruña.

En cuanto a otros lugares comunes que aparecen en las dos novelas, ajenos a la ciudad de La Coruña, realizaremos una breve enumeración: para ambientar su novela *Carmen, Carmela, Carmiña*, Carmen Formoso recurre a sus propias vivencias. Por ello, cuando habla de Madrid, se sitúa en la calle Fuencarral (pág. 144). Son continuas las referencias a El Carballo, pueblo que linda con San Pedro de Nos, y es allí donde está la casa de campo de su personaje Maruxa, en la que cultiva bonitas flores (pág. 77). En efecto, Carmen Formoso había vivido durante algunos años en un chalet en El Carballo. También solía ir a la playa de Balcobo, la playa de Arteixo, a la que se refiere en su novela (pág. 262).

Un lugar importante para Carmen Formoso, y para su novela, es Órdenes, pues allí se trasladan tanto su propio padre como el marido de su personaje Carmela, para curarse de una tuberculosis en los dos pulmones, contraída durante la Guerra Civil. Otros lugares importantes para la autora son Betanzos, en donde se casó y residió uno de sus hijos, y su Romería de Os Caneiros (págs. 15, 16, 19, 124), Ferrol (págs. 103, 119, 206), de donde era natural su primer marido. También se refiere a Guitiriz (págs. 106, 148), donde pasó algunos veranos, o a La Habana (págs. 194, 228, 237, 239), de donde procedía una rama de su familia, y a Buenos Aires (pág. 128), de la cual conserva muy gratos recuerdos, que por ello aparecen en su novela. Otras referencias geográficas introducidas en su novela son Marruecos (pág. 99), África Ecuatorial (pág. 240) o Colorado (pág. 270).

En cuanto a los lugares en los que transcurre la acción de *La Cruz de San Andrés*, se observa una evidente coincidencia con los que acabamos de mencionar. Así, en la página 17, aparece la calle Fuencarral de Madrid, extraña coincidencia, teniendo en cuenta que no es precisamente la calle más representativa de esta gran ciudad.

Muy interesante es la coincidencia relativa a San Pedro de Nos, pueblo limítrofe con El Carballo, donde el personaje Clara tenía un chalet, en el cual (págs. 216 y 217), se cultivaban "flores de colores muy desusados y extraños". Este personaje de la novela de Cela, Clara, tiene otras similitudes con la Maruxa de *Carmen, Carmela, Carmiña*: Una es la abuela de las amigas de Matilde Verdú, otra es la madre de la amiga de Carmiña, ambas tenían un chalet en El Carballo de San Pedro de Nos, en el que se cultivaban flores: ambas se marchan a Buenos Aires, desde donde hacen un largo viaje antes de regresar a La Coruña (Clara, en la pág. 112 de *La Cruz de San Andrés*). Y las dos hacían el amor con un hombre más joven.

Destaca con claridad otra coincidencia entre las dos novelas, con relación a Órdenes (Ordes, en gallego): el personaje de Cela, Betty Boop, se traslada por consejo médico, durante una larga temporada a "Visantoña, una aldea en el camino de Santiago poco antes de llegar a Ordes", "a respirar aire puro, llevar una vida sosegada, comer mucho...y pasear", de donde "volvió muy repuesta, de buen color y algo más gorda" (págs. 118, 119 y 121). Recordemos que Luis, el personaje de la novela *Carmen, Carmela, Carmiña* (Capitulo II, sección 8), se traslada también durante una larga temporada, por consejo médico, a Órdenes, a respirar aires de montaña, en donde daba largos paseos, y cuando Luis regresa a La Coruña, había engordado unos kilos, y el color había vuelto a sus mejillas.

Conviene, en este momento, resaltar otra coincidencia, difícilmente explicable en base a una supuesta casualidad: en la página 104 de *La Cruz de San Andrés*, se relata una anécdota que tiene lugar cerca de Órdenes, por la zona de Sigüeiro, "se mete la mano debajo de una piedra del río y se sacan dos truchas relucientes y plateadas, saltarinas y escurridizas". En la novela *Carmen, Carmela, Carmiña* (pág. 157), se describe una vivencia de su autora, que tiene lugar, precisamente en las cercanías de Órdenes, extraordinariamente similar a la anterior, incluso respecto de las palabras más descriptivas utilizadas en ambos relatos: "un regato lleno de truchas que veían saltar... se empeñó en meterse en el agua para cogerlas con las manos... intentar coger las escurridizas truchas que se le escapaban por entre los dedos".

Continuando con los lugares comunes de las dos obras, en la novela de Cela aparece la playa de Balcobo, cerca de Arteixo (pág. 88), la Romería de Os Caneiros (pág. 121) y también hay referencias al pueblo de Betanzos (entre otras, la página 19), Ferrol (págs. 29, 85 y 87), Guitiriz (pág. 69), La Habana (pág. 112), Buenos Aires (pág. 112), Marruecos (pág. 92), centro de África (pág. 154), y Colorado (pág. 43).

Las similitudes existen también respecto a personajes, anécdotas y sentimientos que forman la estructura de las dos obras. En relación con los personajes, Cela, como ya hemos expuesto respecto a Clara o a Betty Boop, en ocasiones no consigue ocultar las identidades, aunque otras veces sólo aspectos parciales de un personaje permiten su relación con el que construye Carmen Formoso, cuyos perfiles y personalidades resultan mucho más cuidadosamente elaborados. Examinaremos a continuación algunas de las múltiples similitudes, que acompañamos con citas textuales que claramente evidencian que las coincidencias existentes entre las dos obras no pueden ser fruto de la casualidad.

La novela *Carmen, Carmela, Carmiña*, ya desde su primera página, identifica su eje central: "pensando que pertenecía al grupo que ella misma denominaba de personas corrientes... no hacía falta ser excepcional para sentirse la persona más extraordinaria de la tierra". Cela, en la página 10 de *La Cruz de San Andrés*, escribe "no es que las mujeres vulgares no tengamos historia".

Carmen Formoso utiliza como tema recurrente el de la elección de la mujer esperada por sus poderes. Así, en *Carmen, Carmela, Carmiña* podemos leer: (pág. 7) "muchas veces me pregunté si eras tú la que tenía que elegir para continuar la tradición familiar... tienes poderes... pero tendrás una hija que nos superará a las dos...sé que eres la que esperaba y que tienes poderes aunque no te des cuenta de ello"; (pág. 9) "siempre que deseaba mucho e intensamente algo lo conseguía... en aquello y en otras cosas más complicadas consistían sus poderes"; (pág. 112) "la niña comienza a mostrar sus poderes". Cela, en *La Cruz de San Andrés,* escribe: pág. 86: "a mí me dieron un papel en el que se leía que en nuestro interior existen tremendos poderes y facultades de los que no somos conscientes"; pág. 158: "de tu vientre nacerá como un fruto maduro el nuevo mesías que alumbrará el Universo, tú estás señalada por el dedo de Dios Todopoderoso"; pág. 159: "tú eres la mujer elegida".

En la novela *Carmen, Carmela, Carmiña* se escribe (pág. 85) "pide a Dios que no te mande todo lo que el cuerpo puede aguantar". En la novela de Cela, la narradora (pág. 9) expone: "lo único que pido a Dios es que no me mande todo lo que puedo aguantar"; en la página 105 insiste: "sólo pido a Dios que no me mande todo lo que puedo aguantar".

Existe una anécdota que, sorprendentemente, es relatada en ambas novelas, y que en la obra de Carmen Formoso sucede en la aldea de Folgoso, Montouto, donde había ejercido como Maestra Nacional, pues fue precisamente allí en donde la vivió: "No llevaban bragas, y rectas, abriendo las piernas y sin inclinarse, vaciaban tranquilamente la vejiga" (*Carmen, Carmela, Carmiña*, pág. 212). Cela, en *La Cruz de San Andrés* (pág. 156) escribe "va sin bragas y orina en equilibrio".

En *Carmen, Carmela, Carmiña* (pág. 233) se efectúa la siguiente descripción: "Apareció enjoyada... deslumbrada de tanto oro y pedrería juntas... Traía la cara muy maquillada y vestía de gran dama; se había hecho un corte de pelo... debía haber mezclado el perfume Chanel N.º 5 y la laca del pelo con excesiva abundancia". Cela, por su parte, describe así a uno de sus personajes: (pág. 230) "lleva peluca... los ojos de azul nacarado intenso... las pestañas postizas... los labios de rosa fuerte... va siempre perfumada y enjoyada, viste de forma llamativa".

Xana, la amiga de Carmiña, que se casa con Perico, con quien tuvo una hija, aparece en la novela *Carmen, Carmela,*

Carmiña (págs. 255 y 256) "acompañada por su marido, se introdujo en las discotecas de moda, entrando a formar parte de los clientes asiduos... ¡la noche es joven!... Y volvía a tirar del somnoliento Perico arrastrándolo hasta... acostara a la hora que se acostara, tenía que ir al trabajo". El personaje de la novela *La Cruz de San Andrés*, Matilde Meizoso (pág. 29), casada con Pichi, con quien tuvo una hija, "era muy animada... excesiva; a Pichi le gustaba que le diese marcha y lo llevase por los bares a tomar unos vinos... Matilde tomó el mando del matrimonio... le hizo trabajar".

Veamos dos pasajes en los que se aborda una experiencia sexual: la vivida por el personaje de la novela de Carmen Formoso, Carmiña (págs. 192 y 193), es relatada de la siguiente manera: "él la levantó y la llevó al campo próximo. Se tumbaron... él la penetró... la suavidad se convirtió en frenesí revolcándose por el campo... estaban roncos de tanto gritar al tiempo... él se corría una y otra vez... de aquel pene siempre erecto... ¡Más!, seguía clamando exigente". Por su parte, el personaje de la novela de Cela, Betty Boop, vive una experiencia que se describe como sigue (págs. 103 y 104): "Tenía un sexo descomunal... tumbó a Betty sobre la yerba y le clavó violenta e inevitablemente lo mandado... no podía ni respirar... gozó seguido no alentando más que lo preciso durante mucho tiempo".

Las similitudes siguen presentándose en relación a las experiencias sexuales de los personajes de ambas novelas, Carmiña y Betty Boop: en la página 94 de *La Cruz de San Andrés* las amigas de Betty quieren conocer los detalles de su experiencia sexual: "nos sentamos en la cama para que nos lo contara todo, dónde había estado, con quién, qué había hecho, todo, absolutamente todo". Por su parte el personaje de la novela de Carmen Formoso (pág. 196), tras su experiencia, es preguntada por su amiga: "Xana estaba a su lado, sentada en el borde de la cama... no estaba dispuesta a permitirle su silencio. –Cuéntame... ¿lo hicisteis?... ¿sois novios?... ¿Qué?, ¿y si te quedas embarazada?

Hay un personaje de la novela *La Cruz de San Andrés* que, pese a carecer de correlativo en la novela de Carmen Formoso, resulta de extraordinario interés para el objeto de este estudio: Remedios Formoso, la usurera. Ya hemos tenido ocasión de referirnos a ella en el segundo epígrafe de este trabajo. Conviene ahora destacar que Formoso no es un apellido muy común.

Las dos novelas tienen una continua relación con la magia, la brujería y los rituales. En *Carmen, Carmela, Carmiña* podemos encontrar diversas citas que tienen su correlativo reflejo, más o menos explícito, en *La Cruz de San Andrés*:

Carmen, Carmela, Carmiña: (pág. 23) "desde el fallecimiento de su esposo, se empeñaba en hacer sesiones de espiritismo para hablar con él"; "dio señales rápidamente moviendo el lápiz que sostenía Carmela en la mano sobre un papel blanco", "movido por una fuerza misteriosa, continuó escribiendo claramente".

La Cruz de San Andrés: (pág. 65) "escribía cosas en un papel y nos decía que su mano era llevada por la voluntad de Dios"; "a través de Santiso nos escribió una carta a cada uno mientras guardábamos silencio".

Carmen, Carmela, Carmiña: (pág. 57) "¡sabe Dios qué clase de ritos! Apareció su cuerpo flotando en el río Sar. Le habían quitado el corazón y no tenía ni una gota de sangre..."; (pág. 74) "...ritos satánicos. Me contaron que al hijo lo inmolaron en un aquelarre durante una Misa Negra que celebraron en un cementerio abandonado... ¡Se bebieron la sangre del niño y se comieron su corazón palpitante!".

La Cruz de San Andrés: (pág. 68) "la abrió de abajo a arriba con un cuchillo... el corazón lo tiró a la mar de la bahía... puso la sangre en una fuente","un asesinato ritual".

Carmen, Carmela, Carmiña: (pág. 60) "y allí colocó las estampitas religiosas que guardaba en un cajón... Eran santos católicos", "... la Virgen del Rosario".

La Cruz de San Andrés: (pág. 77) "en la pared hay tres cromos grandes de mucho brillo, el Sagrado Corazón de Jesús, Nuestra Señora de los Dolores...".

Carmen, Carmela, Carmiña: (pág. 4 y más) "una señora que vivía en la ciudad vieja... una maga de los negros cubanos... de las llamadas yorubas"; Referencia a las meigas de la Ciudad Vieja (pág. 46) "La famosa de Herrerías".

La Cruz de San Andrés: (pág. 80) "¿Usted cree que entre los coruñeses de la Ciudad Vieja hay muchos endemoniados?".

Carmen, Carmela, Carmiña: (pág. 246) "No podría precisar el tiempo que duró la levitación"; (pág. 244) Ritual: "... velas y claveles blancos..."; (pág. 231) "echadora de cartas"; (pág. 211) "ánimas de la Santa Compaña"; (pág. 3) "la Santa Compaña... paseaba las almas en pena".

La Cruz de San Andrés: (pág. 229) Aparece la "levitación"; (pág. 233) Ritual: "vela blanca... claveles blancos"; (pág. 76) "las echadoras de cartas"; (pág. 66) "los muertos de la Santa Compaña", "las ánimas del purgatorio".

Otro punto de contacto lo tenemos en los sentimientos de los personajes principales de las dos obras, en especial respecto a los temas de mayor relevancia en ambas novelas, tales como la soledad, el envejecimiento o la muerte. Pondremos algunos ejemplos:

> *Carmen, Carmela, Carmiña*: (pág. 262) "la muerte es lo más hermoso que tiene la vida"; (pág. 263) "Ofrecieron suculentos manjares a las numerosas personas que se acercaron a darles el pésame... Parecía un acto social... cantaban, se reían y escuchaban la música que tocaba Carmela al piano"; "El festín se prolongó hasta cumplirse nueve días del duelo".

La Cruz de San Andrés: (pág. 207) "la muerte no es un estado sino un trance –Piensa en la muerte y saluda a la vida con cohetes y fuegos de artificio".

Carmen, Carmela, Carmiña: (pág. 192)"Muchos barcos encallan ahí y naufragan hundiéndose rápidamente, sin salvamento posible para los tripulantes".

La Cruz de San Andrés: (pág. 17) "¿Cuántos muertos se llevará la mar cada invierno?".

Carmen, Carmela, Carmiña: (págs. 31, 242, 260, etcétera) "La Soledad"; (pág. 91, etc.) "Soledad y llanto"; (pág. 259) "un día observó la imagen que le devolvía el espejo y quedó sorprendida... ¡había envejecido! ... se sintió frustrada, desencantada".

La Cruz de San Andrés: (pág. 28, etc.) "La Soledad"; (pág. 71) "la mujer sola llora el doble"; (pág. 69) "soy una mujer enferma que va camino de vieja y que no acierta a aguantar la soledad", "se miró al espejo y vio lo vieja que era".

Carmen, Carmela, Carmiña: (pág. 4) "la abuela era una maga de los negros cubanos muy sabia y santa"; (págs. 235 y 236) "cumplía cien años... la fama que tenía Mamita Carmen de sabia y prudente".

La Cruz de San Andrés: (pág. 80), se refiere a la "Santiña", una echadora de cartas, "es muy vieja y muy sabia".

Carmen, Carmela, Carmiña: (pág. 259) "la imagen de la foto de Pepo se convirtió en una bruma, en un sueño que le hablaba"; (pág. 272), estaba soñando, "sentía el placer del humo de su puro... entre el denso humo que expulsaba su nariz estaba Mamita sonriéndole".

La Cruz de San Andrés: (pág. 115) "duele mucho ver cómo se van haciendo borrosos los sueños que acaban por mermar y marearse, que terminan por difuminarse poco a poco y desaparecer como la voluta de humo azul de un cigarro habano".

Merece la pena detenernos en las coincidentes características de las protagonistas de las dos obras, y, en especial, de sus relaciones de pareja. En *Carmen, Carmela, Carmiña*, la belleza de las protagonistas, Carmela y Carmiña (madre e hija), se resalta especialmente (llamaba la atención), y a la vez se destaca su infelicidad. Reiteradamente se califican algunas mujeres como guapas y a la vez extrañas. En *La Cruz de San Andrés*, Cela se refiere a Eva y Matty (madre e hija) como especialmente bellas (págs. 25 y 38) "Los hombres volvían la cabeza al verla pasar por la calle". Se refiere a la protagonista en similar sentido (pág. 45): "todas las mujeres de esta familia son hembras importantes y también desgraciadas". Insiste Cela en los calificativos "bella" y "extraña" hasta hacer una verdadera burla de tales atributos. Así, por ejemplo (pág. 19, 99), "Clara Erbecedo es una mujer guapa y extraña, por aquí todas las mujeres son guapas y casi todas extrañas".

En *Carmen, Carmela, Carmiña*, la belleza de los padres de Carmiña es una constante: (pág. 15) "hacían una buena pareja"; (pág. 20) "eran la pareja más bien plantada de toda La Coruña". Pese a ello, la relación de la pareja no es buena: (pág. 108) "Que Luis y tú estáis separados, pero que preferís guardar las formas". Coincide esta apreciación en *La Cruz de San Andrés*, referida a los padres de Matty y Betty Boop: (pág. 112) "Eva y su marido formaban una pareja de cine, daba gusto verlos". Sin embargo, sus relaciones tampoco serían buenas: (pág. 25) "La pareja, en vez de conformarse... se separó de mutuo acuerdo".

En la novela de Carmen Formoso se alude a los rasgos psicológicos de sus personajes, manifestados por su comportamiento, y en este sentido se destaca como Carmela (pág. 27) "se cortó el pelo poco después de casarse". En *La Cruz de San Andrés*, coincidentemente (pág. 193) "Betty Boop se cortó el pelo a poco de casarse".

Otra serie de significativas coincidencias entre ambas obras, se producen respecto al marido de sus protagonistas. Así, en *Carmen, Carmela, Carmiña* (págs. 111, 120, 146, etc.) ocupa especial lugar la tuberculosis que padecía el marido de Carmela "una tuberculosis que ya alcanzaba los dos pulmones", quien había estado "en la cárcel" por razones políticas: "Luis estuvo preso". En *La Cruz de San Andrés*, pág. 14, se refieren "los siete sucesos que señalaron la vida de mi marido... Una lesión tuberculosa en cada pulmón... la cárcel, el exilio"; (pág. 44) "la tuberculosis del marido". También nos dice la narradora (pág. 105) "a mi marido lo metieron en la cárcel por razones políticas".

Vamos a finalizar con una serie de similitudes y citas textuales tomadas de ambas obras relativas a diversos aspectos de los personajes que, por resultar claras, y en aras de la brevedad de esta exposición, apenas comentaremos:

Carmen, Carmela, Carmiña: (pág. 178) "es un fresco... fantasea sobre cómo podía violarme... ¡menuda mosquita muerta!, es un reprimido".

La Cruz de San Andrés: (pág. 117) "quiso violar a Luisa... parece una mosquita muerta, pero es un salido".

Carmen, Carmela, Carmiña: (pág. 110) "hombres muy bestias".

La Cruz de San Andrés: (pág. 120) "los hombres... son unos bestias"; (pág. 152) "el bestia del marido".

Carmen, Carmela, Carmiña: (pág. 174) "seguía dedicándose a la lectura por las noches convirtiéndola en un auténtico vicio"; "compraba muchos libros, incluso en francés".

La Cruz de San Andrés: (pág. 22) "Se pasaba el día leyendo libros en francés".

Carmen, Carmela, Carmiña: (pág. 14) "trabajaba como periodista, y publicaba sus crónicas en *La Voz de Galicia*.

La Cruz de San Andrés: (pág. 40) "Rafa Abeleira quería ser periodista, a veces le publicaban algo en *El Ideal Gallego*".

Carmen, Carmela, Carmiña: (pág. 206) Era licenciado en derecho y "preparó unas oposiciones al Cuerpo Administrativo de la Diputación".

La Cruz de San Andrés: (pág. 40) "era licenciado en Derecho y quería hacer unas oposiciones a algo".

Carmen, Carmela, Carmiña: (pág. 169) "su madre se empeñó en que preparase la Primera Comunión", "–Ahora no quiere... ¡Ya la hará!"; (pág. 170) "Y terminó preguntándose si había hecho la Primera Comunión", "–¿Carmiña hizo la Primera Comunión? –Ya sabes que no quiso"; (pág. 171) "queremos saber porqué no haces la Primera Comunión".

La Cruz de San Andrés: (pág. 162) "–¿Y el niño va a hacer la primera comunión? –De momento no, después ya veremos".

Carmen, Carmela, Carmiña: (pág. 268 y más) "el hombre había llegado a la Luna".

La Cruz de San Andrés: (págs. 24, 228) "el hombre llegó a la Luna".

Carmen, Carmela, Carmiña: (pág. 21) "la novia lucía... un elegante traje comprado en Madrid".

La Cruz de San Andrés: (pág. 108) "la novia lucía... un elegante tocado francés".

Carmen, Carmela, Carmiña: (pág. 249) "Carmiña saca el carnet de conducir y Mamita le regala un seiscientos descapotable".

La Cruz de San Andrés: (pág. 168) "–¿Averiguó por fin si don Jacobo le compró o no le compró un descapotable a su hija Matty? –No lo sé fijo, pero me parece que no, Matty no llegó a sacar el carnet de conducir". (Otra referencia se contiene en la página 39 de *La Cruz de San Andrés*, junto con una reveladora secuencia: "Matty aprende frases de memoria y después las repite como si fueran suyas").

Carmen, Carmela, Carmiña: (págs. 177 y 203) Con referencia a Carmiña: preparar "la reválida".

La Cruz de San Andrés: (pág. 46) Con referencia a Betty Boop: preparar "la reválida".

Carmen, Carmela, Carmiña: (pág. 4) "una gran tormenta nocturna acompañada de fuertes rayos y truenos".

La Cruz de San Andrés: (pág. 129) "en medio de una gran tormenta de rayos y truenos".

Carmen, Carmela, Carmiña: (pág. 186) "Mario sacó del bolsillo del pantalón un reloj que estaba sujeto por una leontina al cinturón… ¿Es de oro?".

La Cruz de San Andrés: (pág. 164) "reloj de bolsillo de oro con leontina".

Carmen, Carmela, Carmiña: (pág. 193) "le vio en la piel del pecho dibujado un trébol".

La Cruz de San Andrés: (pág. 37) "tenía en el pecho un tatuaje".

Otras similitudes:

Carmen, Carmela, Carmiña (A): (pág. 293) "Teorema de Pitágoras".

La Cruz de San Andrés (B): (pág. 87) "Teorema de Pitágoras".

A: (pág. 42) "con las mejillas sofocadas, totalmente enardecida…".

B: (pág. 135). "mejillas estaban tensas y rojas…".

A: (pág. 351) "y un gran número de joyas familiares…".

B: (pág. 205) "…las joyas…algunas llevaban tres generaciones en la familia…".

A: (págs. 3, 11, 19) Los "puros habanos" son el signo de identidad de toda la obra.

B: (pág. 33 y otras) Referencia a "puros habanos".

A: (pág. 42) "Carlos Gardel".

B: (pág. 43) "Carlos Gardel".

A: (pág. 50) Referencia a: "las mareas vivas".

B: (pág. 74) Referencia a: "las mareas vivas".

A: (pág. 174 y otras) Referencia a la "guerra de Melilla" (desastre de Annual).

B: (pág. 77) Referencia a la "guerra de Melilla".

A: (pág. 166) Referencia a "… hermanas gemelas".

B: (pág. 124) Referencia a "… hermanas gemelas".

A: (pág. 58 y 234) Referencia a "el Campo de la Leña".

B: (pág. 128 y más) Referencia a "el Campo de la Leña".

A: Referencia a las fiestas que daba Carmela en su casa… "se bebía sin exceso, se oía música, se cantaba…"Constantes referencias en las mismas situaciones.

B: (pág. 27) Referencia a: las juergas que organizaba Eva en su casa… "se bebió sin exceso, se oyó música, se bailó…".

A: (págs. 16 y 110) Referencia a que no tuvo suerte. Se derrumbaba con la música de los blues.

B: (pág. 138) "… no tuvo suerte con los hombres y también acabó bailando al son de la música de jazz de los derrumbamientos…" (Transposición de conceptos).

A: (pág. 159) Referencia a que marchó de Betanzos por ser rojo.

B: (pág. 111) Referencia a: "… era maestro de escuela y lo echaron del escalafón por rojo…".

A: (págs. 152, 158, 293, 303, 338) Referencia a "un joven cubano que viajó de La Habana a Madrid".

B: (pág. 112) Referencia a "un joven cubano que viajó de La Habana a Madrid".

A: (págs. 31, 345, 363) Referencia a las gaviotas. (Constantemente)

B: (págs. 68, 101, 237, y muchas más) Referencia a las gaviotas.

A: (págs. 363 y 364) Final simbólico, con las gaviotas.

B: (pág. 237) Final simbólico con las gaviotas.

6.- Breve balance y situación actual del procedimiento penal

A finales del año 1998, la representación de Dª Carmen Formoso Lapido presenta en los juzgados de La Coruña una querella criminal, en la cual se acusa a la Editorial Planeta, S.A. y al escritor Camilo José Cela de los delitos de Apropiación Indebida y Contra la Propiedad Intelectual, según ya hemos referido.

La presentación de la Querella en La Coruña no se efectúa por la única razón de evitar su sustanciación en Barcelona, pese a que la fuerte presión que la enorme capacidad financiera de Editorial Planeta podría ejercer en la ciudad que constituye el centro de sus operaciones, evidentemente, aconsejaba plantear la actuación lejos del ámbito de influencia de la multinacional querellada.

La competencia de los Juzgados del orden penal se determina por el lugar en que es cometido el delito. En el presente supuesto, el delito más grave objeto de la querella es el de Apropiación Indebida, y como este delito resulta haber sido cometido en La Coruña, parece evidente que los Juzgados de La Coruña resultan los competentes para conocer de la querella.

Sin embargo, el Juzgado de La Coruña en el que se tramita la querella, va a considerar que de los hechos relatados se desprende la imputación de otro delito, castigado con una pena superior al de Apropiación Indebida: el delito de estafa (que afectaría a los múltiples particulares que habrían sido engañados y determinados a comprar el libro premiado por Planeta en 1994). Al estimar el Juzgado que el delito de estafa habría sido cometido en Barcelona o, en todo caso, de no constar el lugar de comisión, debería de ser determinada la competencia judicial por el domicilio del querellado, resuelve que la competencia judicial recae en los Juzgados de Barcelona, donde se sitúa el domicilio de Editorial Planeta, S.A.

Sin embargo, el Juez Instructor de La Coruña incurre en un defecto formal, de procedimiento, que, si bien inicialmente no parecía revestir importancia, finalmente resultará muy perjudicial para los intereses de Carmen Formoso. En efecto, para que un Juez pueda tomar una decisión relativa a su propia competencia para conocer de una querella, previamente ha de haberla admitido a trámite. Sólo después podrá dictar un Auto de Inhibición, en el que acuerde remitir las actuaciones (ya en trámite) al Juzgado que estime competente.

Pues bien, el Juez de La Coruña comete una doble infracción a estas normas procesales: en primer lugar, dicta un Auto resolviendo su incompetencia sin antes haber dictado el preceptivo y procedente Auto de Admisión a Trámite de la querella. Y, por otra parte, en lugar de ordenar la remisión de las actuaciones a los Juzgados de Barcelona, pone a cargo de Carmen Formoso la nueva presentación de su querella ante dichos Juzgados.

La representación de Carmen Formoso presenta Recurso contra esta decisión, argumentando que, no existiendo acusación alguna, al menos en aquel momento, relativa al delito de Estafa, resultarían competentes los Juzgados de La Coruña. Ante la desestimación de este Recurso, la representación de Carmen Formoso decide no dilatar el proceso con un largo Recurso que se habría de tramitar ante la Audiencia Provincial de La Coruña, y en su lugar toma la decisión de presentar nuevamente la querella ante los Juzgados de Barcelona, lo que tiene lugar a principios del año 1999.

Sería a partir de este momento cuando se desarrollará una actuación judicial injustificable e imprevisible, cuyas consecuencias prácticas no son otras que el impedir toda posible investigación de los hechos denunciados en la querella.

El Juzgado de Barcelona, antes de resolver sobre la admisión a trámite de la querella, ordena la práctica de unas "Diligencias Indeterminadas" consistentes en requerir a la Editorial Planeta, S.A. la aportación de las bases del Premio Planeta 1994, así como de la documentación relativa a la inscripción de las obras *La Cruz de San Andrés* y *Carmen, Carmela, Carmiña*, en la convocatoria del Premio Planeta 1994, exigiendo también la documentación acreditativa de las fechas de entrega de ambas obras y del medio por el cual se efectuaron las entregas, junto con los albaranes y documentos que acrediten su recepción.

El sentido de esta Diligencia resulta evidente: si Editorial Planeta pudiese acreditar que la novela escrita por Cela se recibió con anterioridad a la obra de Carmen Formoso, o que, habiendo sido recibida posteriormente, hubiese trascurrido poco tiempo entre la recepción de una y otra obra, no resultaría posible sostener las acusaciones contenidas en la querella.

Sin embargo, para Editorial Planeta, S.A., el resultado de esta Diligencia sería el peor de los posibles: mientras que existe abundante documentación acreditativa de que la obra de Carmen Formoso fue recibida a finales del mes de abril de 1994, quedando inscrita con el número 15 de la convocatoria, respecto de la novela de Camilo José Cela no se puede acreditar ni siquiera que hubiese sido efectivamente recibida por Planeta, quien únicamente manifiesta, sin ningún tipo de justificante documental, que según sus registros internos tuvo entrada el último día del plazo, esto es el 30 de junio de 1994.

Pero a la vista de las Bases de la Convocatoria del Premio Planeta 1994, esto significa que la novela de Cela incumple tales Bases, pues no le ha sido expedido el preceptivo Recibo por parte de Planeta, e, incluso, con arreglo a ellas, faltando la certificación suscrita por el autor, aceptando expresamente las bases del Certamen, la novela no podría haber sido premiada.

Pese a ello, sorprendentemente, el Juzgado dicta un Auto en el cual resuelve no admitir a trámite la querella. La pregunta inmediata resulta obvia: ¿Qué finalidad perseguía la Jueza al ordenar la práctica de las citadas "Diligencias Indeterminadas"?

Para responder a esta cuestión conviene tener en cuenta algunos datos: En primer lugar, la Constitución Española exige que a toda aquella persona acusada de un delito le sea concedido el derecho de defensa, y por ello, existiendo una acusación contra Planeta, no cabe que le sea exigida la aportación al Juzgado de pruebas que pudieran incriminarle, sin que previamente se le informe de su derecho a la asistencia de abogado y a no declarar contra sí mismo. Y no siendo respetado este esencial derecho fundamental del querellado, las pruebas resultan nulas, como "fruto del árbol prohibido", con el consiguiente beneficio para los querellados.

En segundo lugar, con estas Diligencias, el Juzgado está informando a Planeta de la existencia de la Querella dirigida en su contra, posibilitando así la ocultación de posibles pruebas del delito, a la vez que se dificulta la labor de la acusación.

Y, en tercer lugar, conviene referirse a las circunstancias que rodean la intervención del Ministerio Fiscal, quien, en lugar de asumir el papel de acusador, va a desplegar una actuación dirigida a la defensa de los querellados, que desarrolla con tal intensidad que sobrepasa ampliamente las facultades de que disponen, no ya el mismo Fiscal, sino incluso los abogados defensores. Con olvido de las funciones que le son propias, esto es, el ejercicio de la acción penal y la formulación de alegaciones, así como la solicitud de actos de investigación, el Ministerio Fiscal procede a desarrollar una labor de defensa, no de la legalidad, como ordena la Ley Orgánica del Poder Judicial, sino de los querellados.

Tan lejos llega en su actuación de defensa técnica de los querellados que, incluso, renuncia a solicitar acto alguno de investigación, e intenta suplantar al perito, regalándonos un sucedáneo de informe pericial que denota su excesivo interés en el archivo de la causa, una extralimitación absolutamente ilegítima en el desempeño de sus funciones, que le lleva a ignorar todo aquello que pudiera perjudicar a los querellados, e incluso a "construir" una norma penal acorde con sus intereses, despreciando la redacción que el legislador dio a tal precepto, cegado por algún extraño interés en cerrar el paso a todo acto de investigación.

El Informe de la Fiscal incluso cita decenas de páginas de un ensayo publicado por la Editorial Montesinos en 1985, que, pese a no tener ninguna relación con el caso que nos ocupa, sí resulta relevante a la hora de evaluar su labor: O bien la Fiscal esconde una frustrada vocación de crítica literaria, y se dedica a estudiar hasta los más insignificantes e ignotos ensayos literarios, o bien alguien ha guiado su actividad.

Si además tenemos en cuenta que en cada ocasión en que se producía una intervención de la Fiscal, de inmediato se producían filtraciones a los medios informativos, parciales y favorables a los intereses de Planeta, y si resulta que Planeta no estaba personado en las actuaciones, en las cuales sólo figuraban la Fiscal y los representantes de Carmen Formoso, la conclusión, por obvia, no precisa ser expuesta.

En cualquier caso, la trascendencia del Informe de la Fiscal en las actuaciones resulta nula, pues la Jueza en ningún momento se refiere a elemento alguno de su contenido. Sin embargo, cuando posteriormente la representación de Editorial Planeta presenta sus Alegaciones al Recurso de Apelación presentado por los abogados de Carmen Formoso (pendiente de resolución en estos momentos), sí se pueden apreciar coincidencias argumentales con el citado Informe de la Fiscal, lo que resulta sorprendente, dado que los abogados de Planeta no deberían conocer su contenido.

Retomando el contenido del Auto de Inadmisión a Trámite de la Querella, su motivación reside en que la Jueza estima que los hechos en que se funda no constituyen delito. Evidentemente, esta fundamentación no puede ser acogida, ya que los hechos relatados constituyen efectivamente varios delitos.

Otra cosa es que para que tales hechos puedan resultar probados resulte necesaria la instrucción de la causa criminal, en cuyo seno, y tras los necesarios actos de investigación, se pudiese concluir la procedencia o improcedencia de la apertura de juicio oral.

En definitiva, el razonamiento del Juzgado se puede explicar por medio del siguiente ejemplo: si alguien acusa a otro de haber escupido en la acera, evidentemente no sería posible investigar por medio de la jurisdicción penal estos hechos, pues escupir en la acera no constituye delito alguno. Sin embargo, si alguien acusa a otro de apropiarse indebidamente de lo que no es suyo, y de utilizar el producto de tal apropiación para cometer un delito contra la propiedad intelectual, ha de ser investigada esta acusación, pues evidentemente los hechos que se denuncian sí resultan constitutivos de delito. Sólo después de haber sido realizados algunos actos de investigación, y muy especialmente tras haber sido recibida declaración de los acusados, pudiera ser dictada una Resolución de sobreseimiento en base a que tales hechos, en opinión del Juez Instructor, no hubiesen sido realmente cometidos. Pero antes ha de ser admitida a trámite la querella.

Bien, examinemos sucintamente el contenido del Auto de archivo: la Jueza, con la única base del contenido de la querella, declara textualmente: "Existen, es cierto, coincidencias argumentales genéricas, así *Carmen, Carmela, Carmiña*, relata la historia de tres mujeres (abuela, nieta y biznieta) que viven en La Coruña y cuya existencia se encuentra marcada principalmente por la soledad, con referencias a la sexualidad, así como a muertes y asesinatos. Del mismo modo, *La Cruz de San Andrés* constituye la crónica de un derrumbamiento de tres mujeres (Matilde Verdú y las hermanas Betty Boop y Matty) que también residen en La Coruña y cuya soledad es elemento destacado de sus vidas, a lo largo de la novela se hace referencia también a su sexualidad, a muertes y a asesinatos. Se aprecian así mismo otras coincidencias: una parte de la época en que transcurren ambos relatos (años sesenta-setenta), las referencias a determinados lugares (Santiago de Compostela, Betanzos, la Plaza de María Pita, la Joyería Malde, el Instituto Da Guarda, la romería Dos Caneiros), algunos episodios o anécdotas (lectura de libros en francés, hacer el amor en la Torre de Hércules, coger truchas con la mano, orinar sin bragas y en equilibrio, padecer tuberculosis en ambos pulmones, ir al campo a respirar aire puro), así como referencias concretas al entorno y a objetos (ritos satánicos, magia, el viento, las gaviotas, las mareas vivas, la mecedora cubana de caoba, los puros habanos, una tormenta de rayos y truenos).

> En consecuencia, presentan ambas obras semejanza en el argumento general que desarrollan, coincidencia del lugar, donde transcurren los respectivos hechos que relatan y parcialmente de la época en que los mismos transcurren, así mismo hay identidades de lugares por referencias y anécdotas o episodios concretos cuyo contenido o idea coincide esencialmente. Por último, en las obras comparadas se observan comunes referencias a elementos y objetos del entorno.

Después de leer todo esto, resulta increíble que, a continuación, la misma persona que lo ha escrito, resuelva impedir toda investigación al respecto. Su argumento es insólito: a su entender todas estas coincidencias son fruto de la casualidad, lo que fundamenta en la diferente forma de expresión de los contenidos coincidentes y la disparidad del estilo de las dos obras. Finalmente, de manera absolutamente incomprensible, señala que no se puede concluir la existencia en el presente supuesto de “plagio penalmente relevante”.

Es decir, parece que, al entender de la Jueza, existiría un tipo de plagio “penalmente irrelevante”. No alcanzamos a comprender cuál puede ser este, pues o bien existe plagio o bien no existe, y de existir siempre resulta penalmente relevante. Además, resulta sumamente perverso el hecho de que, tras esta aceptación judicial de la existencia de algún género de plagio, y cuando había sido comprobado que la novela de Cela no había sido presentada al Certamen en las condiciones exigidas en las bases del mismo, careciendo de la documentación de la que sí disponen el resto de los participantes, el Juzgado resuelva impedir toda investigación de los hechos.

Así pues, la conclusión de la Jueza en cuanto a los Delitos contra la Propiedad Intelectual (y recordemos que no es el plagio el único de esta familia de delitos, aunque sí el más grave), es que, pese a la existencia de coincidencias que ella misma califica como "esenciales", la diferencia de estilos, la diferente forma de expresión de los contenidos coincidentes, permiten afirmar sin duda alguna que tales coincidencias resultan irrelevantes desde el punto de vista penal.

Sin embargo, dada la expresa afirmación de la existencia de estas esenciales coincidencias, y dado que la Jueza parece aceptar la existencia de plagio, aunque "penalmente irrelevante", nunca se puede aceptar como propia de un Estado de Derecho, la negativa a admitir a trámite la querella respecto del Delito de Apropiación Indebida, o lo que es igual, impedir toda investigación dirigida a determinar si la larga serie de coincidencias existentes entre las dos novelas puede ser fruto de la casualidad, o al contrario, serían consecuencia de una actividad delictiva desarrollada por quien ha tenido la ocasión de cometer el delito, resulta beneficiado por su comisión y ha dispuesto de todos los medios necesarios para ello, apareciendo acreditada su actuación irregular en relación a las circunstancias en las que el delito habría sido cometido.

Para denegar la tutela judicial de sus derechos, que sólo gracias a un enorme esfuerzo había logrado solicitar Carmen Formoso, la Jueza se fundamenta en un argumento incomprensible, al que el Auto se refiere, tan oscura como escuetamente, señalando que, al entender que no existe el delito contra la propiedad intelectual, no resulta procedente entrar a valorar sobre la concurrencia del delito de Apropiación Indebida, y afirma que, por ello, "tampoco existen indicios que apunten a la existencia del delito de Apropiación Indebida al que se refiere el escrito de querella".

Pero, si la Jueza acepta la existencia de extraordinarias coincidencias entre las dos novelas, y si el resultado de la Diligencia apuntada ha demostrado que Planeta no puede ni siquiera acreditar la mera recepción de la novela de Cela, ninguna razón existe para decidir terminantemente y sin investigación alguna, que Planeta no ha utilizado la novela de Carmen Formoso para una finalidad diferente a su presentación al Certamen Literario, que es la única utilización legítima de la novela para Planeta. Cualquier otra utilización constituiría el delito de Apropiación Indebida.

Y observen que hablamos de "cualquier otra utilización", es decir, también resultaría delictivo el hecho de haber utilizado la novela de Carmen Formoso para aprovechar cualquier contenido residual, incluso en el caso de que, tras ser puesta a disposición de un tercero, este decidiese no utilizarla.

Como se puede adivinar, la representación de Carmen Formoso presentó el correspondiente Recurso contra el Auto de Inadmisión a trámite de la Querella. En este Recurso se completa la exposición realizada en la querella con otros importantes datos.

En primer lugar, se pone de relieve que el Premio Planeta 1994 había sido ofrecido al escritor D. Miguel Delibes, quien rechazó este ofrecimiento. Como prueba de esta afirmación, se aporta una carta firmada por el propio Sr. Delibes, y fechada el 16 de abril de 1999, en la cual afirma que existen testigos, identificando al Sr. Lara (propietario de Editorial Planeta) como quien directamente realizó la oferta.

Si aceptamos la palabra de D. Miguel Delibes, y a la vista de todos los demás datos aportados por la querella, así como por el Recurso, habremos de considerar, al menos como posibilidad, que cuando Cela aceptó la oferta que previamente había rechazado el Sr. Delibes, no existía mucho tiempo para escribir una novela con la que concurrir al Premio Planeta 1994.

Sobre ello incide otro hecho que es también puesto de manifiesto en el Recurso: en el año 1994, Cela publicó otras dos obras, además de la ganadora del premio Planeta, pese a que, en su producción literaria anterior, de más de 50 años, jamás había publicado más de una novela el mismo año, lo que resulta más sorprendente teniendo en cuenta que, además, estaba tratando de terminar la obra *Madera de Boj*.

Vamos a hacer un breve inciso para referirnos a esta novela de Cela, *Madera de Boj*, recientemente publicada. También respecto a ella se pone en duda su carácter original. En tal sentido, incluso han sido publicados algunos artículos en la prensa, como el que firma el alcalde de Corcubión, D. Rafael Mouzo Lago, publicado en *La Voz de Galicia* el día 24/10/1999 (pág. 91), en el que se afirma que en *Madera de Boj* hay "una cierta reproducción de ideas y contenidos" de algunas publicaciones de autores locales.

Volviendo al contenido del Recurso presentado por los abogados de Carmen Formoso, pone también en conocimiento del Juzgado cómo el día 30 de junio de 1994, en el que Planeta afirma haber recibido la novela *La Cruz de San Andrés* (que, recordemos, hubo de ser entregada en mano, ya que no existe albarán de entrega alguno), Cela se encontraba en Taiwán. No parece lo más probable pensar que un Premio Nobel que presenta una novela al Premio Planeta, máxime en las circunstancias del presente caso, deje su presentación para el último día del plazo, cuando la obra debía de estar disponible antes, al menos desde antes de su viaje hacia el otro extremo del mundo.

Otro importante dato aportado por el Recurso se refiere al hecho de que, en la columna que Francisco Umbral escribe en el diario *El Mundo* el día 26/7/1994, se menciona que Cela todavía estaba trabajando en el manuscrito de *La Cruz de San Andrés*semanas después de haber finalizado el plazo de entrega para el Certamen Premio Planeta 1994. En este mismo artículo, el irónico escritor "Paco Umbral", transcribe el siguiente diálogo: "–¿Te gusta el título, Paco? –Sí, pero me recuerda 'El hombre de la cruz verde' de Serrano Plaja". Dado que no fue Serrano Plaja, sino Serrano Poncela el autor de esta obra, pudiera entenderse que la intención de Umbral sería jugar con las palabras "Plagio" y "Serrano". O también podría entenderse que se trata de un simple "patinazo" de Umbral, de una mera coincidencia, aunque, eso sí, una coincidencia más.

Se aportan también con el Recurso, otra numerosa serie de elementos coincidentes entre las dos obras, que se suman a los ya acompañados junto a la querella. Igualmente se hace notar al Juez como muchas de las coincidencias existentes entre las dos novelas, se presentan respecto de episodios en los que Carmen Formoso plasma sus propias vivencias personales. Entre otros diversos argumentos, también expuestos en el Recurso, existe uno fundado en la lógica más elemental; se plantea a la Jueza la siguiente reflexión: "La posibilidad teórica de que, entre dos obras literarias escritas por autores diferentes y sin que ninguno haya tenido acceso a la obra del otro, se den las coincidencias que se observan entre la novela de mi representada y la del Sr. Cela, entiende esta parte que es prácticamente nula. Ahora bien, la posibilidad teórica de que ello suceda entre dos obras supuestamente escritas en el mismo año, y presentadas ambas al mismo premio literario, no es que sea nula, es que resulta estadísticamente imposible, resulta total y radicalmente inviable e inverosímil". Y añadiríamos ahora que, con mayor razón cuando, como sucede en el presente caso, además aparece demostrada una flagrante irregularidad que afecta a la presentación al Premio Planeta 1994 de la obra presuntamente plagiaria (aunque tal plagio, para la Jueza, resulte "penalmente irrelevante"), la cual no ha sido escrita, o cuanto menos presentada en el plazo preciso para poder concurrir al Certamen.

En cuanto al delito de Apropiación Indebida, el Recurso hace notar que en el Auto recurrido no se afirma que no existan indicios de que Editorial Planeta hubiere realizado una utilización de la novela de Carmen Formoso, diferente de la que le estaba permitida, lo cual, como se expuso, constituiría el tipo penal de este delito. Tampoco el Auto efectúa valoración alguna respecto de la no admisión a trámite de la querella en cuanto a este delito, pese a que, como señala el Recurso, incluso cabría la posibilidad de que el propio Sr. Cela, u otra persona de su entorno o con conocimiento de ello, pudiese manifestar en el Juzgado que efectivamente dispuso de la obra de Carmen Formoso, posibilidad que resulta impedida con la inadmisión a trámite.

Es claro que la mera afirmación de la posible existencia de un tipo de plagio que se pudiera calificar como penalmente irrelevante, demuestra rotundamente la existencia del delito de Apropiación Indebida, o al menos impide afirmar su inexistencia.

Hemos de insistir en que ninguna dependencia existe entre la inexistencia del delito de plagio y la existencia del delito de Apropiación Indebida. El hecho de entender que Cela no comete "plagio penalmente relevante", bien sea por su estilo narrativo o por su estructura argumental, incluso por disponer de un argumento original, o porque las coincidencias que presenta con la novela de Carmen Formoso pudieran ser calificadas de intrascendentes o accesorias, ninguna influencia posee respecto de la calificación delictiva del hecho de que Editorial Planeta hubiese puesto a disposición de Cela la novela *Carmen, Carmela, Carmiña*, en cuyo caso, incluso aunque Cela no la hubiere finalmente utilizado, estaríamos en presencia del delito de Apropiación Indebida, que habría sido cometido por Editorial Planeta.

Pese a todo, la Jueza de Instrucción desestima el Recurso presentado por la representación de Carmen Formoso, con el argumento de que no existen indicios racionales de la existencia del delito, sino meras sospechas o valoraciones subjetivas. También mantiene su tesis, según la cual, para entrar a valorar sobre la existencia del delito de Apropiación Indebida se requiere la constatación de la existencia del delito de plagio.

En definitiva, la Jueza mantiene su decisión de impedir cualquier tipo de investigación de los hechos denunciados, pues recordemos que la admisión a trámite de una querella no significa la condena del querellado, ni siquiera supone que este hubiera de ser juzgado, simplemente tiene como efecto que puedan ser investigados los hechos denunciados, al efecto de que, tras esa investigación se pueda decidir si existen elementos suficientes para llevar a juicio al querellado, o si al contrario, de la investigación realizada no han sido obtenidos datos que permitan sostener la acusación, y en lugar de juzgar al querellado deberán ser archivadas las actuaciones.

En realidad, no cabe argumentar la inadmisión a trámite de una querella en la ausencia de indicios racionales de la existencia del delito. Este argumento sólo resultaría válido tras la práctica de diligencias de investigación, dando lugar a un Auto de Sobreseimiento o archivo de las actuaciones. De lo contrario ninguna función cumplirían los Juzgados de Instrucción, pues si para admitir a trámite una querella resultare exigible la demostración de la existencia de indicios racionales del delito, no resultaría procedente investigar (Instruir), sino que se debería someter al querellado directamente a Juicio, pues la investigación criminal dejaría de ser una función del Poder Judicial, para pasar a ser desarrollada por los ciudadanos, que no podrían solicitar el amparo de la Justicia Penal, salvo en el caso de que tuviesen a su disposición pruebas del delito. Esto no sólo resulta inconstitucional, sino también inmoral, y hasta puede que engorde.

Pero por si las circunstancias desfavorables a los intereses de Carmen Formoso no resultasen suficientes, una nueva "coincidencia" va a poner en peligro la posibilidad de ejercitar su derecho a someter la decisión de la Jueza de Instrucción a la revisión de la instancia judicial superior, por medio del Recurso de Apelación, de cuya presentación va a depender también que, en su caso, pueda acudir ante el Tribunal Constitucional.

Y esta nueva "coincidencia" va a consistir en un error cometido por la Jueza de Instrucción, un error nada común, por lo demás, que cabría calificar de insólito: la Jueza, al resolver el Recurso contra su Auto de Inadmisión a Trámite de la Querella, declara tener por admitido a trámite el Recurso de Apelación. Sin embargo, tal Recurso no había sido presentado, por lo que, de no haber detectado este grave error con rapidez, una vez transcurridos cinco días, los abogados de Carmen Formoso no hubiesen podido ya interponer Recurso de Apelación, y la Inadmisión a Trámite de la querella resultaría definitiva.

Por fortuna, detectado el error de la Jueza, resultó posible interponer dentro de plazo el Recurso de Apelación contra la Inadmisión a Trámite de la Querella, que en estos momentos se encuentra en trámite ante la Ilma. Audiencia Provincial de Barcelona.

Esperamos que, tras la lectura de estas páginas, pueda ser comprendida la motivación que ha llevado a Carmen Formoso a acudir a los Tribunales en defensa de su legítimo derecho de propiedad sobre el producto de su intelecto. Y esperamos que quienes hayan comprendido a la autora apoyen también sus pretensiones.

JESÚS DÍAZ FORMOSO
Abogado
A Coruña, en abril del año 2000.

CARMEN,
CARMELA,
CARMIÑA

(FLUORESCENCIA)

Cuando yo era una niña, la "tata" me contaba historias para que durmiese. Decía que eran verídicas. Algunas, muy tiernas, hacían asomar las lágrimas a mis ojos; otras, muy tristes, conseguían mi indignación; y las de miedo hacían que no conciliase el sueño en las noches del relato. Por muy distintas que fuesen, todas tenían un denominador común: la magia.

Fue de esta forma como empecé a conocer lo que iba a quedar dentro de mí para siempre, muy profundo, formando parte de mi sanctasanctórum. Ella fue la primera persona que me habló de las supersticiones y creencias de los gallegos, de los espíritus sobrenaturales y de su influencia sobre las personas, de la *Santa Compaña*, que en pavorosa procesión, durante las noches oscuras, paseaba las almas en pena augurando muertes y desventuras... *¡Mesmo a vín c'os meus propios ollos... !*, aseguraba siempre que hablaba de ella, al tiempo que se frotaba los brazos con un gesto de temblor, y a punto de caerse muerta de miedo sólo con el recuerdo. Las *meigas* y *meigos* desempeñaban un papel muy importante en sus creencias, y siempre insistía en dejarme muy claro que era peor *un meigo que sete meigas*, cosa que me resultaba increíble.

–¿Aunque sean *meigas-voladoras*? –Le susurraba.

No me contestaba porque no me escuchaba. Cuando hablaba de estas cosas, no se le podía interrumpir. Como era oriunda de Arteijo, pueblo cercano a La Coruña, todos los años iba al santuario de Santa Eufemia el día de la procesión de los posesos, que, echando espuma por la boca, blasfemando a gritos y atados con gruesas cadenas, se negaban a entrar en la iglesia.

El sacerdote y el sacristán los curaban por medio de exorcismos y lograban que el demonio saliese de aquellos cuerpos y se alojase en los animales que llevaban con ellos los familiares, al grito unánime de *¡Bótao fora, bótao fora!* Todos los años me lo relataba con placer morboso y me prometía que me llevaría la próxima vez, pero yo tenía pánico.

Un día que visité a mi abuela, cosa que hacía con mucha frecuencia, le pregunté si ella también creía en las *meigas* y esas cosas. Me contestó:

–Yo no... ¡Pero haberlas las hay!

–¿Aquí, en Coruña?

–¡Claro! Cada coruñesa es una *meiga.*

–¿Todas? ¿Y nosotras también?

–Por supuesto. Pero hay algunas que no lo saben, y otras que no lo quieren admitir... Es nuestra raza.

Escuché tantas historias mágicas, que llegué a creer que podría distinguir con facilidad a las *bruxas* y *trasnos* reencarnados en personas normales cuando los cruzase por la calle, y que yo no correría nunca el peligro de tener el *mal de ollo,* porque me escaparía lejos para que no me viesen de frente. Así se lo decía a la "tata". Entonces me sonreía e insistía en que me cuidase mucho de no despertar envidia en mis amigas, que no dejase de llevar conmigo el ajo macho que me había traído de su pueblo y que no pasase después de la medianoche cerca de ningún cementerio.

Recuerdo que había una gran tormenta nocturna, acompañada de fuertes rayos y truenos, cuando me contó la historia de la "nieta de la cubana", una señora que vivía en la Ciudad Vieja, dando buena fe de que la conocía y de que la abuela era una maga de los negros cubanos muy sabia y santa, de las llamadas yorubas. Me aseguró, con muchos juramentos, que la nieta había hablado en el vientre de la madre ya antes de nacer, y que la biznieta tenía una gran señal en la piel, pero que, renegando de la sabiduría de la bisabuela y la madre, se marchó al desierto para no volver nunca. La cubana murió después de cumplir muchos más que los cien años y recordaba, con lágrimas en los ojos, el entierro al que acudió gente de todas partes.

Durante toda mi infancia escuché este relato, al que a veces le sobraba algo o le faltaba, y llegó a interesarme e intrigarme la historia donde la magia había estado presente a través de tres generaciones como algo natural, sin alardear de ello, y en medio de personas que llevaban una vida normal con las alegrías y tristezas propias de cualquier casa coruñesa de la época.

Pasé años indagando y llegué a imaginar la vida de aquellas tres mujeres cuyos poderes mágicos no asombraron a nadie. Sobre un pequeño relato, yo construí esta historia. Si llega a interesar un poco, ya me doy por satisfecha.

La cubana se llamaba Carmen, la nieta Carmela, y la biznieta Carmiña.

La Coruña, 1994

A la muy Noble y muy Leal Ciudad de La Coruña,
Cabeza, Llave, Guarda y Antemural del Reino de Galicia.
Y a todas las mujeres coruñesas.

I

-1-

Hasta aquel día Carmela se había considerado una joven muy afortunada, pensando que pertenecía al grupo que ella misma denominaba de personas corrientes, y que, por ser así, simplemente era dueña y señora de su propia vida, sin importarle a nadie lo que hiciese. Lo fundamental era disponer de ella con autonomía y libertad. A Carmela le parecía que dentro de lo común y de lo aceptado como ordinario estaba la clave de la felicidad, y que no hacía falta ser excepcional para sentirse la persona más extraordinaria de la tierra. Delante tenía el camino para andar y sin aspiraciones lo engrandecía. Era feliz con la abuela y desempeñando el papel de hermana con Charo, hasta aquella tarde que no podría olvidar jamás y que la marcaría lo suficiente como para derrumbar sus esquemas infantiles y dar paso a una de las jactancias más pretenciosas que pudiese esperar.

La abuela, Mamita Carmen, la había mirado fijamente a los ojos, con una mirada abismal que la había puesto en guardia, examinándola minuciosamente, y profundizado hasta los quintos infiernos de su interior. Fue entonces cuando Carmela sintió un dolor intenso en las entrañas, como si le arañasen las garras de un felino al intentar excavar la gándara apacible de su alma. El calor había sofocado su rostro turbado, comenzando a sudar sin saber decirse el porqué.

Mamita Carmen estaba aspirando el humo de un enorme puro habano, al tiempo que se balanceaba en la mecedora de la galería en total silencio, mientras que la nieta, con carne de gallina por todo el cuerpo y el vello de los brazos de punta, esperaba que pasasen aquellos instantes que parecían eternos. Por fin Mamita Carmen habló:

–Escúchame bien, Carmela… ¡Y deja de tener miedo! ¡Ay, qué *caraho*! Escúchame bien. Desde que naciste te vengo observando. Muchas veces me pregunté si eras tú la que tenía que elegir para continuar la tradición familiar de los agoreros yorubas. Ya no tengo dudas. –Seguía moviendo la mecedora sin alterar el ritmo–. Sé que eres la que esperaba y que tienes poderes, aunque no te des cuenta de ello. Pero… –aspiró una bocanada de humo con gran placer y, sin cesar en el movimiento de la mecedora, esperó un momento antes de continuar– tendrás una hija que nos superará a las dos. A partir de ahora vamos a hablar de todo esto, porque llegó el momento de prepararte.

Carmela, que estaba en plena adolescencia, sin saber bien de qué le estaba hablando, pudo captar la importancia de aquel momento, porque poseía una extraordinaria intuición. Que era la nieta preferida resultaba evidente, y desde entonces se dedicó a presumir de ello ante su hermana, empeñándose en demostrarle que la elección de Mamita Carmen había sido muy acertada.

Ahora podía explicarse muchas cosas. Cuando se quedaron huérfanas, fue la abuela la que las educó y cuidó. Alegando que Carmela despuntaba sobre Charo, la mandó a estudiar a Madrid unos años, aprovechando que allí vivían unos parientes, para que recibiese una educación laica que tuviese como base los ya perdidos principios de la Institución Libre de Enseñanza, que para Mamita eran la base de la mejor educación. Siempre se había preguntado el por qué ella y no Charo, y ahora tenía la respuesta. Pero gracias a aquellos pocos años que pasó en Madrid, Carmela pensaba realizar uno de sus sueños: integrarse en el mundo del trabajo. Había aprendido inglés, y lo hablaba correctamente; contabilidad, mecanografía, taquigrafía…, sin descuidar el aspecto artístico, pues estudió música y canto en el Conservatorio.

Era muy apreciada en La Coruña, su ciudad natal, y tenía fama por su belleza exótica, mezcla de rasgos caribeños y celtas. Se la conocía en la Ciudad Vieja por la "nieta de la cubana". El día que afirmó que se pondría a trabajar tan pronto pudiese, asombró a sus amigas. Y antes de cumplir los veinte años le surgió la ocasión.

Iba paseando por la calle Real con Laura, cuando esta, que había permanecido callada un buen rato, le preguntó:

–¿Qué piensa tu abuela de ponerte a trabajar?

Carmela se paró en seco, sorprendida:

–¿Qué? –la miró–. No lo sé, la verdad. –Quedó pensativa un momento–. ¿Qué piensa...? Realmente no lo sé, porque no se lo he preguntado. Pero... desde luego no espera que ande a la caza de un marido, que críe hijos a la vez que engorde y todo eso... –Comenzó a andar, antes de añadir, riendo–: No tengo ninguna prisa en echarme novio, y ya sabes que estoy convencida de que me voy a casar a los treinta años, una edad muy buena. Para ser feliz es suficiente, y para ser desgraciada sobra. Tendré por lo menos una hija... ¿Y, mientras tanto, qué hago? Puedo rezar, divertirme trabajar... Pues, ya ves... ¡yo quiero hacer las tres cosas! ¿Te das cuenta?

Laura lo pensó y le dijo:

–En un comercio de tejidos de la calle de San Andrés están buscando una cajera joven y de buena presencia...

–¿Qué...? Pero... ¡bueno!, ¿cómo no lo dijiste antes?

–Todavía me enteré ayer. Se lo oí comentar a Tere.

Carmela, muy excitada, la agarró por un brazo y tiró de ella con toda su fuerza, lastimándola. Laura intentaba soltarse:

–Yo que tú no me haría demasiadas ilusiones, por si acaso –le reprochó.

Sus palabras cayeron en vacío. En su mente crecía la idea de que si solicitaba el trabajo era suyo, porque siempre que deseaba mucho e intensamente algo lo conseguía, como si el salirse con la suya fuese la cosa más normal del mundo. Mamita Carmen le había dicho que en aquello, y en otras cosas más complicadas, consistían sus poderes, y le había enseñado a controlarse. Pero ahora no lo hacía.

–Verás... Voy a pedir el empleo mañana mismo y... ¡estoy segura que me lo van a dar! –Tiró de Laura para que se apurase.

–¡Carmela! ¡Tranquilízate, que vamos a caer...!

Con autorización de la abuela, se interesó por el empleo y la aceptaron, comenzando a trabajar enseguida. La experiencia le duró poco, justo hasta el día que entró en la tienda un paisano acompañado de un niño de unos seis años que se puso frente a la caja para decirle:

–¿Estás encerrada entre rejas porque eres una fiera del circo?

Lo consideró una insolencia y no le contestó, pero de repente se sintió ridícula tras unas rejas que sólo tenían una ventanilla para cobros y pagos, y, según pasaban los minutos, ese sentimiento se fue transformando en algo mucho peor: rabia. Ese mismo día habló con el encargado de los almacenes y dejó el empleo. En su casa no se sorprendieron, incluso se podría pensar que lo estaban esperando. Se rieron y le gastaron bromas sobre el incidente.

Al poco tiempo le presentaron a Míster Holl, que venía de Alemania con la representación para España de las máquinas de escribir Underwood, dispuesto a introducirse en La Coruña y acaparar el mercado de Galicia. Quedó admirado de su belleza, lo que Carmela decidió aprovechar llevando la conversación hacia temas de actualidad en fluido inglés, con el único fin de demostrarle que era algo más que una guapa señorita de ciudad. Hablaron cerca de dos horas y quedaron en verse de nuevo al día siguiente en un café de la calle Real.

Puso mucho esmero en arreglarse para aquella cita. Se recogió el pelo en un moño tirante hacia atrás. Su cabello negro con sus ojos grises hacían una combinación perfecta, enmarcados en una tez blanca. La naturaleza le había dado unas ojeras que hacían su mirada profunda e interesante, y, consciente de su atractivo, calzó sus mejores botines, se cubrió con un abrigo de terciopelo color granate y se dispuso a acudir al café. Bajó por la calle Real y se dio cuenta de que en aquellos momentos pasaba por la Marina una multitudinaria manifestación. Pudo oír los gritos de los manifestantes y el alboroto que armaban. Preguntó a una señora conocida, que estaba a la puerta de una mercería, el motivo de todo aquel jaleo, y se enteró de que era por el exagerado precio de los alimentos. Escuchó gritos socialistas mezclados con anarquistas, y vio salir de las casas gente que se iba sumando a los manifestantes. Carmela recordó el conflicto del año anterior, con motivo de un mitin, en el que se entabló una violenta lucha con intervención de la Fuerza Armada y el resultado de varios muertos y heridos, y tuvo miedo. Apresuró el paso cuanto pudo hasta llegar al café, donde Míster Holl ya la estaba esperando intranquilo en la puerta:

–Estaba preocupado por usted.

–Muchas gracias. Pero… como puede ver, no pasa nada.

Pidió un oporto y él un cóctel. Después de un rato de conversación, le preguntó:

–¿Le gustaría trabajar en nuestra empresa? Se haría cargo de la correspondencia y de la contabilidad, que por ahora no es mucha, pero con el tiempo será muy importante. Le pondríamos un despacho para usted sola.

A pesar de lo atractiva que le resultaba la oferta, le pidió unos días para decidirse. Lo estaba deseando, pero pensaba que era importante e imprescindible disimular bien. Aceptó. Con aquella energía que la caracterizaba y que nunca la abandonaba, comenzó su nuevo trabajo, dispuesta a demostrar su aptitud e idoneidad ante todo el mundo, como si se tratase de un reto. Los primeros días fueron de adaptación y aprendizaje, mostrando una aplicación asombrosa. Llegó a ser una auténtica lucubración que le absorbía incluso los sábados, en los que se dedicaba a repasar lo que había hecho durante la semana.

Compartía con Charo la habitación y la hacía partícipe de sus tristezas y alegrías. Por las noches, antes de quedar dormidas, dejaban correr su imaginación libremente hasta que las vencía el sueño:

–Lo que realmente quiero es… ¡viajar!, y aquí tengo muchas posibilidades. Por eso trabajo concienzudamente y tengo prisa en dejar de ser una neófita. Quiero ser muy pronto una persona de confianza en la que reconozcan mi capacidad e inteligencia. ¡Bueno! No me importa que me consideres una pedante. –Repitió–: Aquí tengo muchas posibilidades.

–A mí no me pareces pedante. ¡Ni mucho menos! Todo lo que me cuentas lo considero normal viniendo de ti. Lo que yo siento es no poder acompañarte…

–Sí, lo sé. Pero mira, Charo… Adonde vaya yo… ¡Bueno! Compraré postales para ti y será como si estuvieras allí.

–Claro… –le contestó con una pizca de amargura y resignación–. La verdad es que será estupendo. ¡Yo no soporto las incomodidades de los viajes, ni el ir de estación en estación!

Carmela pasó rápidamente a ser la persona imprescindible y de confianza de la empresa en Galicia, y la ascendieron al puesto que ella ambicionaba, siendo su propio jefe y disponiendo sus trabajos, reservando aquellos viajes que le apetecían para ella. Pero Charo enfermó antes de que disfrutase con las ventajas del empleo, y, a pesar de los cariñosos cuidados que recibía, se agravó. Carmela tuvo una premonición que le asustó por lo clara y tajante. Con tristeza y serenidad se la contó a Charo. Le dijo que se preparase porque moriría en tres días. La solemnidad del tono y del momento hizo estremecer a la enferma, que esta vez tomó en serio lo que siempre había llamado “cosas raras de Carmela”. Le pidió que la acompañase hasta el final, y permaneció a su lado día y noche... Entre la abuela y la hermana consiguieron rodearla de tanto amor que en el momento de morir su rostro reflejaba una dulzura y una paz increíbles. Charo murió a los dieciocho años, cuando ella, que había nacido con el siglo, tenía veinte. Era la segunda vez que se enfrentaba a la muerte. La primera había sido al morir su madre, Rosario, y en ambas ocasiones pudo hablar mentalmente con las difuntas estando aún sus cuerpos calientes... Las dos le contaron sobre la luz que las atraía. A su padre lo había perdido siendo muy pequeña y no conservaba ningún recuerdo.

Viajó mucho. Además de llevar la contabilidad, se encargaba de visitar los Ayuntamientos que habían adquirido las máquinas de escribir, para enseñar su manejo y conservación. También daba cursillos a los funcionarios y a los empleados de las grandes oficinas. Y fue en uno de estos viajes cuando, visitando Santiago de Compostela, conoció a Luis.

-2-

Fue en el hall del hotel. Esperaba a Chicha, una amiga de La Coruña que vivía en Santiago y que hacía mucho tiempo que no veía. Habían quedado para comer juntas y recordar los tiempos de su niñez que consideraban lejanos y muy entrañables, pero quizá fuera un pretexto para dar a entender que ya eran personas maduras y presumir de que estaban en la mejor edad, aquella en que se consideraba a las mujeres sazonadas por la vida. Pero aquel día era San Valentín, y se imaginaba que la conversación iba a ser pesada, ya que ambas tenían veintisiete años y sin compromiso, y eso irritaba a Chicha. Supuso que terminarían rezando en la Catedral para que el santo del día les concediese un novio, pero con ciertas cualidades a las que ninguna de las dos pensaba renunciar. Aunque después de la agotadora jornada que había tenido, lo que le apetecía de verdad era descansar, y no el charloteo… Mientras la esperaba, se puso a hojear una revista sentada en un sillón, se relajó, cruzó las piernas y subió un poco la falda para lucir las rodillas que sabía iban a ser el centro de las miradas.

Entraron dos chicas con tres hombres y se sorprendió cuando fueron hacia ella y pudo reconocer a la amiga.

–¡Carmela, cielo! ¡Estás preciosa!

–Hola, Chicha…

Se levantó para abrazarla y se sintió satisfecha del halago. Consideró que era cierto.

Hicieron las presentaciones y fue Luis el último que le estrechó la mano. Se la retuvo unos instantes y se sintió molesta.

–Luis Quiroga –dijo Chicha muy divertida, al notar la admiración en el rostro de Luis. Le guiño un ojo con disimulo y añadió–: Me parece que… ¡hay que celebrar este encuentro!

Se fueron al café Derby. Luis, tomando asiento a su lado, se dedicaba a ella por completo, ignorando a los demás, lo que le agradaba. Estuvo un rato encandilada con una conversación muy interesante en la que apenas participaba, limitándose a poner las "caritas" demandadas… Pero escuchaba y sacaba conclusiones. Pensaba que aquel era un hombre muy apuesto, y muy satisfecho de sí mismo, pero tenía que reconocer que poseía una gran inventiva capaz de fraguar historias muy sugestivas. Se daba cuenta que resultaba fascinante y que ella estaba ridícula, semipasmada escuchándolo. Llegó a interesarle, y se prometió indagar sobre él en el caso de que volvieran a verse. Prestó más atención, porque estaba dando datos personales. Había nacido en Betanzos de los Caballeros, volvió de África en el veintiuno después del desastre de Annual, y recalcaba que de aquel episodio quería olvidarse. Era Licenciado en Filosofía y en Derecho por la Universidad de Santiago, trabajaba como periodista y vivía en Madrid. Añadió que era soltero y sin compromiso, por tanto quería volver a verla porque le gustaba mucho. Carmela se daba cuenta de que estaba ante un hombre duro que cuando quería algo no se andaba con rodeos, y además era un hombre de mundo. Como decía Mamita Carmen, de los que hay que temer y guardarse bien.

Se estaba poniendo nerviosa ante tanta historia y pudo respirar cuando intervino Chicha. Le pareció que era muy oportuna, y se generalizó la conversación. Hablaron todos. Se acaloraron comentando la hazaña del hidroavión Plus Ultra que el año anterior había conquistado el Océano. Luis dijo que había entrevistado varias veces al comandante Ramón Franco, al que le unía una sincera amistad, y todos se rieron con las anécdotas que contaba. Entonces comprendió que, si era periodista, no le hacía falta inventar nada. Cuando regresó al hotel llevaba el flechazo de Cupido, pero todavía no se había enterado.

Si Luis disponía de algunos días libres, aparecía en La Coruña, paseaba la calle de Carmela hasta que la encontraba y simulaba la gran casualidad, pero se repetía con demasiada frecuencia y no le quedó más remedio que callarse y no hacer el menor comentario si no quería sentirse ridículo. Ella lo veía desde la galería de su casa a través de los visillos, y lo hacía esperar. Vivía en la Plaza de Azcárraga, en una casa que hacía esquina con la Plaza de Capitanía, y desde la que se divisaba perfectamente la cuesta de la calle de Santiago y las dos plazas. Luis no podía esconderse a su vista y durante un tiempo jugaron a los encuentros, hasta que cogieron confianza.

Al llegar el verano se hicieron novios. Era el primero y estaba dispuesta a que fuese el último, porque había decidido casarse con él. Salieron todas las tardes. Mamita les obligaba a llevar "carabina" y la única que estaba dispuesta a desempeñar ese aburrido y fastidioso papel era Laura, quien, con su prudencia, nunca los molestaba.

En el mes de agosto La Coruña celebraba sus fiestas y los forasteros venían a veranear precisamente en esas fechas. La ciudad estaba a tope. Luis vino de vacaciones y fueron a bailar al Leirón del Sporting Club, donde le presentó a sus hermanos, José, Tomás y Angustias, apodada en la familia "la larguirucha" por lo alta y escuálida. Carmela la consideró demasiado entrometida, porque en cinco minutos había dicho lo necesario para que sintiese por ella antipatía... Para dar oficialidad al noviazgo, lo llevó a casa para que conociese a Mamita Carmen, que lo asombró cuando, después de tomar el chocolate, sentada en la mecedora de la galería, se puso a fumar un enorme puro habano, como buena cubana y a pesar de su edad, mientras ellos hablaban de sus cosas, pero a través del humo los observaba.

Pensaba que hacían una buena pareja, aunque había algo en Luis que no acababa de convencerla. Le parecía un buen chico y, sin embargo, presentía que no era el apropiado para Carmela. Algo le sobraba y algo le faltaba... Decidió estudiarlo un poco más y cuando tuviese las cosas claras hablaría con la nieta. Se puso a escuchar... Comentaban sobre la corrida de toros del domingo. Luis decía que nunca había visto torear, y que para él era un espectáculo indignante. Carmela intentaba convencerlo para que la llevase a la próxima corrida. Le insistía:

–A mí me encanta la Fiesta, y a Mamita, ¿verdad, Mamita?

–Claro que sí, niña.

Les dijo que había asistido a la inauguración de la nueva Plaza de Toros, en la que habían toreado dos toreros que salieron a hombros. Uno había sido "Frascuelo".

La abuela estuvo un buen rato contando anécdotas y a Luis le sobresaltaban sus exclamaciones de "¡Ay, *caraho*!". Al final de la tarde ya se había acostumbrado.

–¡De acuerdo! –dijo rindiéndose–. Me habéis convencido. Vamos a hacer un trato: Vosotras me lleváis a los toros y yo llevo a Carmela a la romería de los Caneiros de Betanzos. –Mirando la cara de extrañeza de Mamita, se apresuró a añadir–: Si la abuela te da permiso, claro. Carmela, no te exagero, es lo más romántico que puedas imaginar. Se remonta el río Mandeo en barcas engalanadas con guirnaldas de flores y farolillos de colores, y al llegar a los Caneiros, se baila, canta, come y... también se bebe. Cuando...

–Ya oímos hablar de lo mucho que se bebe –interrumpió Mamita.

–¡Mamita...!

–¡Es la verdad! Hay que decir todo, Luis.

–Pero... ¡Continúa, por favor! ¡Me encantaría ir...!

–Resulta inevitable que alguien termine borracho. Al regresar de noche en la barca... el cansancio, la luz de la luna, los fuegos artificiales, las canciones… Parece que estás en una de las famosas fiestas venecianas.

–El año pasado llovió a cántaros y se suspendió la fiesta –recordó la abuela.

–¡Bueno…!

–Pero este año va a lucir el mejor sol para Carmela.

Se rieron, pero pensaba que aquella idea era digna de tener en cuenta. Sabía muy bien lo encantadora que resultaba en un marco *enxebre* porque había estado en romerías y siempre causaba admiración cómo bailaba lo gallego. Le había enseñado su amiga Maruxa en El Carballo y había quedado sorprendida de lo rápido que había sido el aprendizaje. "Se lleva en la sangre o no se lleva", le había aclarado Carmela. Además sabía tocar la gaita, y con eso nadie contaba. Mamita decía siempre que la manejaba tan bien como el abuelo Pedro. Sonreía para sus adentros, pensando que quizás allí podría dejar loco por completo a Luis.

Mamita hablaba cada vez más animada. Decía que su marido, en La Habana, lloraba como un niño cada vez que tocaba el instrumento gallego o lo escuchaba, y que le explicaba lo de la *morriña*, pero que nunca había podido comprenderlo… hasta que estuvo fuera de Cuba, porque le pasaba lo mismo que a él cuando escuchaba las habaneras y los sones caribeños. Terminó con un nostálgico "¡Ay, qué *caraho*!", y se puso triste, ausente. Decidieron no molestarla. En tono bajo comentaron sobre las últimas películas que habían visto, entre las que se encontraba una del Frente de África que proyectaban en el Salón Doré. Aprovechó para ver si Luis narraba alguna de sus tristes experiencias, pero lo único que le pudo sacar fue una frase lacónica, seca y dicha de mala gana, cortante:

–Es un milagro que esté vivo.

En un breve instante se dio cuenta del dolor profundo que le suponía el recuerdo del desastre de Annual. Entonces dijo algo, apresurada, para romper cuanto antes la sombra del mal momento evocado inconscientemente:

–Estaba escrito: Luis para Carmela.

Se rieron como si fuese la cosa más graciosa del mundo. Carmela se puso seria al intentar explicar que solo había sido franca; y siguieron riendo un buen rato. Ya era muy tarde y Luis se marchó con gran pesar, por lo bien que se había encontrado entre aquellas dos mujeres.

Intentaron conseguir entradas para una de las Corridas de Toros, pero no había. Luis no dijo ni una palabra de ir a los Caneiros. Quizás andaba por el medio Mamita Carmen, y no le importó demasiado porque sabía que no le faltaría la ocasión.

Fue a finales de agosto cuando Luis le anunció la marcha. Tenía que regresar a Madrid, pero antes quería pedirla en matrimonio. Lo hizo en absoluta intimidad, a pesar de que Carmela quería dar una gran fiesta de compromiso a la que asistieran todas sus amigas. Le regaló una sortija de oro blanco con un magnífico brillante y ella correspondió con un reloj de pulsera. Hablaron de boda, pero decidieron no poner fecha y Luis se comprometió a hacerlo en cuanto le fuese posible y su labor periodística se lo permitiese. Explicó que en ese momento tenía varias crónicas pendientes para *La Voz de Galicia*, *El Socialista* y otros diarios madrileños que le agobiaban con apremios. Fue entonces cuando Carmela se enteró, de una manera encubierta, que Luis era socialista, y se preguntaba por qué no se lo había dicho antes. Eso le quitó el sueño un par de días, hasta que no pudo más y lo comentó con Mamita. La abuela fue muy franca:

–Mira, niña, Luis es un buen chico. Pero ten la seguridad de que siempre ocultará cosas que te harán sufrir y que para él no tienen importancia. A Luis le sobran experiencias personales, y le falta decisión. Verás. No es que sea tímido aparentemente, no es eso. Es que, aparentando mucho desparpajo, es muy tímido. Piénsalo muy bien y no te ciegues por él.

Estuvo pensándolo durante algún tiempo y rubricó su decisión de que se casaba con Luis porque era el hombre de su vida. Cuando se lo dijo a la abuela, dejó zanjada la cuestión. Mamita Carmen se resignó:

–Está bien. Acuérdate de lo que te digo: te dará muchos disgustos, pero será el padre de tu hija, y eso para mí ya es suficiente. No volveremos a hablar del asunto.

Se pusieron a preparar el ajuar. Las amigas le preguntaban para cuándo era la boda, pero les contestaba que en el momento más imprevisto y que por eso había que prepararse con tiempo. Añadía que a la abuela nunca le gustaron las prisas, pero estaba nerviosa e irascible. Sabía que Mamita aceptaba a Luis como el medio para un fin: la biznieta que le había anunciado en la adolescencia; y que ella había decidido ir al matrimonio con el convencimiento de que las razones del corazón no las entendería jamás la mente, y no estaba satisfecha. Pero estaba tan enamorada que sólo la idea de no verlo en unos meses la ponía enferma. No sabía cómo sería la vida con Luis, pero pensaba que sin él sería un infierno, y, desde luego, o Luis o nadie. No se privaba de hacer estos comentarios cuando a la noche se sentaba en la silla de cortas patas a bordar en el bastidor acompañada por Mamita, que tejía encajes de Camariñas para las sábanas del ajuar. La abuela la escuchaba, meneaba la cabeza y callaba, a pesar de que Carmela la azuzaba constantemente para que dijese lo que pensaba y así comenzar a discutir, con el fin de convencerla de que era así porque así tenía que ser. Mamita Carmen se contenía para no caer en la trampa.

Se volcó de lleno en las largas pero escasas cartas que recibía. Le escribía todas las noches muchas cuartillas que a la mañana siguiente rompía, porque estaba decidida a mandar sólo contestación a las suyas para que sufriese un poco, como le ocurría ella. No se habían vuelto a ver desde el verano y habían pasado muchos meses. Buscó un pretexto para su trabajo, se fue a Madrid y le dio una sorpresa. Presumiendo de progresista se hospedó en el mismo hotel pero en otra habitación, porque tenía el convencimiento de que a los hombres no se les podía permitir jugar con el sexo si se quería pasar por la vicaría. Cuidó de que las habitaciones estuviesen bien separadas y consiguió que la instalasen en el piso de arriba. Pensaba que la apariencia de la honestidad era muy importante. Mamita siempre decía que "había que vivir para uno, al mismo tiempo que para fuera".

Pasaron juntos una semana, y le pareció la más corta de toda su vida. Madrid era la capital administrativa, artística y cultural de España, a la que se acudía con el mínimo pretexto para ponerse al día en todos los sentidos, y estaba de moda. La gente se conocía y se saludaba por las calles y cafés con mucha confraternidad. A Carmela le pareció que Luis se relacionaba con personas muy interesantes que le fue presentando. La llevó a muchos sitios, con la seguridad de llevar con él a la mujer más hermosa de todas, y se le iba poniendo cara de bobo con cada uno de los piropos que los castizos dedicaban a Carmela. Estuvieron en una tertulia de un conocido café de la calle Mayor donde no eran admitidas las mujeres, pero con ella hicieron una excepción a condición que interviniera lo menos posible en los temas que se debatían, que eran políticos, y cuyo eje principal eran los textos de Lenin y Trotsky. También fueron al café Pombo, donde le presentó a dos grandes amigos suyos, Ramón Gómez de la Serna y Rafael Alberti, quien le recitó a Carmela un precioso y simple poema que dedicó a sus ojos grises. A pesar de que había estudiado en Madrid unos años y de que visitaba con más o menos frecuencia a sus parientes, unas tías mayores y solteras, no conocía aquel ambiente, si bien era cierto que había oído hablar de él en ciertos círculos coruñeses y leído comentarios en revistas culturales.

Como colofón, y a modo de despedida, la llevó a una sesión de jazz, donde un grupo de negros de Nueva Orleans tocaban el saxofón, el banjo, piano, batería, trompeta y clarinete. Lo que más le entusiasmó fue la tristeza de los blues, que de alguna forma le recordaban la *morriña* de su tierra; estaba segura de que los recordaría mientras viviese. Llegó a La Coruña deslumbrada por Madrid. Esta sensación le duró hasta el mes de agosto, en el que Luis volvió de vacaciones.

En aquella ocasión compró con mucha anticipación las entradas para la mejor corrida de las fiestas patronales. Este año no se iba a perder Los Caneiros. Con las entradas para los toros en la mano, a Luis no le quedaría más remedio que llevarla. "Lo prometido es deuda", le dijo pomposamente cuando se las enseñó. Llevaron a Mamita Carmen, que se vistió con mantilla de madroños y peineta grande de carey que cogió del baúl que tenía en el desván. También Carmela se esmeró para lucirse, incluso llevó el abanico de marfil que estaba en la vitrina del vestíbulo. Luis parecía un pavo real en medio de aquellas dos mujeres tan bien arregladas. La corrida le gustó, pero mucho más el ambiente. Al llegar a la suerte de matar no aguantó, era demasiado fuerte para él, y salió de las gradas. Las recogió al terminar el espectáculo. "¡Lo que te has perdido!", le dijo Carmela pero él no quiso que se lo contase.

La llevó a Los Caneiros, y pudo admirar toda la belleza que encerraba la gira por el río Mandeo. Se dio cuenta de que la barca de la familia de Luis era la mejor engalanada de todas y lo achacó a que era por ella. Más tarde se enteró de que había un concurso y se hablaba de que llevaría el premio. "¡Bueno! ¡Y a mí que me importa!", pensó decepcionada. Merendaron, bebieron… y sobre todo bailaron al son de la gaita toda clase de danzas de las Mariñas. Cuando el gaitero anunció a pleno pulmón *¡Muiñeira mariñana!,* Carmela se puso en situación de relumbrona ante aquella familia sin importarle lo más mínimo el despertar comentarios, para llamar la atención de Luis. Demostraría que en La Coruña eran tan gallegos como en los pueblos. Bailó mejor que nunca en su vida y desde luego mejor que nadie. Repiqueteó en la punta del pie con toda su fuerza y con todo ahínco, hasta que la dejaron sola y formaron un corro con ella en el medio. No había nadie capaz de seguirla. Ya cansada, se fue con Luis a la barca y, nada más sentarse, escuchó a un pequeño grupo discutir sobre el Himno Gallego para terminar entonándolo, y fue superior a sus fuerzas. Lo cantó a media voz, pero destacaba su voz educada sobre el resto, y llamó la atención. Luis iba de sorpresa en sorpresa, pero a ella se le amargó la fiesta cuando escuchó sin querer una conversación de Angustias con su novio, que le preguntaba: "¿No me habías dicho que era cubana?", a lo que aquella contestó despectivamente: "¡Yo que sé lo que es… !". Estuvo dolida un rato, pero procuró olvidarlo para disfrutar con las bromas que se le hacían a Luis sobre el amor. La futura cuñada le quedó bien atravesada.

El que Luis pusiese fecha para la boda coincidiendo con la fiesta de Betanzos, pudo haber sido una consecuencia de lo mucho que lo había hechizado aquella noche, pero decidió que se casarían en abril. Alegó una serie de circunstancias que a Carmela no le importaron. Ella pudo elegir el día, que fue el de su veintinueve cumpleaños. Comenzaron el arreglo de los papeles al marchar Luis. Estaban tan absortas que se olvidaron de comprar los turrones de aquellas Navidades.

Una semana antes del acontecimiento tuvo un sueño que se le repitió varias veces en la noche. Estaba sobresaltada. En este veía a Charo. La avisaba de que no se casara porque no había llegado a la edad de ser matrimoniada, que esperase a los treinta años. Luego se le acercaba al oído y le decía algo de lo que solo podía entender la última palabra, y no con exactitud. Podía ser "infamia" o cualquier otra terminada en "famia". De madrugada corrió a despertar a Mamita Carmen para contárselo. La abuela intentó tranquilizarla diciéndole que todo era producto del estado de nervios previo a la boda. Al final terminó diciéndole:

–Lo que tenga que pasar… pasará.

La frase la puso algo mosca, pero inconscientemente rechazaba todo lo que pudiese perturbarla. No quería ningún rompecabezas en aquel momento.

Celebraron una boda con poca gente; había sido una condición de Luis, y, a pesar de todo, opinaba que eran demasiados. Estaban los amigos íntimos, la familia de Carmela y la familia betanceira. Habían discutido sobre el trabajo y Luis fue tajante: después de casarse no quería que trabajase nada más que en casa. Se vio obligada a despedirse de la oficina dándoles una invitación a la boda que aumentó considerablemente el número de invitados. Él protestó diciendo que eran muchos, pero terminó aceptándolo.

El traje de novia lo había comprado en Madrid y era un modelo muy favorecedor. Luis se vistió de esmoquin. Todos decían que eran la pareja más bien plantada de toda La Coruña. Las mujeres envidiaban a la novia y los hombres al novio. Celebraron el banquete en el Hotel Atlantic y lo amenizó una pequeña orquesta, los jóvenes bailaron el loco charlestón y los mayores el vals "Boston", pero también estuvo presente el ritmo del foxtrot. Abundaban las lentejuelas en la ropa femenina, los rasos, sedas, los coquetones sombreritos y la alegría del champán entre el humo de los cigarrillos egipcios de las largas boquillas de ámbar. Mamita Carmen estaba distinta. La modista le había obligado a acortar un poco la falda para que fuese a la moda, pero no dejó de fumar su enorme puro habano.

Marcharon a pasar la noche al hotel de Santiago donde se habían conocido, y de allí salieron de luna de miel por las Rías Bajas, terminando en Madrid, donde estuvieron juntos cerca del mes. Renovaron la vida nocturna que tanto les había gustado, pero Luis tenía que trabajar y Carmela regresó a La Coruña sola y con un sentimiento de decepción que le duró todo el viaje. Le fue imposible conseguir que Luis la acompañara, y eso no le había gustado. Terminó consolándose al pensar que faltaba poco para las vacaciones de verano y que volverían a estar juntos de nuevo. Había conocido el lecho compartido y notaba la diferencia, pero estaba dispuesta a exigirle a su marido una convivencia diaria y el llamado "débito conyugal", a pesar de que reconocía la existencia de un problema al que no se había querido enfrentar antes, la ubicación de Luis, pero se decidió a abordar la cuestión sin tardanza y a ser todo lo dura que hiciese falta.

Lo hizo aquel verano. Hablaron del asunto y llegaron a acalorarse en una discusión donde Carmela aclaró que prefería vivir en Madrid, pero que de ninguna forma dejaría sola a la abuela, la que no quería ni oír hablar de otro sitio que no fuese La Coruña porque mediaba una promesa que le había hecho al abuelo Pedro poco antes de su muerte. Luis, sorprendido por la firmeza que le mostraba, terminó asegurando que lo comprendía y aceptando el fijar su residencia en casa de Mamita Carmen tan pronto como le fuese posible, y mientras tanto viajarían para estar juntos. Esto no la complació y de nuevo se sintió derrotada. Era la segunda vez que su marido la decepcionaba. Le parecía imposible el no salirse con la suya, pero estaba dispuesta a pelear, y al final ya se vería quién vencía. Sabía que antes de casarse no había podido plantear el asunto porque no tenía la mínima garantía de éxito, y no lo puso en la picota para no verse humillada aceptando lo que fuese con tal de no renunciar a él, y se sentía culpable, como si lo hubiese engañado. Su reflexión la llevó a esperar la próxima batalla.

Cuando quedaba sola, para distraerse, paseaba con las amigas. Laura había enviudado hacía unos meses y comenzaba a pisar la calle empujada por ella. Vivía con los suegros y no estaban conformes con los paseos, pero fueron permisivos. Tere se había casado con un militar recién salido de la Academia y no tenían hijos, por lo que disponía de tiempo. Paseaban y terminaban tomando el té en un salón de la calle Real. Allí se encontraban con todas las conocidas de la niñez, que se acercaban a la mesa y las ponían al corriente de los últimos cotilleos. Aquel día el comentario era unánime. María, "La Gorda", que estaba medio sentada porque no le cabían sus posaderas en la minúscula silla, relataba con dramatismo lo que estaba ocurriendo aquel mes de octubre a nivel mundial con el crack de la Bolsa de Nueva York, y decía que todas las personas mayores estaban de acuerdo en no recordar cosa igual. Dio nombres conocidos de grandes fortunas gallegas, y de algunas coruñesas, a las que la ruina de América arrastró en la caída. Citó tres suicidios. Entonces Tere dijo que ya se lo había oído a Gumersindo en casa. Terminaron preguntándose qué podría aguardarles en la siguiente década e hicieron conjeturas terribles.

Carmela estaba muy impresionada y comenzó a tener pesadillas nocturnas. No quería quedarse dormida porque se repetían cada vez con más frecuencia y con más fuerza. Poco a poco le fue entrando el pánico, y se dio cuenta que aquella era la primera manifestación seria de sus dotes extrasensoriales, de precognición. El presentimiento de que el futuro venía rodeado de grandes catástrofes era tan persistente que llegó a causarle dolor físico durante los sueños, en los que se le presentaban tiempos muy duros, con grandes discusiones políticas, tiros por las calles, bombas, frentes, trincheras… Y tuvo la certeza de que se trataba de una guerra. Las impresiones las recibía con imágenes visuales y una percepción minuciosa de escenas, que le resultaban imposibles de situar en el tiempo, tan fuertes que aceleraban su pulso, e incluso llegó a perder la consciencia dentro de su aletargamiento, bañándola en un sudor frío. El terror se apoderaba de ella y comenzó a perder la salud.

Mamita Carmen, muy preocupada, no dejaba de observarla. Se preguntaba si tendría alguna enfermedad interior, de las que no se veían. Como ella tenía el don de ver las dolencias, incluso las internas y a distancia, y de curarlas en muchos casos, decidió averiguar si aquellas crisis tenían arreglo antes de que la consumiese, y se dispuso a usar sus poderes. Mientras pensaba en la nieta se balanceaba en la mecedora, adormecida. Sus piernas y brazos se pusieron rígidos y su cuerpo comenzó a oscilar suavemente. Pasado un tiempo, abrió los ojos. Acababa de ver el interior de la nieta y ya sabía qué clase de mal le aquejaba. La llamó para decirle:

–Niña, tú no estás enferma. Lo que ocurre es que tus percepciones te afectan demasiado, y eso no es bueno… ¡Ay, qué *caraho*! ¡Tienes que poner voluntad para superarlas! –Tomándole cariñosamente las manos, continuó hablándole–: Lo que ha de venir… ¡vendrá! Preparémonos para ello. ¿Entiendes?

Carmela se echó en sus brazos llorando:

–¿Por qué, Mamita? ¿Por qué me pasa esto a mí? –dijo entre suspiros y lágrimas–. Lo único que quiero es vivir en paz…

–Tú eres una persona muy especial, ya lo sabes, y solo encontrarás la paz cuando te aceptes como eres.

–¡No quiero! –protestó con fuerza–. Yo quiero ser normal, que no me pasen estas cosas raras. Mamita, ¡ayúdame! –Y comenzó a hipar convulsivamente.

Mamita Carmen la fue tranquilizando poco a poco hasta que cedió la crisis. Fue una labor de muchos días, pero consiguió que Carmela recobrase la serenidad y la salud. Una vez restablecida, se dedicó a enseñarle los cánticos y el ritual religioso de los yorubas y todas las artes y mancias que ella tan bien conocía, consiguiendo que Carmela se consagrase. Aquellas charlas con la abuela, día tras día, la hicieron aceptar el hecho de ser diferente, consciente de lo que significaba, y no como cuando lo supo en plena adolescencia sin conocer verdaderamente su alcance y convirtiéndolo en un juego con el que distraía a su hermana Charo. Mamita le hizo comprender que los poderes que poseía era algo muy serio, y que había personas que, aun cuando los deseaban, no podían alcanzarlos.

También Mamita recibía constantes y claros mensajes que confirmaban las visiones de Carmela, y tomó la drástica decisión de gastar lo menos posible, por si en un futuro dejaba de recibir el dinero que le enviaba su administrador todos los meses desde Cuba.

Uno de aquellos días en que se estaba reponiendo Carmela, la visitaron las amigas. Laura, desde el fallecimiento de su esposo, se empeñaba a hacer sesiones de espiritismo para hablar con él, y como todas conocían la filosofía de Allan Kardec y compartían su doctrina, siempre hacían sesiones con ella de médium, porque le reconocían una disposición especial. Su estado físico les llamó la atención y le preguntaron si se encontraba enferma. La pusieron muy nerviosa porque no les había contado nada de sus pesadillas y no quería hacerlo. Les contestó rápidamente:

–No. Simplemente estoy un poco deprimida.

–¿Volvemos otro día?

–No. Empecemos... ¡Vamos!

Se sentaron alrededor de la mesa camilla con una vela encendida en el centro e invocaron a Pepe, que dio señales rápidamente moviendo el lápiz que sostenía Carmela en la mano sobre un papel blanco, y entonces esta le preguntó:

–¿Eres Pepe? –El lápiz que sostenía inerte, escribió en el papel "sí".

–Dile algo a Laura. –Pudieron leer sin dificultad "le mando un mensaje muy importante".

Laura casi no respiraba, y el lápiz, movido por una fuerza misteriosa, continuó escribiendo claramente "guarda la casa guarda la casa guerra sangre". Carmela, muy pálida, lo lanzó al suelo con fuerza.

–¿Qué pasa? –preguntó Tere extrañada. Nadie le contestó. Llena de curiosidad, insistió–: Carmela, sigue, por favor, para ver si podemos saber qué quiere decirnos.

Dudó un instante. Cogió de nuevo el lápiz y, al apoyarlo sobre el papel, volvió machaconamente a la misma frase. De repente se puso a trazar círculos a gran velocidad, por lo que decidieron dejarlo.

–Si no me lo explicáis, no lo entiendo –dijo Tere. Le contestó Carmela:

–Yo sí. Quiere decir que vienen tiempos muy difíciles. –Mirando a Laura, continuó: – Pepe te avisa para que estés prevenida y no te coja de sorpresa.

–Pero… ¡Habla de una guerra…! ¿Se refiere a una guerra de verdad? ¿En España?

–Sí.

Aquella noche ninguna de las tres pudo dormir.

-3-

Era el cumpleaños de Carmela. Ya estaba en los treinta y uno. Se conservaba bien y tenía buen aspecto. Le gustaba ver la forma en que decían que no los aparentaba y era una ritualidad anual en la que siempre concluía con lo mismo, que estaba en plenitud. Pero en esta ocasión reconoció que los rasgos de su carácter habían cambiado mucho, y, con un gesto de amargura, mirándose en el espejo, pensaba que bien pudiera ser el principio del envejecimiento, porque por algo debía de empezar. Se estaba viendo de pronto viviendo los prolegómenos de la vejez y sentía la sensación de que los años que le quedaban ya eran pocos. Se hizo el propósito de gozar de la vida y no estaba dispuesta a ver correr las estaciones de año en año como un ser pasivo que esperase le muerte. Pero... Luis seguía en Madrid y ella continuaba sin dar su brazo a torcer, perdiendo la esperanza de tenerlo a su lado. A Mamita Carmen, en cambio, esto no la intranquilizaba lo más mínimo, porque pensaba que aquel lapso de tiempo carecía de importancia, ya que en su momento vendría la biznieta, y la culpaba de tratar a Luis como si fuese un reo merecedor de castigo, diciendo, con cruel franqueza, que si había que echar la culpa a alguien sería a ella por omitir en su momento algo tan importante como era el plantearse dónde vivirían. Añadía, con mucho enfado, que había cometido un yerro que marcaría su vida. Luego la consolaba, como si se hubiese arrepentido, y repetía con dulzura: "Estate tranquila que todo se arreglará". Carmela era consciente de que tenía un grave problema pendiente que estaba comenzando a pagar, lo que no sabía era el precio.

El día era primaveral y no entendía bien por qué se estaba deprimiendo. Era día de elecciones, y quizás fuese la agitación de la calle lo que más le molestaba, pero eran las primeras desde el año 22, y los políticos habían atosigado a la gente. A ella consiguieron ponerla frenética con la propaganda electoral.

Después de casarse había comenzado a sentir interés por la política, hasta cierto punto. Luis, que era un socialista convencido, solía mantener con ella conversaciones con las que intentaba adoctrinarla, sin darse cuenta que tenía las ideas muy claras, y había despertado su interés por los acontecimientos.

Con el pretexto de airearse, salió de casa. Decidió comprar la prensa y enterarse de lo que decían los comentaristas. Para poder comparar opiniones pidió dos periódicos de distinta línea: *El Ideal Gallego*, conservador, y *La Voz de Galicia*, progresista, que incluía un artículo de Luis defendiendo el voto femenino, y que leyó con mucha curiosidad. "Desde luego... ¡Luis convence!", pensó.

El resultado de las elecciones fue el comentario durante muchos días en La Coruña. Los republicanos habían obtenido un triunfo absoluto y en el resto de España habían ganado los socialistas. Carmela se alegró por Luis, que repetidamente le había manifestado su confianza en el triunfo de los suyos, y también por su amiga Maruxa, la cigarrera, que pertenecía a la U.G.T., y le había dicho que prestara atención a lo que iba a suceder, que las cosas iban a cambiar.

La proclamación de la Segunda República se hizo de una forma apacible, pero al poco tiempo fue amenazada por desórdenes políticos y militares, y antes de un mes se extendió por el país una locura incendiaria que resultaba increíble por lo virulenta. Comenzó a preocuparse por Luis, porque Madrid era una de las ciudades más afectadas, y deseaba que volviese a La Coruña, uno de los pocos sitios en los que reinaba la calma. Pero como la agitación se había extendido por las ciudades andaluzas y levantinas, Luis tuvo que desplazarse a ellas para cubrir la información.

Recibió una extensa carta en la que le describía escuetamente el panorama. Carmela se daba cuenta que era a propósito para que no se preocupase. También le contaba que los arzobispos españoles, y con ellos el cardenal Segura, en una pastoral pedían a los católicos que se agrupasen para hacer frente al Gobierno, y que por este motivo el cardenal fue expulsado del país. Pero también a esto procuraba quitarle importancia, insistiendo en que no había más problema, que se trataba de un incidente imprevisible con una respuesta clara y enérgica, sin mayor transcendencia. Luego hablaba del mucho trabajo que tenía con tanta agitación sindical y tantas huelgas, y añadía que pensaba estar en casa a finales de junio pero… –"¡Siempre hay un pero!", pensaba Carmela– regresaría a Madrid al mes siguiente para asistir al Congreso Socialista, que era muy importante porque en este se iba a decidir la postura que tendría que adoptar el partido en el Gobierno.

Al terminar de leer la carta tuvo que reconocer que tenía un marido especialista en eso de dar una de cal y otra de arena, y que la especialidad de ella era conformarse con los golpes que le diese la vida y con un hombre demasiado severo con su trabajo, formalista y… estrecho. "¿Estrecho?", se preguntó. "Bueno, quizás tocante al sexo, porque… ¡hasta en eso no me satisface como debiera! Todo lo reduce a ausentarse, con más o menos motivo, para no cumplir. ¡Y encima tengo que escuchar cosas como que Luis es un hombre muy cabal! ¡Cabalísimo!". Se daba cuenta de que la carta de Luis la había sacado de sus casillas porque había añadido leña a su fuego interno: las pesadillas. No lo podía culpar, porque jamás le había comentado nada de lo que le venía ocurriendo. Además no era Luis y lo que dijese: era España.

Nada de eso tenía que ver con el hecho de ponerse a contar los días que faltaban para su regreso, y no le pasaban las horas. No sabía qué hacer para distraerse. Las amigas le notaron la ansiedad y se desvivieron con ella. Salieron a pasear casi todas las tardes. A principios de junio se acercaron a la playa de Riazor y se dieron unos cuantos baños, a pesar del agua fría y de la resaca. Notaba cómo los baños de mar la relajaban y tranquilizaban, hasta el punto de dormir alguna siesta, aconsejada por Mamita, que jamás se la perdía. Adelgazaba e iba adquiriendo un ligero bronceado que la favorecía mucho. Pero se le había metido en la cabeza el hacerse un cambio de imagen para darle una sorpresa a Luis. Mamita no estaba conforme, porque jamás le habían gustado las sorpresas, y decía que a veces el sorprendido era uno mismo, porque podría ocurrir que a Luis le gustase más como estaba ahora. Carmela se decidió. Lo primero fue el corte de pelo. Se lo pusieron corto y ondulado, en la peluquería lo llamaban "tocado viento", y se encontraba favorecida y satisfecha. Luego decidió renovar toda su ropa de temporada, comenzando por la interior. Durante unos días se ajetreó mucho comprando sostenes, breves *culottes* y transparentes *saut-de-lit* de encaje y seda, y ponía en marcha la imaginación para ver la escena íntima en la que, con mucho atrevimiento, haría que Luis la viese y desease. Aquella lencería era muy cara, pero ella conseguiría que fuese rentable. Se paraba mucho para elegir los suéteres de hombros anchos y las amplias faldas deportivas. Pero lo que más la ilusionaba era un vestido chaqueta de tela fresca y estilo masculino, a juego con una amplia boina, con el que pensaba ir a esperarlo a la estación. Reconocía que para distraerse no había nada mejor que ir de comercios gastando dinero.

Vinieron las amigas y quedaron pasmadas del buen gusto de Carmela y del atrevimiento.

–Te va perfecta. Si yo no estuviera viuda también me la pondría. ¡Me das una envidia!

–Chica, no tienes hijos y puedes volver a casarte cuando quieras. Yo conozco a más de uno que te mira como cordero degollado. Deberías permitir que te los presentase –dijo Carmela.

–Carmela, Carmela… ¡No me tomes el pelo! Ya sabes que Pepe está vivo en mi corazón; y no hay presentaciones que valgan, porque yo, escúchame bien, ¡yo no pienso dar qué hablar a las gentes liliputienses de esta ciudad! –Laura quedó pensativa mientras miraba su vestido de crespón negro. Se levantó y fue a verse al espejo. Se contempló con tristeza hasta que dijo con rabia–: ¡Odio el negro!

–¡Bueno…! –dijo Tere–. Vamos, Laura… Es muy sencillo. Si no quieres el luto riguroso, ponte de alivio. ¿Os acordáis cuando lo hizo la de Mina? De acuerdo que toda La Coruña la criticó, y que fue la comidilla durante algún tiempo. Bien, de acuerdo, pero después se olvidaron de ella. Creo que se marchó a vivir a Barcelona.

–Yo más bien diría que la echaron…

–No hace falta pensar en la de Mina. Recordar cuando yo me quité el velo de viuda… ¡Qué escándalo, Dios mío! A mis suegros casi les da un soponcio. Gracias a Dios ya lo hemos superado todos los de la familia, y no me culpéis si os digo que ya no tengo fuerzas para meterme en otra de esas… por ahora.

–Algún día tienen que cambiar las cosas para las mujeres. No pierdo la esperanza de poder verlo. Ahora dicen que nos van a dar el voto, y a mí me parece muy importante, porque somos muchas y podemos inclinar la balanza al lado que nos interese. Eso me parece más importante que lo del divorcio… El divorcio está bien para los americanos… ¿No os parece? –Las otras movieron la cabeza afirmativamente–. Nos dan una limosna, que es como dar zapatos al que no quiere ponérselos… ¡Bah! ¡Con la de cosas que hay que reivindicar en este país! A mí me gustaría participar en movimientos sociales, pero conociendo a Luis… ya me imagino la respuesta. La verdad es que admiro mucho a Maruxa y hasta la envidio por su activismo en la U.G.T. Claro que las cigarreras son muy atrevidas.

–Sí, sí… –le cortó Tere–. Pero nosotras pertenecemos a la burguesía, por eso todo es distinto.

–Yo te doy la razón, y reconozco que todo es distinto, pero para todos: burguesía, proletariado, nobleza… y hasta para la Iglesia. Los curas andan locos. ¿Fuisteis el domingo a la misa de la parroquia? ¿Sí? ¡Menudo follón!

–Yo fui a San Nicolás. La verdad es que la homilía no tuvo desperdicio –dijo Carmela.

Tere se levantó muy seria, se puso frente a Laura y arremetió contra ella:

–Yo sí que estuve en nuestra Parroquia. –Cruzó los brazos–. La verdad es que lo encuentro normal después de lo que está pasando, y me sorprendéis con vuestra indiferencia. Gumersindo dice… –quedó cortada al ver que se estaban guaseando. Sabía cuál era el motivo. Rectificó:– Bueno, yo pienso lo mismo que él… Que la expulsión de los jesuitas, la quema de conventos, lo del cardenal Segura y todo eso… ¡nos van a traer muchos problemas! Francamente… ¡la República empieza muy mal! –Se volvió a sentar, con el rostro tenso.

–Gumersindo es de derechas de toda la vida, y además es militar como su padre, como su abuelo… –dijo Laura, sonriendo para quitar la tensión del ambiente–. ¿Qué quieres que te diga? Y los dos dormís en la misma cama, como Carmela y Luis…

–¡Vamos, Laura!, que yo por desgracia duermo muy poco con Luis.

–¿Sabes qué te digo, querida? –dijo Tere, sacudiendo el dedo índice frente a la cara de Laura–. ¡Que tú eres una desarraigada!

–No lo creas. Lo que pasa es que vivo con mis suegros; y como mi suegro es abogado, pertenece a una profesión liberal y todo lo vemos distinto –quedó pensativa un instante. Luego añadió–: Cuando éramos jóvenes nos parecíamos más que ahora.

–¿Y luego? –preguntó, curiosa, Carmela.

–Pues ahora queremos ser así como… como… ¡como los negativos de las fotos de nuestros maridos! Mejor dicho, queremos ser su viva imagen. Y lo voy a decir más claro: ¡los maridos tienen la culpa de que nosotras discutamos! Bueno, los vuestros, porque el mío ya hace tiempo que por desgracia me dejó en paz.

–¡Ja, ja, ja…! –se burló Tere.

–Es verdad que somos distintas… –dijo Carmela, sorprendida–. Pero, bueno, en el fondo somos las mismas. Y a pesar de los maridos… ¡y mal que les pese!, somos amigas, como siempre.

–¡Faltaría más! –añadió Laura, indignada.

Aquella madrugada Carmela estaba despierta desde muy temprano. Le resultaban demasiado molestos los graznidos de las gaviotas, que nunca le habían gustado y ahora parecían empeñadas en fastidiarla y en no dejarla dormir. "¿Pero qué pasa con tanto pajarraco? ¡Qué fastidio, precisamente hoy!". Y pensando de dónde habrían salido tantas, recordó que Mamita Carmen le había contado que la Plaza y la calle entera estaban sucias de excrementos de las aves que habían venido este año con los barcos pesqueros en grandes bandadas y que habían anidado en la iglesia de Santiago y en los tejados de las casas de los alrededores. Había que fastidiarse. Carmela se dispuso a ser una perfecta sufridora, pero no le fue posible. El alboroto terminó desquiciándola, y le parecía que se burlaban de ella diciéndole, machaconamente, "¡qué! ¡qué! ¡qué!". Se dio cuenta que inconsciente y mentalmente les contestaba "¡porras! ¡porras! ¡porras!". Sabía que el histerismo no tardaría en aparecer y se propuso evitarlo levantándose, a pesar de la hora, y dándose un baño para relajarse, porque comprendía que iba a ser un día duro y tenía que tranquilizarse a toda costa. Por la tarde llegaba Luis y quería sorprenderlo con su nueva imagen, así que tenía que descansar para no deteriorar su aspecto, pues solo faltaba que se le acentuasen aquellas ojeras tan profundas y que tanto la disgustaban.

A pesar del enorme retraso que traía el tren, llegó a la estación media hora antes de la llegada oficial. La espera fue larga y terminó aburrida, bostezando constantemente y lamentándose de haber llegado demasiado pronto, como si fuese una novata en la historia de los trenes, pero si se quedaba en casa hubiese sido peor, no tenía la menor duda. Y el tren llegó. Carmela, con los nervios, fue incapaz de encontrarlo. Había recorrido todos los vagones buscándolo y, sospechando que no había venido, decepcionada, se disponía a abandonar la estación pensando que, por lo menos, podría haberle puesto un telegrama para avisarla. Antes de salir se volvió para echar la última mirada y lo vio agitando un periódico y llamándola. Le dio un vuelco el corazón y las piernas le fallaron. No podía moverse porque se había quedado petrificada, pero Luis corrió a su encuentro y la abrazó. Casi no pudo reconocerlo por lo demacrado y delgado que estaba, y además se había dejado un gran bigote, como los que veía en las revistas. Carmela sintió el fuerte latido del corazón de su marido contra el suyo. No le dijo nada más que una palabra:

–Carmela…

De su elegante traje, de su boina y de su pelo, nada, y se sintió molesta. "¿Tendrá razón Mamita Carmen?", se preguntaba, pero ni lo podía ni lo quería admitir.

La abuela los esperaba asomada en la ventana de la galería, y tan pronto como los vio bajó para darle un abrazo a Luis. Lo primero que le preguntó fue:

–¿Desde cuándo no comes comida de verdad? Yo conozco bien la forma de comer de los madrileños, y no me extraña nada que estés tan delgado. –Como Luis se limitó a sonreír, sin contestar, continuó con enfado–: ¡Vienes muerto de hambre!

Aseguró que le había preparado una comilona que valdría para recordar cuando estuviese por esos mundos de Dios, y que sólo con imaginarla le abriría el apetito. Luis rió con ganas; pero cuando se sentaron a la mesa y pudo ver lo que había, se frotó las manos diciendo que aquello era una *fartura* y añadió:

–¡Es maravilloso volver a casa!

Mamita Carmen le hizo un guiño a Carmela y le insistió en que había hombres a los que se les llegaba al corazón con una buena mesa.

–Aprende –repitió, terca y orgullosa.

Comieron una gran mariscada con abundancia de percebes y zamburiñas. Bebieron vino de Betanzos, de color rosado y sabor ácido, cosechado por los hermanos de Luis, y como plato fuerte una enorme robaliza pescada en la ría de Sada y preparada al estilo de la tierra, que no les fue posible terminar.

Cuando llegó el momento de retirarse al dormitorio, lo hicieron cogidos de la mano. Luis mostraba signos de nerviosismo e impaciencia y se desesperó cuando vio que ella se desnudaba con parsimonia, tratando de que viese bien sus prendas íntimas. Antes que terminase la agarró por un brazo, la tiró bruscamente en la cama y la besó con ardor, lo que hizo que Carmela recordase el color del deseo y se le ciñese para, sin ninguna clase de turbación, desenterrar su lujuria. Ávida y sedienta, esperó a que la desease hasta llegar al límite de las fuerzas. Él la contempló y la admiró durante algún tiempo mientras sentía crecer su deseo, y finalmente de sus gargantas salieron intensos gemidos. Luis le ofreció la culminación del placer y Carmela tomó posesión hasta que sus sentidos cayeron en un letargo. Quedaron exhaustos. Colmados y abrazados se durmieron profundamente.

Se despertó pronto, totalmente lúcida y recordando con claridad su sueño: Luis hacía el amor con otra mujer y ella los estaba contemplando en éxtasis. Cuando terminaron le hizo señas para que se uniese a ellos. Nerviosa, encendió la lámpara de la mesilla y vio que Luis no estaba en la cama. Angustiada, rompió a llorar.

En esta ocasión, Luis permaneció en La Coruña sólo dos semanas. La víspera del Carmen, como si se tratase de un regalo, a boca de jarro, le dio la noticia de su marcha. Lo miró ceñuda y lo único que dijo fue: "¡Vaya por Dios!". Trató de demostrarle su aguante, pero no pudo conseguirlo y terminaron enfadándose. Finalmente, sin hacer las paces, se fue. "Soledad... Bonito nombre de mujer... –pensó Carmela–, debería ser el mío".

En agosto el calor era exagerado y agobiante para ella, que repetía constantemente lo pesadas que le resultaban las fiestas patronales ese año. Reconocía que tampoco se encontraba demasiado bien. Al levantarse por las mañanas se mareaba y alguna vez llegó a vomitar. A las amigas les explicaba que siempre había sido de tensión baja, pero que ahora debía tenerla por los suelos; y les comentó que cuando Mamita Carmen hablaba de "freír huevos" sentía náuseas sin siquiera olerlos.

–Estoy fatal del estómago –aclaró ante las sonrisas de las amigas–. Sólo eso.

La abuela escuchaba la conversación mientras calcetaba en la mecedora de la galería y, cuando marcharon, le preguntó si había menstruado correctamente. Ante su negativa, le anunció con gran satisfacción:

–Niña, estás embarazada. Déjate de historias... qué *caraho*.

–¡Ah!, ¿será eso? ¡Por fin...! Llegó la hora de tener hijos.

Los deseaba y necesitaba para no sentirse tan sola. Aquella novedad la hizo muy feliz. Había sido muy esperada y llegaba inesperadamente. Llevaba casi tres años casada y hubo un tiempo en el que llegó a creer, secretamente, que entre Luis y ella había algún problema de esterilidad. Incluso tuvo lo que ella misma calificó para sus adentros de osadía, y visitó al médico, que la tranquilizó, pero al mismo tiempo le dijo que para un diagnóstico certero no le quedaba más remedio que reconocer a Luis. No se atrevió a comentarlo con nadie, ni mucho menos con él, por tanto no llegó al fondo del problema, lo que hizo fue resignarse. Como Mamita Carmen seguía esperando a la biznieta y asegurándole que vendría en su momento, condescendiente y escéptica afirmaba en su interior: "Como no venga de París...", y reflexionaba sobre las veces que había hecho el amor en sus años matrimoniales, que era lo mismo que decir en toda su vida. La verdad le resultaba tristemente indignante, porque sólo lo había hecho tres veces lo que se dice bien hecho, con penetración y orgasmo. Luis, sin rechazarla por completo, la dejaba sin terminar. Le llegó a preocupar esa actitud, y tímidamente le había preguntado; respondió que era debido al exceso de trabajo, pero no la convenció. No volvió a insistir, pero cuando hablaba de tener hijos, él se mostraba por encima de aquellas "tonterías" pero dispuesto a tolerarlas por considerarlas inevitables, y era entonces cuando acudían ciertas preguntas a su mente: "¿Qué le pasa? ¿Le da miedo hacer el amor? ¿Será así con todas las mujeres o solo conmigo?". Rápidamente actuaba su vanidad, que le impedía aceptar semejantes disparates, porque supondría que no estaba enamorado de verdad y no le interesaba profundizar, sería demasiado doloroso. Se alarmó el día que se dio cuenta de que lo de "no profundizar" se había convertido en una constante de su vida, y se decía que por semejante causa se había vuelto temerosa, y que su único rumbo y meta parecía ser el retener al marido con ella el mayor tiempo posible. "Y ahora estoy preñada". Sonreía imaginando la cara de Luis cuando se lo dijese, y bendecía el día en que había decidido hacerse el "cambio de imagen", a pesar de que no diera muestras de enterarse.

Instalaron un teléfono en casa y gracias a eso le parecía que entre ellos dos había menos distancia. Pensó mucho sobre si darle la noticia por medio del cable o esperar a tenerlo delante para poder estudiar su rostro, pero finalmente lo hizo. Se lo dejó caer como quien no quiere la cosa, y se asombró cuando le notó la emoción. "¡Es increíble lo poco que acierto con Luis! Será mejor que durante las noches de insomnio, en vez de maquinar, cuente corderitos".

Mamita se empeñaba en que se alimentase bien, y le decía que si un desayuno no le paraba en el cuerpo, tomase el segundo, y así todos los días; llegó a aburrirla, pero, para no herirla en sus sentimientos, la escuchaba y asentía con paciencia. También le preparaba milagrosas pócimas que le ayudaban a recobrar fuerzas y que tomaba sin rechistar porque notaba que la reconfortaban.

A partir del cuarto mes se dedicaron a preparar la canastilla. Como siempre habían hecho con las cosas importantes de sus vidas, las dos mujeres compartieron la ilusión y la responsabilidad de la próxima maternidad. El día que Carmela compró una madeja de hilo color rosa para calcetar unos patucos, Mamita Carmen se la mandó cambiar por azul diciéndole que sería un varón. Extrañada le recordó la predicción que le había hecho y que siempre mantuvo con continuas alusiones, de que tendría una niña, y la abuela dijo que la niña sería la siguiente. Casi no podía contener la risa. "¿Es que piensa que va a haber una segunda vez? Lo que es claro es que no tiene ni idea de lo mal que nos van las cosas a Luis y mí… ¡Mucho tendrían que mejorar!". Como si adivinase sus pensamientos, Mamita dedicó el resto de la tarde a convencerla y persuadirla de que después vendría la niña, y empleó tanta convicción que logró sugestionarla. Cansada, sin replicar, dio lo dicho por hecho pensando: "Bueno… Si Mamita lo dice… será".

Comenzaron a buscar nombre para el bebé, pero resultaba muy difícil encontrar uno que complaciese a todos. El día que Carmela le dijo a Luis por teléfono que a ellas les gustaba Jacobo, gritó un par de tacos que jamás hubiese pensado oírle decir. A partir de entonces no siguieron buscando, hasta que un día la abuela dijo:

–A este chico lo voy a llamar Pedro, como se llamaba mi marido, tu abuelo. Vosotros veréis, pero ya le tengo nombre. Comunícaselo a Luis.

El padre esta vez no rechistó. La única condición que puso fue que lo llamasen todos Perico. A partir de entonces comenzó a aumentarle mucho el vientre, al tiempo que le invadía la tranquilidad, y se daba cuenta que la casa entera estaba girando alrededor de Perico ya antes de que naciese, al preparar el acontecimiento. Le parecía que no había en el mundo otro niño tan querido. De vez en cuando acariciaba el curvado vientre y susurraba: "¡Tienes mucha suerte, pequeñín!".

Mamita la sorprendió el día que le preguntó si lo iba a criar:

–Desde luego, si tengo leche.

–Tendrás más de la que necesitas. –La miró de arriba abajo, antes de añadir con una buena sonrisa–: Tu constitución es de buena matrona... –Y se dedicó a darle consejos para endurecer los pezones y evitar las dolorosas grietas e inflamaciones. Le insistió en que todas las noches les pasase un algodón con alcohol y le aseguró que, sin más, tendrían ambos una lactancia feliz.

Así lo hizo. Fue un ritual durante el que se complacía mirando una foto borrosa de cuando Luis era bebé mientras pensaba en Perico. Mamita le había asegurado que, mirando todas las noches la foto, conseguiría que el chico fuese la viva imagen del padre.

Se preocupaba mucho por el hijo, y sin enterarse condicionaba todos sus actos al "si le conviene a Perico". Pero ya no era que le preocupase lo que ella hiciese o no, era también lo que podría sufrir Perico por culpa de los demás. Palidecía todas las mañanas al leer la prensa con las noticias de huelgas y demás calamidades políticas. Sobresaltada, se preguntaba sobre cuál sería la suerte de Perico si España no se arreglaba. Cada vez que se hablaba de la reforma agraria por la radio, se le ponían los pelos de punta, porque Luis le había contado que bien pudiese ser una chispa que encendiese hoguera. El Gobierno, y el parlamento entero, pendulaban dando palos de ciego, ineficaces, y de pronto le volvieron a la mente las antiguas visiones de guerra y sangre, torturándola cada vez más. Supo que tenía que reaccionar como fuese y estaba decidida a luchar contra la depresión antes de que los desvaríos visionarios perjudicasen a Perico. Se repetía constantemente que "Ahora voy a tener un hijo" y pudo conseguir fuerzas para sobreponerse al pánico.

La alegría de las fiestas navideñas la excitaba. La radio con tantos villancicos, los anuncios publicitarios, los comercios iluminados... y tanta gente que venía a La Coruña para comprar las golosinas y los regalos, siempre conseguían que Carmela viviese el espíritu de la Navidad con derroche de alegría y de dinero. Salir a la calle Real de compras, y a los Cantones de paseo con las amigas a gozar del sol y descansar a la sombra de las palmeras, o en el Hotel Atlantic tomando un aperitivo para poder sacar los zapatos que siempre estrenaba por estas fechas y que cada vez tenían más tacón y cansaban más, había sido siempre su ilusión. Pero tenía un vientre pesado y abultado que le quitaba el sueño y frustraba, unas piernas hinchadas por los tobillos que no cabían dentro de ningún botín, y el rostro lleno de "paño". Quería salir pero, cuando se miraba al espejo, desistía. Las amigas la intentaban convencer para que comprase un traje de embarazada decente con el cual recibir a Luis:

–Total, para estar en casa... –Ante la protesta de Laura, se dio prisa en añadir–: No pretenderéis que vaya a la estación a pillar un resfriado para Perico. ¡Con el frío que hace!

Terminó comprando un vestido de lanilla escocesa con un gran lazo blanco en el cuello. Las amigas le dijeron que favorecía el rostro pero no la figura, y no le importó.

Luis llegó muy dadivoso. Las sorprendió cuando les dijo que había cobrado un dinero con el que no contaba y que quería hacerles un regalo a cada una. Tenía que ser algo que deseasen mucho, y no le importaba el precio. La falta de costumbre y la sorpresa las dejó cortadas, sin saber qué pedirle, y decidieron pensarlo con calma y tiempo. Cuando quedaron solas, se preguntaron qué mosca le habría picado. Carmela no recordaba haber recibido jamás ningún regalo de su marido, ni el día de su aniversario, que era el de su cumpleaños; ni el de su santo, que era de los que sonaban fuerte, y no sólo en las ciudades y pueblos marineros, sino que había por toda España cantidad de Carmenes. Terminaron encogiéndose de hombros:

–¡Ojalá le dure la racha! –dijo Mamita.

Carmela lo achacaba a Perico. Desde que le viera el vientre tan ostentoso y abultado, no la había dejado en paz, siempre pendiente de su bienestar y comodidad; a veces resultaba pesado y terminaba molestándola.

Fueron con la abuela a comprar las golosinas de Navidad. Luis insistía en que fuesen abundantes porque Carmen tenía que tomar por dos.

–El que tiene que comer eres tú, pero buen queso del país y buen jamón –le señaló Mamita Carmen–. ¡No sé cómo te arreglas, pero cada vez vienes más delgado!

–Estoy fuerte. Es el exceso de trabajo y los muchos viajes que estoy obligado a hacer para buscar la información de los conflictos políticos "in situ". Pero vengo dispuesto a descansar y recobrar fuerzas. Cuento con tus suculentas comidas y... –se acercó cariñoso a Carmela– con el cariño de Carmela.

Pasearon hasta la confitería La Jijonenca, de la calle Real, donde los atendió Clotilde, la dueña, amiga de Carmela de siempre. Los turrones estaban agotados, pero les dijo que se los conseguiría ya que Luis no quería otros. Estaba dispuesto a ir a la misma Jijona a buscarlos. Después Mamita los dejó y se fue a preparar la cena.

Comenzó a lloviznar y se resguardaron en los sopórtales de la Marina. Continuaba cayendo el *orballo* y decidieron llegar hasta los de María Pita caminando en fila, arrimados a las casas. Luis la agarraba para que no resbalase, pero estaban empapados y se dieron prisa por llegar a casa para secarse. Tuvieron mala suerte porque aquel "cala bobos" no cesó en muchos días, y ella se deprimió al no poder salir a pasear con Luis. Mamita procuraba distraerla con cosas de la casa y tenerla entretenida mientras que su marido iba hasta Puerta Real, a las oficinas de *La Voz de Galicia*, donde pasaba cada vez más tiempo. Después de comer, la abuela fumaba su enorme puro habano medio adormecida en la mecedora de la galería y el resto del día palillaba tejiendo unas puntillas de hilo para unas sábanas del cochecito de pasear a Perico, y Carmela disfrutaba viendo la habilidad de los dedos de Mamita, como con gran destreza retiraba los alfileres guía que tenía en la almohadilla, los ponía más bajos, y manejaba los numerosos palillos entrelazándolos de un lado a otro sin que se enredasen. Le había enseñado una vainiquera de Camariñas que trabajaba en una tienda de la calle Santa Catalina y la abuela tenía especial aptitud... Le gustaba verla, pero jamás había querido aprender. Sabía que siempre que compitiesen saldría perdiendo... Ella bordaba en bastidor y sabía que a Luis le excitaba contemplarla, no comprendería nunca el porqué y lo consideraba una rareza más, pero su fogosidad desaparecía tan pronto como Carmela dejaba la labor; por eso solía esperarlo bordando y luego se hacía la remolona para que la contemplase durante un rato. Era toda la coquetería que podía permitirse durante el embarazo.

Una tarde Luis habló de los regalos de Navidad:

–¿Habéis pensado qué os puedo comprar? Tenéis que darme alguna pista, si no, estoy perdido.

–Yo ya sé lo que quiere Mamita –al ver la cara de la abuela, se dio prisa en añadir–: Por lo menos sé lo que le gustaría…

–¡Niña! Tú piensa en lo tuyo… que yo decidiré lo mío –protestó Mamita.

–¡No te enfades, viejiña! –Carmela le acarició una mano con cariño.

Entonces intervino Luis:

–Carmela… Acabemos de una vez… Yo pensé en comprarte un piano.

–¡Un piano ¡Estupendo! ¡La ilusión de mi vida! ¡Con las ganas que tengo de volver a practicar con Czérnic!

Mamita Carmen, contagiada por la alegría de Carmela, remató:

–¡Y yo… de oír los sones cubanos!

Esa misma tarde salieron de compras. Mamita no quiso acompañarlos y se quedó preparando una empanada de rajo para la cena, como si quisiera demostrarle a Luis su agradecimiento. Reacciones así eran propias de la abuela y Carmela las conocía bien, por eso no le insistió.

Fueron directamente al comercio de Canuto Berea donde siempre había comprado ella las partituras de estudio y obtenido buenos descuentos, como le decían las amigas "por la cara bonita, que a nadie se lo hacen", y después de dudarlo mucho se decidieron por un piano vertical de color negro, con dos candelabros de bronce para las velas que iluminaban las partituras. Faltaba el regalo de Mamita. Luis era amigo de Boedo y sabía que habían recibido unos gramófonos marca La Voz de su Amo y discos de todas las clases, porque lo habían comentado en las oficinas del periódico. Se convencieron de que sería el mejor regalo. El que compraron tenía un gran altavoz negro decorado con grecas doradas, y añadieron una docena de discos, dos de habaneras, entre ellas “La Paloma”, que ella solía canturrear, varios javas, sones y unos tangos cantados por Carlos Gardel.

Cuando recibieron los regalos, ya tenían el sitio preparado: el piano en el salón y el gramófono con los discos en la salita de estar. La cara de sorpresa que puso la abuela los hizo reír a carcajadas. Con los ojos abiertos como platos y la boca muy apretada, esperó sin moverse a que todo estuviera preparado. Después pusieron en el gramófono unos sones que hicieron asomar las lágrimas en sus ojos y al mismo tiempo se le movía el cuerpo al ritmo caribeño. También a Carmela le afectaba y, con las mejillas sofocadas, totalmente enardecida, se descalzó, se sujetó la falda por un lado en la cintura, se ciñó las caderas con una pañoleta y bailó con la abuela el ritmo que había aprendido de ella en su adolescencia. Luis estaba subyugado. No podía separar la vista de su mujer. El voluminoso vientre había desaparecido y sólo podía ver sus insinuantes caderas. Mamita reaccionó y le llamó la atención, diciéndole que ya tendría ocasión de bailar después de dar a luz.

Laura y Tere llegaron a media tarde, después de haber marchado Luis a la redacción del periódico, de donde lo habían llamado con urgencia. Preguntaron por él, porque no lo habían visto todavía, y Carmela les explicó lo desmejorado que había venido y lo preocupada que estaba por su salud. Estuvieron muy entretenidas escuchando los discos y las interpretaciones de ella al piano. De pronto preguntó Laura:

–¿Le contaste a Luis lo del mensaje de Pepe sobre la guerra?

–No. Es un secreto entre nosotras, y no le digáis nada.

–Comprendo. Yo a Gumersindo también le oculto cosas. Bueno, entenderme bien, cosas sin importancia. Y supongo que es normal, para no preocuparlos.

–¿Y qué te contó de Madrid? –Laura cambió de tema porque no estaba de acuerdo en que el mensaje de Pepe fuera algo sin importancia, y no quería discutirlo.

–Más o menos lo que sabemos por los periódicos. A ver… Dejarme pensar… ¡Ah, sí! Os voy a contar una anécdota. Veréis. Ocurrió en Sevilla, y le pasó a nuestro paisano el comandante Ramón Franco durante la campaña para las elecciones a Cortes. Cuando estaba dando un mitin en Lora del Río se hundió el tablado y… ¡bueno! el pobre se rompió una pierna, con lo que su campaña terminó antes de empezar. –Quedó mirando a las amigas, esperando que se riesen y, como no fue así, añadió disculpándose–: Luis lo cuenta con mucha más gracia.

–¡Me imagino –dijo Tere, muy seria.

Intervino Laura, indignada:

–¿Y tú? ¿Por qué no nos cuentas algo de las derechas? Y que tenga gracia, ¿eh?, porque supongo que hablareis y alguna anécdota habrá contado.

–Pues mira por dónde, Gumersindo es bastante callado. Pero… sí. No es una anécdota, es una noticia fresca. ¿A que no sabéis que la derecha coruñesa está organizando a un grupo de jóvenes de las J.O.N.S.? Pues sí, como estáis oyendo. Y sus líderes son Enrique Sáez y Juan Canalejo. También se dice que se les unirán otros. ¿Os vale eso?

–¿Quiénes son los otros? –preguntó Carmela, con curiosidad–. ¿Serán de Acción Católica?

–¿Acción Católica? –repitió Laura extrañada–. ¡Dios mío, Tere! Entérate bien y luego nos lo cuentas.

–Maruxa, la cigarrera, sí que nos podría contar historias de U.G.T. Por cierto, va a venir a verme un día de estos –les dijo Carmela.

–Me contó mi suegro que la U.G.T. está llena de esquiroles. Vamos, que lo están pasando mal.

–Tu suegro, Laura, debe saber que eso lo dice la C.N.T. para fastidiarlos. Sindo dice…

–¡Eh! ¡Parecemos cotillas hablando de los maridos! Estoy agotada. ¿Por qué no lo dejamos? Que se vayan todos a la porra.

Tenía el rostro desencajado por el cansancio y decidieron irse. Quedaron con pena de no haber visto a Luis, pero prometieron volver a saludarlo. Carmela se acostó enseguida, y Mamita quedó esperándolo entretenida, palillando, pues no quería que pasase sin cenar ahora que había conseguido que mejorase; pero llegó muy tarde y con la noticia de su nueva e imprevisible marcha a Madrid, porque lo reclamaban desde *El Socialista* para que fuese a Andalucía y Extremadura, donde había graves sucesos.

Se marchó antes de Fin de Año, y volvería para cuando naciese Perico. Volvieron a la acostumbrada rutina.

Unos días antes del Carnaval la visitó Maruxa. Venía muy cargada con un lacón, chorizos tiernos y ahumados, chicharrones y grelos, porque sabía lo mucho que le gustaban. Eran muy buenas amigas desde muy jóvenes. Además sentía gran simpatía por Luis, por ser socialista, y aunque no coincidiera totalmente con ella, que era del sindicato de U.G.T.

Se había casado en El Carballo, donde vivió toda su vida, por un arreglo de sus padres cuando sólo tenía quince años. A los seis meses de su matrimonio mataron al marido en una pelea por los lindes de unas tierras que tenían enemistada a su familia con otra del lugar desde mucho tiempo atrás. A los pocos meses de quedarse viuda, tuvo un hijo póstumo. Las dos eran de la misma edad y estaban unidas por lazos de adhesión y cariño desarrollados al poco de conocerse, y por una lealtad entrañable que había hecho que se comportasen siempre como compinches inseparables. La amistad perduraba a través de los años. Eran dos mundos diferentes que se atraían y se completaban: el proletariado y el ambiente rural, con la burguesía y el ambiente urbano.

Merendaron y comentaron anécdotas de la Fábrica de Tabacos, donde trabajaba Maruxa desde que tuvo edad, y consiguió que Carmela riese con ganas porque, en cuestiones de humor, era una experta. Durante un pequeño, descanso Carmela aprovechó para preguntarle por su hijo Xan:

–Está a punto de cumplir dieciséis años. Te juro que es una auténtica cruz… ¡un martirio! Salió rebelde como la madre que lo parió… ¡Ja, ja, ja…! –Soltó fuertes carcajadas.

–¿Sigue tan rubio y guapo?

–¡De más! Si te cuento… ¡Ya anda tonteando con las mozas! ¡Caray! Para eso anda listo el *cativo*.

Carmela, seria, cambió de tema:

–Maruxa… Estoy muy preocupada… –intentó explicarse:–Sí, sí… Por todo, por todo… No sé si…

–¿Pasa algo con Luis?

–¿Con Luis? Sí, sí… Verás… ¡Yo no lo entiendo! y me estoy amargando la vida. Viene, y antes de acabar el permiso se marcha, como si escapase de mí. Yo no lo entiendo, de verdad. Y lo bueno es que disculpas jamás le faltan. Él me da explicaciones, todas con su lógica, pero a mí no me convence… ¡Le importo un bledo! y creo que en el fondo Perico también.

–¡Mujer! No te pases. ¿Desconfías de que te ponga los cuernos por los madriles?

–Desconfiar… ¡desconfío! pero eso me cuesta mucho creerlo. No sé… Por otro lado es el Partido Socialista el que siempre lo llama en el momento más inoportuno. ¿Tú crees que será una tapadera? Dime… ¿sabes qué le ocurre al partido?

Maruxa tenía cruzadas las piernas y se puso a balancear fuerte la suspendida en el aire. Siempre se sentaba en una silla porque no soportaba hundirse en los sillones; decía que para levantarse tenían que llamar a una grúa. La silla crujió con la fuerza del balanceo. Ella no se enteró, pero Carmela, desde el fondo del sillón, pensaba que si seguía dándole tanto vaivén a la dichosa pierna, Maruxa se caería. Intentaba avisarla cuando un pinchazo en el costado derecho la distrajo.

–Bueno, querida… –decía Maruxa–. No ignorarás que España está muy mal… –Clic, clac, clic… sonaba la silla y ponía a Carmela nerviosa–. ¿Verdad? Pues entonces comprenderás que el trabajo de Luis no es de envidiar, pero… ¿qué te puedo decir? Verás. Estamos en plena crisis económica con mucho paro. Los obreros están desesperados. Esto no tiene trazas de arreglo. Por otro lado…

–¡Ay…!

–¿Qué?

–Nada. Tengo un dolor de una mala postura. Tienes razón… ¡Los sillones son incomodísimos! Ya pasó, sigue.

–Pues… Decía que, tanto en la U.G.T. como en el Partido Socialista, existe una corriente revolucionaria, en la que yo estoy metida y he oído que Luis también, que tiene como base la toma del poder. En el mes de julio… ¿Se fue Luis en julio a Madrid? –Carmela asintió con la cabeza, interesada–, Pues… en el mes de julio se celebró el Congreso del Partido y en él se tomó la decisión de permanecer en reserva hasta que fuese imprescindible. ¿Entiendes?

–No.

–Es igual, puedes hacerte una idea. Eso no nos sirve a los ugetistas como yo ni a los socialistas como Luis. Nos reunimos en la casa del Pueblo y lo discutimos, y seguimos discutiendo… ¡Así nos van las cosas!

–¿Y qué hacen los socialistas y el Gobierno ante tantos problemas?

–¿La verdad? Me duele decirlo, pero… ¡no se enteran de nada! Están muy ocupados todos ellos aprobando la Constitución y tratando con mano de hierro al pueblo. ¡En fin! –Clic, clac, clic, sonaba la silla–. Los unos por una cosa y los otros por otra. El caso es que nadie está contento.

Carmela estaba muy inquieta y se revolvía constantemente. No pudo aguantarse más y se levantó.

–Discúlpame. Voy al servicio. –Se marchó con prisa.

Pasó un rato y, como no volvía, Maruxa se acercó al baño y le preguntó si le ocurría algo.

–¡Avisa a Mamita! ¡He roto aguas y no sé qué hacer! –le contestó, muy excitada, a través de la puerta.

Mamita Carmen organizó todo rápidamente. Mandó a Maruxa en busca de la partera de la calle Sinagoga. El parto fue muy rápido, y cuando llegó el médico Perico ya había nacido y dormía en brazos de Carmela, que tenía cara de satisfacción y orgullo. "Tan pequeñito y la lata que daba moviéndose", repetía a todos asombrada, y les mostraba aquella bola menuda con un botón de nariz.

La que cogió a Perico en el momento de la expulsión fue Maruxa, que también lo bañó y lo vistió, por eso dijo que le pertenecía ser la madrina. Aceptaron. Quedaba por decidir quién sería el padrino, pero por poco tiempo. Las noticias en la Ciudad Vieja corren, y apareció Tere apresurada porque le habían contado la novedad. Como no tenía hijos, reclamó el padrinazgo para Gumersindo, con gran elocuencia e interés. Así fue.

A Luis no pudieron localizarlo. Estaba en el Sur. Le dejaron recado para que llamase al llegar a Madrid. Carmela quería darle la noticia personalmente, pues, a raíz de la charla con Maruxa, se sentía culpable de ser dura con él. Además, el sentimiento de maternidad le había despertado una dulce armonía. "Soledad… ¡ya no!", se repetía. Ese nombre ya había perdido el significado. Pensaba que ahora tenía a Perico y no se sentiría sola jamás.

-4-

Con Perico les cambió la vida. La casa sufrió un trastrocamiento, y Carmela se vio de repente sufriendo una metamorfosis que la pasaba de un extremo a otro. Se encontraba diferente. Quizás fuese porque había invertido el orden de las cosas que influían en su vida. Rechazaba el pasado y sólo hacía mención al presente y futuro porque entraba Perico, al cual mencionaba siempre en ablativo absoluto, elípticamente. Con su nueva taxonomía era radical, y si Mamita Carmen insinuaba algo sobre su inestabilidad, no lo admitía y llegaba a enfadarse si insistía. La abuela le preguntaba dónde colocaba a Luis ahora en su vida, y Carmela, sonriendo, contestaba: "¡Donde siempre!". Pero se cuestionaba si era así, y si era correcto poner a Perico delante, como estaba haciendo; no lo concebía de otra forma. Estos problemas de su metafísica la perturbaban y terminaban sacándola de sus casillas. Mamita se daba cuenta de que el hijo, en vez de apaciguarla en sus crisis emotivas, era un elemento más que contribuía a la inestabilidad, pero sabía que había que darle tiempo al tiempo, y se dispuso a esperar.

A pesar de Perico, Luis seguía sin venir definitivamente a vivir a La Coruña, y ella ponía todo su empeño en realizarse como madre, porque en su interior consideraba que había fracasado como esposa. "¿Cómo harán otras mujeres para conseguir lo que quieren de los hombres? –se repetía todas las noches al acostarse–. ¡Me gustaría saberlo!". Pero no tenía la respuesta y la llaga le dolía. "¡Voy a quedar seca de tanto que me sangra el corazón!". Cuando miraba a la abuela y la veía disfrutar a tope con Perico, pensaba con envidia: "Ella sí que tiene las ideas claras y todo le resulta fácil". Lo que ignoraba era si sucedería lo mismo en el caso de vivir el abuelo Pedro, ya que consideraba que no podría tener paz y tranquilidad ninguna mujer que viviese pendiente del amor de un hombre. También se daba cuenta de sus diferentes caracteres, además de la gran sabiduría que poseía Mamita Carmen: "¿Llegaré yo algún día a tener la paz de espíritu de la abuela? Quizás de vieja, pero... ¿hasta entonces qué? ¿Tendré que retorcerme siempre como una maldita?¡Oh, no!, ¡de ninguna forma! Cogeré de la vida lo necesario para sobrevivir en la esperanza, y lo conseguiré. ¡Por supuesto!". Sin ser consciente, había empezado la asimilación de su realidad.

La abuela llevaba al biznieto todos los días hasta los jardines de Méndez Núñez, y esto le permitía disponer de tiempo para salir con las amigas. Quería distraerse y no pensar, porque su mente ya daba muestras de cansancio, y ponía empeño en conseguirlo. Al llegar a casa, Mamita la aturdía con las ocurrencias del niño, empezaba a contar cosas y no paraba. Estaban admiradas de lo bien que se criaba, porque jamás les había dado una mala noche, a no ser aquella vez que se empachó y lo pusieron a dieta de manzanilla, por lo que Perico había protestado con toda la fuerza de sus pequeños pulmones. Era un bendito, todos lo decían, que las convertía en un par de panolis. Cuando lo comentaban, se reían imaginando el espectáculo que daban.

En julio hizo mucho calor y bajaron a la playa cercana del Parrote, que era ideal para el niño por su fina arena, y resguardada del viento. Ponían a Perico bajo una sombrilla japonesa de papel para que no se le pusiese la piel roja y Carmela se bañaba mientras Mamita remangaba las faldas y mojaba sus piernas.

Luis vino en agosto, y cuando conoció a Perico quedó asombrado del gran parecido que tenía con él. Anhelaba bañarse en Riazor, y dijo que desde Lugo ya venía oliendo la brisa del mar Atlántico, que era distinta a la mediterránea, de donde venía. Mamita no quiso que el niño se expusiese al viento del mar abierto, y los cambios que hicieron afectaron sólo a Carmela, que lo acompañaba a Riazor.

Eran muy buenos nadadores y nadaban hasta las segundas peñas, donde descansaban, reponían fuerzas y se volvían. La "bañera" les daba un cubo de agua para enjuagar los pies y quitar las arenas, y volvían frescos y relajados, paseando cogidos por la cintura y deseando no llegar nunca. Comían solos, pero la abuela los acompañaba para contarles las "gracias" de Perico, al que siempre encontraban durmiendo la siesta y que despertaba cuando estaban en los postres. Mamita lo envolvía en la mantilla y lo llevaba a la mesa. Estaba muy gracioso con sus dientecitos, y el padre se quedaba bobo mirándolo; entonces le echaba sus diminutos brazos, y él lo cogía como si se tratase de algo que se fuese a romper, con miedo. Carmela encontraba la escena conmovedora y siempre terminaban resbalándole dos pequeñas lágrimas por la mejilla, que la avergonzaban y secaba a escondidas.

Un día discutieron por lo del parecido. A Luis se le había ocurrido decir que era la imagen de su hermana Angustias, y ella se negó a admitirlo ni siquiera en broma... La desafortunada comparación la irritaba. Tuvo que intervenir la abuela para apaciguarlos, diciendo que por ahora no tenía parecido con nadie y lo tenía con todos. No siguieron discutiendo, pero no volvieron a hablar del tema y estuvieron de morros unos cuantos días.

Cuando llegaron las "mareas vivas" llenas de resaca, dejaron de bañarse y se dedicaron a pasear por los Cantones y a tomar el aperitivo. Resplandecía de felicidad y mostraba a todos su orgullo de ser la mujer de aquel hombre tan atractivo, e intentaba no desmerecer a su lado poniendo especial esmero en el arreglo personal, hasta el extremo de que alguna amiga dijo no reconocerlos porque los había tomado por veraneantes. Luis, antes de irse, le dio las gracias por haber parido un hijo tan maravilloso, y eso le llegó al alma y la animó a pensar que quizás, gracias a

Perico, conseguiría que viniese a vivir con ellos. Esta vez no le puso disculpas para irse, y tuvo claro que se lo debía a Perico.

Volvieron a reunirse por las Navidades, porque Luis ya no renunciaba ni a un día de sus vacaciones, y las cosas ya no iban tan mal entre ellos. La felicidad la hacía estar radiante.

Vinieron a visitarlos los de Betanzos, cargados de regalos para "el rey de la casa", y con sus hijos. Esthercita, la de Tomás, tenía tres años y hablaba hasta por los codos. Los gemelos Pepe y Felipe, hijos de José, tenían dos años y eran idénticos. Para distinguirlos llevaban un prendedor en el jersey con su nombre grabado, porque vestían iguales y resultaban duplicados. También vino Angustias, con su novio de siempre y sin trazas de casarse, contando que tenían un problema de ubicación sin resolver, pues él era de Lugo y no quería vivir en Betanzos, y ella no daba su brazo a torcer. Carmela vio reflejado allí su problema y pensó: "¡Lo mismo que me pasó a mí…! Pero estos no se casan… ¡Mejor para ellos!".

También los visitaron los padrinos. Llegaron un domingo a la tarde, como si se pusiesen de acuerdo para ir juntos. A Tere y Gumersindo los acompañaba Laura. Maruxa venía sola, pero, nada más entrar, sus risotadas llenaron la casa, como si acabase de llegar un tropel de gente. Cogió a Perico en brazos y ya no lo soltó. Pusieron el gramófono y bailó con el *rapaciño* hasta caer sentada en una silla cerca de la galería donde Mamita Carmen, en su mecedora, fumaba complacida su puro rodeada por el humo.

–Dámelo –le dijo.

Se lo entregó con pena, pero antes lo comió a besos. Estaba muy cansada y se fue despidiendo de todos para marcharse. Repartió abrazos entre los hombres ante las protestas de las mujeres, riéndose con picardía y maliciosamente. Cuando se marchó quedaron en silencio. Laura dijo:

–Parece que pasó un ángel. Lo digo porque quedamos muy callados de repente.

La fiesta había llegado al fin porque todos estaban agotados y se fueron.

Ya en la alcoba, mientras Carmela se cepillaba el pelo ante el espejo de la coqueta, Luis, mirándola con admiración, le dijo:

–¡Estás preciosa!

–Soy preciosa –contestó, coqueteando.

Suavemente le quitó el cepillo de la mano, la agarró por los hombros levantándola y la llevó a la cama, dispuesto a amarla. Pero ella quiso probar una idea que le rondaba por la cabeza. Consistía en ponerlo a prueba antes de la entrega, negándose sin negarse, pero con la intención de sacarle la promesa de que se vendría a vivir para siempre con ellos a La Coruña, donde le sobraban empleos, y que dejaría de andar de un lado para otro en medio de tantos peligros. Pensaba que así hacían las mujeres para conseguir algo de los hombres. En algún libro o novela lo ponía, y comenzó el tira y afloja… Lo único que consiguió fue enfadarlo. Terminaron discutiendo:

–No insistas, Carmela –dijo airado–. Las cosas están muy mal en España… ¡No puede ser!, no es el momento oportuno.

–¿Ah, no? Dime… ¿cuál es el momento oportuno para ti? Ya tenemos un hijo, y te necesitamos los dos mucho. No nos prives de ti, Luis, por favor –suplicó.

–¿Es que no te enteras de nada? Parece que sólo piensas en ser madre…

–¿No estarás celoso?

–¡Déjate de tonterías! ¿Oíste hablar de cosas como, por ejemplo, la tragedia de Casas Viejas?

–Sí, pero…

–¡No hay pero que valga! –su irritación aumentaba–. Se trata de que allí fueron asesinados todos los del pueblo, mujeres y niños inocentes como nuestro Perico… ¡por la guardia de asalto! Luego prendieron fuego a todo.

–Yo no sé si…

–Tú no lo sabes… ¡pero yo te lo digo! Había allí un campesino apodado Seisdedos que instaló un comunismo libertario. ¡Sólo por eso!, ¿lo puedes entender? –Ella no se atrevía a rechistar, viéndolo tan indignado–. Entonces, explícame… ¿cómo puedes pensar sólo en ti? ¡España está muy mal!, y cosas como estas pasan casi a diario, y yo no puedo pasar por la vida como si no ocurriese nada. ¡Bah! Tú no lo entenderás jamás.

Ella bramó ante el desprecio:

–¡Eh! ¡Párate un momento! ¿Me estás llamando egoísta? ¡Sí! Sí, me estás llamando egoísta, ya lo veo. ¡Déjame decirte una cosa! Podrías vivir cien años y no serían suficientes para que me conocieras… ¡Dios mío! Qué mal me conoces.

–Quizás tengas razón, pero con lo que veo es suficiente.

Dio por finalizada la discusión. Apagó la luz, se acostó y quedó dormido ante el pasmo de Carmela, que no se atrevía a meterse en la cama por temor a despertarlo y que la siguiese ofendiendo. Estuvo sentada a oscuras en el sillón hasta después de un par de horas, escuchando los ronquidos del marido.

Al acostarse sentía la atracción del calor de su cuerpo. Acurrucada, sin atreverse a tocarlo, se había sentido culpable de nuevo por no haberlo consolado en su desesperación, en vez de provocarlo. Pero, por otro lado, pensaba que no era mucho lo que le pedía. Disculpó al marido pensando que los verdaderos culpables de su problema eran sus amigos los políticos, y concluyó antes de quedar dormida: "Está amargado porque sabe que sus amigos son los responsables de lo que pasa. ¡Pues que no las pague con nosotros!". De pronto lo veía todo muy claro… y lo único que quería era disfrutar de Perico y olvidarse de todo lo demás. "¿Soy egoísta, Dios mío?". Quedó dormida con ese interrogante en la mente.

Luis se levantó de muy mal humor, protestando por todo. Carmela pensó: "¡Seguro que se marcha!". Al día siguiente, con un pretexto cualquiera, a Carmela no le importaba cuál, se marchó a Madrid; como decía él, a cumplir con su obligación.

Carmela no era una hipocondríaca, cuando se encontraba mal lo estaba de verdad y desde hacía unos días venía arrastrando postración y decaimiento sin apetito y no se molestaba en comer. Desesperaba a Mamita Carmen, que le decía que lo que tenía era una gran inanición. Estaba en pleno desmedramiento cuando le apareció la fiebre y Mamita se dio prisa en llamar al médico, que le diagnosticó la gripe que toda La Coruña estaba sufriendo en epidemia.

–Mamita… –decía con morbo–, yo… no es que esté mal, es mucho peor que eso. Yo creo que tengo un pie en el hoyo…

La abuela le preparaba bolsas de hielo para que le bajase la fiebre, y unos caldos especiales con hierbas de esquenanto mezcladas con mastranzo, sándalo y unos granitos secos que venían en unas bayas negras y que guardaba en una bolsa de algodón entre sus secretos caribeños. Los tomaba y se aliviaba… pero el dolor de cabeza en ciertas horas era intenso, y entonces gritaba pidiéndole que le pusiese sus manos curativas en la frente, como solía hacer cuando Charo y ella eran niñas.

Mamita conseguía que se aliviase con aquel calor que despedían sus manos y con aquellas oraciones que repetía constantemente a su lado, y que Carmela también recitaba entre quejido y quejido. Le pasó la crisis y entró en la convalecencia. Había quedado tan flaca y escuálida que se le podían contar los huesos. La abuela se lo decía entre serio y broma:

–¡Parece que te chuparon las brujas! Es increíble, lo único que conservas es el pellejo.

A pesar de que Perico entrara varias veces en su habitación, y gracias a las fuertes medidas preventivas de Mamita, no se había contagiado, y ella pudo llevarse todos los cuidados y mimos. Lo único que echaba de menos era las visitas de sus amigas, que no permitía la abuela. Luis la llamaba por teléfono, pero no se levantaba a hablarle porque estaba tan débil que no podía dar dos pasos.

Estando en cama, escuchó un barullo en la escalera, como si Mamita Carmen riñese con alguien. Al cesar, la llamó para preguntarle qué ocurría:

–Espera un momento que me reponga. –Estaba jadeante de indignación. Dando un profundo suspiro, le dijo–: ¿Conoces a una tal Artura?

–¿Yo? No. ¿Por qué?

–Era la de la escalera.

–Pero… ¿quién es?

–Una aojadora… ¡La famosa de Herrerías!

–¡Ah! ¿Qué quería aquí?

–¡Eso quisiera saber yo! Pero me lo puedo imaginar. Por si las moscas, la lancé por las escaleras… ¡Casi rueda!

–A mí me hablaron de ella en una ocasión, en la carnicería. Dijeron que olía muy mal, pero la verdad es que jamás la vi. Incluso llegué a pensar que era una invención de la gente.

Mamita no quiso seguir comentando el incidente, y se marchó a la galería. Pero a Carmela le daba vueltas en la cabeza sin llegar a entender lo que ocurría. Mamita volvió a la habitación como si la hubiese llamado y sentenció con solemnidad:

–¡Somos yorubas!

No esperó contestación y desapareció dejando a la nieta mucho más intrigada. "¿A qué vino eso?". Le daba vueltas y más vueltas… hasta que se quedó dormida. Al día siguiente lo olvidó, porque tenía anunciada la visita de Laura y Tere.

Mamita llevó a Perico al jardín, dejándola en compañía de las amigas. Le contaron todos los "chismes" que circulaban por la ciudad, y que escuchaba ansiosa y con avidez. "¡Hace tanto que no os veo!", les repetía una y otra vez. Laura preguntó si la abuela había cogido la gripe, y, ante su negativa, afirmó que Mamita era de otra raza:

–¿Y si no, cómo te explicas que esté tan conservada? ¡Ya me gustaría a mí llegar así a su edad!

–Mujer, y a mí también. Pero se cuida mucho… –aclaró.

–Y tampoco tiene un hombre que la destroce, como otra que sé yo… –advirtió Tere, con clara alusión.

–Vamos a cambiar de tema –dijo Laura–. Tere… ¿qué pasó el otro día en la playa de Bastiagueiro? ¿Lo sabes?

–¡Ya sabía que me preguntaríais eso! Tardó más la pregunta de lo que yo calculaba. –Sacó un pitillo del bolso, lo encendió, aspiró un par de bocanadas y dijo–: Siento desilusionaros, pero no pasó nada.

–No querrás contárnoslo…

–¡Qué tonterías dices, Laura! –Se molestó–. No pasó nada… A no ser que un grupo de jóvenes estuvieron allí reunidos con Ledesma. Supongo que eso es lo que queríais saber.

–Lo que me molesta son tus pocas ganas de contar y las muchas que tienes de oír.

–¡No lo dirás por lo que nos cuentas tú!

–Es que estoy viuda… y nadie me cuenta nada.

–Laura… ¿qué quieres saber? Dilo claramente –apuntó Carmela.

–Sólo lo que hacían tantos jóvenes reunidos por la noche… en una playa totalmente desierta.

–¡Uy! ¡¿Qué van a hacer, tontina?! Reunirse allí para que nadie los viese. Eran sólo unos treinta… La cuestión es que toda La Coruña parece haberlos visto. ¡Increíble! ¡Ja, ja, ja…! –Tere rió con ganas.

–Y ahora yo. ¿Os cuento algo? ¡Va de *meigas*! –les dijo, moviendo las manos delante de la cara para atraerles la atención.

–¡Cuéntanos! –exclamaron a dúo las amigas.

–Echarle mucha imaginación… Adivinar quién llamó a esta puerta el otro día.

–¿En tu habitación? –preguntó Laura.

–¡Ay, hija! En la puerta del piso.

No contestaron. Se pusieron a esperar lo que seguía:

–Pues nada menos que… ¡Artura la de Herrerías!

–¡Qué! Pero… ¿para qué? –preguntó Tere.

Estaban anonadadas. Laura reaccionó persignándose tres veces seguidas para espantar el *meigallo*, y tenían carne de gallina. Carmela les contaba que no tenía ni idea de la intención de la visita, pero que la abuela la había echado por las escaleras abajo en el acto. Se dedicaron a pensar sobre cuál sería el motivo de tan desagradable llamada. Tere afirmaba muy seria que Artura sólo se movía por dinero para desear mal, y Carmela no podía creer que ellas tuviesen enemigos que pudiesen llegar a eso.

–Aunque nunca se sabe –terminó diciendo, muy preocupada.

Se encontraron recordando incidentes de la juventud, luego pasaron a los admiradores frustrados de Carmela y a las amigas que siempre mostraron envidia y que gustaban de darle a la lengua para hacer daño. Buscaban el quid de aquello, pero se encontraron perdidas ante tantas posibilidades inesperadas que surgían. "¡No lo puedo creer!", repetía incansable. El resultado fue que todo el mundo era sospechoso. Alucinaron.

–¡No vale! –gritó desesperada Carmela–. Tenemos que comenzar de nuevo, pero… haciendo el proceso al revés: eliminemos hasta quedarnos con uno.

Terminaron encontrándose como al principio. Se produjo un silencio que fue roto por Laura:

–¿Y si el objetivo fuese Luis?

Volvieron a empezar con Luis en el punto de mira. Carmela tuvo la corazonada de que estaban en el buen camino, pero no consiguieron poner nada en claro, porque tenían tantas incertidumbres como antes y se sentían cansadas.

Tere, a pesar de la fatiga, continuó con el tema:

–¿Os acordáis de una tal Josefa... que vive en la calle del Papagayo? Me contaron que estaba muy enamorada del marido de "la nieta de la cubana". Dicen que está como una cabra. Luis la conoce, me parece... y tú también.

–Sí. Recuerdo que me contó que era de Santiago y que tuvo un hijo a los catorce años... y que por ese motivo la echaron de casa. Se vino para La Coruña, se mezcló con gente del puerto y terminó en los prostíbulos... más o menos. Y Luis la conoció cuando era estudiante. Realmente... ¡puede ser la que estamos buscando!

Tere siguió hablando:

–Me acordé de ella porque hace unos días la vi en el Campo de la Leña, hablando con una vieja muy rara...

–¿Era una vieja coja con una gran nariz? –Tere se lo confirmó y Carmela exclamó–: ¡Artura! Ya está descifrado.

Quedaron pensativas. Laura miró su reloj de pulsera y, como era muy tarde, decidieron marcharse. Al despedirse, le dijo sonriendo:

–Carmela... ¡Cuida de Luis!

Tere le contestó rápidamente:

–¡La que tiene que cuidarse es Carmela!

–¡La que tiene que cuidarse es Josefa! –añadió Carmela.

Al llegar Mamita, le faltó tiempo para contarle lo que había hablado con sus amigas. La abuela la tranquilizó y le mandó que no se ocupase más del asunto, que cuando llegase Luis le hablaría y, mientras tanto, haría sus averiguaciones, pero ella le insistió en que la tuviese al corriente, que quería saber absolutamente todo. Mamita Carmen fue a sentarse en la mecedora donde, encendiendo su gran puro, se puso a meditar.

Carmela se adormeció acomodada en el lecho y, cerrando los ojos, navegó entre sueños. Habían sido muchas cosas las ocurridas aquel día. No quería preocuparse, pero la verdad era que lo estaba mucho, sobre todo desde que supo que Luis podía ser la causa de la extraña visita de Artura. Claro que contaba con la valiosa ayuda de Mamita Carmen. Aunque la gente decía de Artura que sus poderes eran muy grandes y fuertes, y que si se le pagaba bien, lo conseguía todo... "¿Cuál puede ser el poder económico de Josefa? Ese tipo de mujeres suele disponer de suficiente dinero. ¡Seguro que no le dolieron prendas! Pero, bueno... ¿por qué tanta preocupación? Está claro. Lo que tengo que hacer es confiar plenamente en Mamita Carmen... más confianza... más confianza... más...". Los músculos del rostro se le fueron relajando hasta adquirir un aspecto apacible y sereno. La abuela había entrado en el dormitorio de Carmela y, encontrándola dormida, volvió de puntillas a la galería, a terminar de fumar su habano en la mecedora. Había conseguido por fin que la nieta se durmiera, porque no podía permitir que la preocupación la perjudicase, ya que si se rompía el equilibrio psíquico peligraba seriamente su recuperación.

El descanso de Carmela no duró mucho. El relajamiento fue sustituido por sobresaltos que se fueron sucediendo cada vez con más fuerza, hasta que consiguieron despertarla... Recordaba haber tenido un mal sueño... con el demonio. Primero lo había visto con aspecto de ángel hermosísimo surgiendo de las tinieblas. Se le acercaba... y pudo ver claramente como aquella belleza se convertía en una fealdad terrible, animal, bestial, pestilente... Pero no había tenido miedo. Se echaba para atrás simplemente para no tocarlo, para no percibir su asqueroso aliento que sabía le haría daño. Cuando despertó, sentía como si hubiese sido por un instante el Arcángel San Gabriel, vencedora del maligno.

Entró en la habitación Mamita Carmen. Parecía obedecer a una llamada, pero nadie lo había hecho. Le cogió las manos para preguntarle:

–¿Candinga?

Completamente serena, Carmela contestó moviendo afirmativamente la cabeza. La abuela le miró a los ojos y dijo:

–Bien... Así me gusta... Buena niña... Ahora descansa.

-5-

Por primera vez las mujeres tenían voto y se iban a estrenar en las elecciones a Cortes de la República, que estaban próximas a celebrarse. Les habían concedido uno de los muchos derechos reservados hasta el momento a los hombres, y a Carmela aquella situación nueva en que se encontraba como votante, le había creado un serio dilema… Al ser parte del electorado que tendría que elegir a sus políticos, lo primero que tuvo que plantearse fue si derechas o izquierdas, y lo pensaba en solitario porque no quería que nadie influyese en la responsabilidad de su decisión. Como todo el mundo daba por sentado cuál iba a ser su voto, se esforzaba en dar la impresión de que aquel no tenía vuelta de hoja. Hasta ahora había interpretado el papel de politicona con sus amigas, hablando de esos temas por hablar, y la mayoría de las veces sin venir a cuento, dándoselas de entendida por el solo hecho de estar casada con un experto en política; pero sabía que no podía profundizar en la materia por falta de conocimientos, y que se limitaba a hacer referencias a datos que había escuchado, a sabiendas de que quedaba bonito en tertulias y reuniones: lo que se dice quitar y llevar… Pero ahora las cosas eran distintas, y se estaba volviendo demasiado escrupulosa y melindrosa. Tenía que elegir entre varias alternativas, y tenía que ser consecuente con ella misma y, sobre todo, tenía que ser responsable de las consecuencias de su voto. Después de pensarlo mucho y de darse cuenta que no por pensarlo más estaría más satisfecha, se propuso esperar paciente el día señalado.

Las tres amigas decidieron ejercer juntas el derecho a las urnas que les daba la nueva Constitución y salieron hacia el Colegio Electoral a primera hora de la mañana. Se encontraron con una larga cola y esperaron mientras observaban que eran las únicas mujeres, y aunque les extrañó, no las inquietó. Advirtieron que había cuatro mujeronas en la acera de enfrente que las miraban y señalaban haciendo gestos amenazantes e insultándolas. Era claro que estaban allí para boicotear el voto femenino. Laura, la tímida, fue la primera que reaccionó dándoles la espalda... Tere y Carmela siguieron su ejemplo y las ignoraron por completo, y consiguieron que las agitadoras se calmasen y terminasen marchándose. Quedaron tranquilas, y depositaron las papeletas en la urna. Eran tres votos libres y deberían ser distintos, pero ninguna tenía la seguridad de que así fuese, porque se conocían demasiado. Salieron en silencio haciendo sus cábalas. La curiosidad pudo con ellas e intentaron sonsacarse algo, primero con disimulo y más tarde directamente:

–¡Ojalá ganen los míos! Que supongo no serán los mismos que los vuestros, ¿eh?

–No lo creo –contestó Laura–. ¡Yo voté en blanco!

Carmela permanecía callada. Tere la observaba, hasta que ya no pudo más y la interrogó:

–¿Y tú? Juraría que vamos en el mismo bando. Tengo la impresión de que resellaste el voto...

–¡Ya! ¡Qué suerte tienes! Para ti todo es muy simple: o una cosa o la otra. Mejor dicho, o lo tuyo o nada... Mira, Tere, ¡déjame en paz! Escucha un momento... Si lo que quieres es llamarme tránsfuga o algo parecido, pues nada... ¡dilo! y así quedarás más tranquila. Pero no estoy dispuesta a que me preguntes cosas para luego darles tú el significado que te convenga. ¿Entiendes?

Tere sonreía y guardaba silencio, convencida de que había puesto el dedo en la llaga y que a Carmela le había dolido. Jamás se había privado de expresar su opinión sobre el voto de derechas de la mujer española. Para ella era claro que, a la hora de la verdad, la española era conservadora y derechista. Y las urnas lo dirían ahora, de eso estaba segura.

Los pensamientos de Carmela eran distintos. La responsabilidad le preocupaba más de lo que aparentaba: "Si sigo pensando tanto en todo esto, terminaré pasando y me encogeré de hombros porque todo me dará igual. ¡Y es mi primera votación! ¡Demasiados quebraderos de cabeza con tantos que quieren comerte el coco! A ver lo que pasa... –Miró de soslayo a Tere que llevaba la satisfacción dibujada en el rostro–. ¡Caray con Tere! Sospecha de mi voto... ¡pues no lo sabrá jamás!".

A la tarde Mamita fue a cumplir con su deber ciudadano, satisfecha de tener la nacionalidad española. Lo pregonó bien fuerte: era fiel al socialismo. Cuando regresó le contó que las monjitas de las Bárbaras, las Clarisas, habían salido de la clausura para ir a las urnas, que el mismo Papa lo había mandado. "¡Ojalá que a mí me lo mandase Luis! –reflexionó Carmela–. Entonces obedecería y no tendría estos problemas". Pero a Luis no le preocupaba para nada el voto de Carmela y jamás se lo había cuestionado, porque la había adoctrinado en lo suyo y pensaba que con éxito. Era ella la que se comportaba rara, consciente de que muchísimas veces se equivocaba y que metía sus aciertos y sus errores en el mismo tonel, los mezclaba como si fuese un cóctel, y se los tragaba. Así que esperaba ávida los resultados del escrutinio para saber si se había vuelto a equivocar al salirse de lo esperado. Sólo pretendía que aquellos sueños de guerra y sangre no fuesen realidad, y si para eso tenían que salir las derechas vencedoras y dar la vuelta la tortilla, por su voto no había de dejar de suceder. Carmela había puesto su granito de arena y ahora estaba impaciente para ver lo que ocurría. Con la inquietud volvió a aquella costumbre que tenía cuando era niña de morderse las uñas y que, desde que cumpliera los diez años, coincidiendo con sus primeros coqueteos, no había vuelto a hacer, pero ahora hasta le sangraban del mordisqueo.

Con la radio puesta permaneció atenta a los comentaristas tomando buena nota de todo hasta ya avanzada la noche. Tenía asombrada a Mamita Carmen, que le repetía constantemente que lo tomase con calma, y que finalmente, dejándola por imposible, se había acostado porque le molestaban los continuos cambios de emisora que hacía. Al verse sola se agitó todavía más. "¡Estoy ante la historia! –se repetía–, y no quiero perder ni una sílaba de lo que está ocurriendo".

Los resultados locales los anunciaba Radio Coruña y eran los supuestos, pues había vuelto a ganar el Partido Republicano, en la provincia coruñesa, porque en el resto de Galicia habían fracasado. No se sorprendió, pero los resultados nacionales sí que fueron una sorpresa, a pesar de que en su interior lo deseaba... Había ganado la coalición de fuerzas de la derecha, la C.E.D.A., y de ahora en adelante, decían por la emisora, iba a dirigir la lucha política... "¡Dios mío! ¡Ya me imaginaba yo una reacción así! ¡Era visto! El gobierno fue totalmente ineficaz con el paro, el hambre... Además están divididos y... ¡las derechas supieron unirse! Es claro que la unión hace la fuerza". Los comentarios radiofónicos giraban hacia el voto femenino que, decían, fue determinante, al haber sido trabajado por una Iglesia Católica Apostólica y Romana. Al oír esto se encogió de hombros. "Ya están buscando la causa... fuera de lo que es verdaderamente importante". Entonces se acordó de Luis: "¿Qué pasa con el Partido Socialista?". Las noticias que daban eran confusas. "Es un partido fuerte y no quedará mal. Sobrevivirá. Pero ojalá que estos resultados les hagan reflexionar". Y por fin dieron noticias: los Socialistas tenían una minoría en el Parlamento. "¡Sí, sí! Pero yo quiero saber cuántos son". Estaba muy cansada y comenzaba a aburrirse. Bostezaba con mucha frecuencia, pero insistió buscando la última emisora antes de irse a la cama. Escuchaba. Allí decían que los socialistas, aunque habían sido afectados por el sistema electoral perdiendo puestos parlamentarios, habían mantenido sus zonas de influencia, e incluso las habían aumentado. Comentaban que habían logrado sesenta Diputados... "¡Ah, bueno!", dijo en voz alta Carmela. Consideró que era un número importante. Ya satisfecha su curiosidad, se acostó pero no pudo conciliar el sueño. Había algo en los resultados electorales que la atormentaba, sin saber lo que era, y estuvo buscándolo durante un par de horas, dando vueltas y brincos en la cama que la llevaban de un lado a otro. Se quedó dormida al amanecer.

Recibió una larga carta de Luis en diciembre. No estaba tranquilo y le exponía sus inquietudes. En realidad toda la carta era un lamento amargo de los resultados de las votaciones. También en estas fechas la visitó Maruxa. Venía muy alarmada y, desde luego, no estaba de humor. Comentó que la C.N.T. seguía con la idea de hacer una revolución por medio de la acción de sus grupos armados, y que había lanzado el lema "Frente a las urnas, la Revolución Social", y añadió:

–Lo que pase de ahora en adelante en España será la consecuencia de la votación irresponsable de un montón de mujeres esnobistas que piensan que la política es un juego, ni más ni menos, con el que pueden divertirse cuando se les acaban los chismes en los salones. –Apabulló a Carmela cuando se levantó de la silla para ponerse frente a ella, y levantando amenazadora la mano derecha, gritó–: ¡Cuándo vean correr la sangre por las calles, se van a acordar de la puta madre que las parió!

Maruxa se fue, dejando a Carmela sin habla y llena de remordimientos. Jamás pudo imaginar que en vez de mejorar las cosas, empeorasen.

Cuando la C.E.D.A. constituyó su primer gobierno, los anarquistas de la F.A.I. pasaron a la acción directa. Como en todas las ciudades, en La Coruña la gente estaba aterrorizada y casi no salían de las casas por temor a los atentados, que se habían convertido en noticias habituales de los periódicos. Corría la sangre por todas partes... Había numerosos muertos y heridos... Explosionaban bombas donde menos se esperaba; se dinamitaban los transformadores, se asaltaron muchos cuarteles de la Guardia Civil, se quemaron iglesias... Si antes de la C.E.D.A. las cosas estaban mal, ahora estaban peor, y Carmela estaba siendo devorada por los remordimientos.

Por si esto fuera poco, ocurría algo más en su casa: se recibían llamadas telefónicas anónimas en las que la insultaban y la amenazaban. Al principio se limitaban a colgar cuando ella cogía el teléfono, nada más decir el "*¿Hello?*", pero no tardó en escuchar ruidos raros, parecidos a una respiración lenta y ruidosa. Más adelante llegaron a hablar con voz fingida, indiscutiblemente de mujer, para llenarla de improperios. Mamita le prohibió que cogiese el teléfono y procuraba quitarle importancia diciendo que aquello era producto de una mente desequilibrada que la había tomado con ella y que lo mejor era no hacer caso.

–De ahora en adelante atenderé yo las llamadas telefónicas. ¡Ya sabré que decir! No te preocupes. ¡Qué *caraho*!, hay mucho loco suelto.

Lo que la reconcomía era que esto, unido a lo de Artura, sumaba mucho odio, y no podía comprenderlo.

Las calles estaban prácticamente vacías y los pocos transeúntes que tropezaba Luis caminaban apresurados y temerosos. De todas formas, La Coruña seguía siendo una ciudad apacible comparada con aquellas de donde venía. Cuando subía la cuesta de la calle de Santiago, pudo ver en la galería de su casa, tras los cristales, a Carmela con Perico en los brazos y a Mamita en la mecedora. Le saludaban con la mano. Llegando al portal escuchó los gritos gozosos del hijo y la agradable voz de la madre intentando apaciguarlo, y antes de que se diese cuenta los tenía abrazados. Perico se reía y Carmela rompió a llorar emocionada.

A Luis le llamaron la atención dos cosas: lo mucho que había crecido su hijo y lo desmejorada que estaba su mujer. Le preguntó si se encontraba mal de salud pero contestó que no, y lejos de tranquilizarlo lo inquietó más. Pensó que le ocultaba algo.

Cuando fue a acostar a Perico, Luis aprovechó para preguntarle a Mamita Carmen qué ocurría, porque les notaba excesiva preocupación. También la abuela quería hablar con él a solas y no iba a dejar escapar tan buena ocasión. Le contestó muy amable:

–Sí… Es cierto que tu mujer está desmejorada. Pero… créeme, hijo, no tiene ningún mal físico. Lo que pasa es que sale poco y está inapetente. Está preocupada lo mismo que todo el mundo. Tú ya la conoces, lo que pasa en la calle le hace pensar cosas…

–¿Qué cosas?

–Malas premoniciones.

Luis presumía de conocerla e intuía que el motivo de las preocupaciones era él, en lo que encontraba cierta satisfacción. Pensaba que era normal, aunque reconocía que si no se cuidaba más, no podría criar a Perico, y esto ya era otra cosa. Era consciente de que su hijo era el eje de su existencia, y que el de la existencia de Carmela era él. Pero se sentía orgulloso de que así fuese.

Tomó la decisión de tranquilizarla prometiéndole que vendría a vivir a La Coruña definitivamente tan pronto mejorasen los tiempos. Reconocía que era lo que decía siempre, y sabía que le preguntaría cuándo sería eso. Buscaría una respuesta convincente, aunque tuviese que esperar unos días para encontrarla, no corría prisa. Se daba cuenta que Mamita lo estaba observando. La abuela esperaba el momento de sacar otro tema de conversación. Al fin se decidió:

–Luis… Yo quiero hablarte de otra cosa. Puede ser ahora, pero si estas cansado lo dejamos para otro momento.

–Estoy a tú disposición, Mamita.

–Hay una moza que conoces… Se llama Josefa y vive en la calle de Panaderas. –Vio a Luis fruncir el ceño, sorprendido–. Me gustaría que me contaras de qué os conocéis y qué tipo de amistad os une. Es importante aclarar cosas.

Se sobresaltó y Mamita pensó que aquello debía ser más preocupante de lo esperado. Podía ser algo muy delicado que habría que tratar con mucho tacto. Luis contestó demasiado rápidamente, como si tuviese prisa por terminar algo que todavía no había comenzado:

–Son historias viejas que tengo olvidadas. Además… ¿a qué viene eso?

–Si es historia vieja y olvidada, ¡mejor! Eso viene a que la tal Josefa odia a Carmela y yo quiero saber por qué.

–¿Cómo? ¿Por qué odia a Carmela? ¿Qué tiene que ver con ella? –La preocupación de Luis aumentaba lo mismo que la firmeza y decisión de la abuela.

–¡Hombre…! Con mi nieta no tiene nada que ver, lo que quiero saber es qué tiene que ver contigo –Mamita profundizaba en las pupilas de Luis, hasta que lo obligó a desviar la mirada. Añadió–: Mira, Luis… A Carmela la odia, ¿cómo te diría yo?, en la misma proporción que a ti te desea, ¿es o no así? Bueno, pues resulta muy peligroso. Esos sentimientos, en una persona desequilibrada, pueden hacer mucho daño. No te digo más que a Carmela la amenazó de muerte.

No comprendía nada, y esto obligó a Mamita a contarle la historia de los insultos y amenazas telefónicas, asegurando que era Josefa porque le constaba, y le explicó que había terminado contestando solo ella al teléfono, porque Carmela le tenía pánico.

–¡Pero Mamita…! Lo que dices es terrible. Ahora comprendo que mi mujer esté así. ¡Pobre Carmela! Escucha y verás que no hay nada que temer. Te explico…

Se puso a contar lo que conocía sobre Josefa ante la asombrada abuela, que ni siquiera pestañeaba.

–Josefa es hija de los Menéndez, una familia muy adinerada de Santiago, famosa por sus donaciones al Clero y sus obras de caridad. Era hija única. Sus padres eran excesivamente rígidos y severos con ella, que les había salido demasiado descarada y golfilla. ¿Te lo imaginas? Pues a los doce años ya sabía más de la vida que yo ahora. Y a los catorce estaba embarazada. Sus padres la echaron de casa y la pobre dormía en los soportales envuelta en cartones. ¡No tenía nada!, y pedía limosna. El vientre le crecía y cada vez parecía más niña. Yo la conocía de verla por la calle y siempre que podía le daba bocadillos y los patacones que tuviese. Pocos, pues ya sabes que los estudiantes no disponen de cuartos…

–Supongo que de alguna forma te lo agradecería –le dijo, con clara doble intención.

–No. Lo único que hacía era seguirme a todas partes como si fuese un perrito. Me esperaba… me vigilaba… me escoltaba… Pero siempre guardando las distancias. Llegué a amenazarla con no darle más limosnas si no me dejaba en paz. Hasta que en Santiago comenzaron a relacionarme con su preñez.

–¡*Caraho*!

–Sí. La verdad es que llegó a acosarme. Supongo que se encaprichó conmigo… pero jamás, ¡puedes estar segura!, me relacioné íntimamente con ella –hizo una pausa–. ¡Me perdí! ¿Dónde iba…? ¡Ah, sí! La madre se murió con el disgusto mucho antes de que diera a luz, y el padre se la quitó de encima dándole unas pesetas a condición de que se fuese lejos. Entonces desapareció y no volví encontrarla hasta que me casé y me vine aquí. Sólo recuerdo haberla visto en dos o tres ocasiones.

–¿Y qué pasó?

–Nada. Nos saludamos y me contó su vida. Cuando murió su padre recibió la legítima, una considerable fortuna, y la invirtió en Madrid en prostíbulos de lujo del barrio chino. Trabaja en el Papagayo porque le gusta el oficio.

–¿Y el hijo?

–Cuando nació se acabaron los rumores sobre mí. Fue evidente que yo no era el padre.

–¿Qué?

–Se había liado con unos turistas americanos que visitaron Santiago, algunos de raza negra. Y tuvo un hijo… ¡negro!

–¡Ay, qué *caraho*! ¿Y qué fue de él?

–Esa es la parte más desagradable de la historia. ¡No te lo puedes imaginar!

–Sí puedo.

–Lo mataron al poco de nacer para… ¡sabe Dios qué clase de ritos! Apareció su cuerpo flotando en el río Sar. Le habían quitado el corazón y no tenía ni una gota de sangre… dentro. –Se detuvo al ver a Mamita muy pálida y temblorosa. Le buscó un mantón para que se abrigase y le preguntó si lo dejaban. La abuela insistió en que continuase–. El asunto no estuvo nunca claro. Mientras algunos le echaban la culpa a Josefa, otros lo hacían a don Joaquín, el padre. No se encontraron pruebas para acusar a ninguno. Después raptaron a Josefa, la secuestraron durante un par de semanas, la internaron en una especie de clínica y la operaron para que no volviese a engendrar… y ella dice que fue su padre. Déjame aclararte que don Joaquín era un poderoso cacique y podía hacer… ¡lo que quisiera!

–Es una historia terrible.

Quedaron en silencio. Mamita Carmen encendió un puro habano y se puso a fumar. Después de un rato, Luis continuó:

–Me sorprendí cuando la vi en una foto de nuestra boda. Estaba entre los invitados al salir de la Iglesia, en primera fila, sin que nadie la hubiera convidado. La pobre desgraciada tenía un aspecto increíble…

–¿Lo sabe Carmela?

–No lo creo. Yo jamás le conté nada de esto.

Se abrió la puerta y apareció Carmela sonriente. Preguntó:

–¿De qué estáis hablando?

–De nada importante –se apresuró a decir Mamita.

Cambiaron de tema. Conversaron de cosas triviales y paulatinamente se fueron centrando en Perico. La madre quería mandarlo al parvulario para el próximo curso, antes de que cumpliese los cuatro años, y decía que la decisión tenían que tomarla pronto para solicitar la plaza. Luis sugirió que era muy pequeño y que no debían de tener prisa, y Carmela dijo que, cuanto antes, mejor se acostumbraba.

–Pero... ¿a dónde pensaste mandarlo?

Ya había escogido entre todas las opciones educativas, pero insistía en que había que hablarlo entre todos, dejando bien claro que su opinión era tan solo una más. Mamita sonrió. Luis se inhibió porque pensaba que la educación de Perico debía de estar, de momento, a cargo de la madre, y le dijo que dispusiese lo que le pareciese mejor... Quedó muy complacida y se encontró hablando acaloradamente, como si estuviese defendiéndolo, del colegio que ya tenía elegido, que era el College Français a La Corogne, que estaba instalado en un chalet de la Ciudad Jardín, donde tenían media pensión y un autobús que recogía a los niños en las paradas próximas a sus domicilios. Conocía a los directores, un matrimonio belga, llamados Mr. y Mme. Pere, y pensaba que no tendría problemas cuando pidiese la plaza. Se animó y explicó muchas cosas sin que nadie le preguntase, como que las clases las daban el matrimonio y sus hijos, y que además tenían una profesora de español, Antoñita, amiga suya. Hablaban francés desde que entraban hasta que salían; usaban un sistema educativo muy moderno, con clases de gimnasia, de esgrima, de educación cívica, de representaciones teatrales, proyecciones de películas... Con esto pretendía demostrarle a Luis que se había preocupado mucho, y la verdad era que lo tenía asombrado, sin saber qué decir.

–Lo que más me gustó cuando visité las aulas, fueron las "*leçon de choses*" en las que se buscaban los centros de interés del niño; basan en ellos toda la enseñanza –terminó diciendo.

Luis reaccionó:

–Y… ¿estudian español?

–Sí, sí… Tienen una clase, la única, que la da Antoñita.

–¿Y la religión? –preguntó la abuela.

–Son laicos y sólo estudian Historia Sagrada.

El tema estaba agotado y ellos también. Decidieron acostarse. Carmela llevaba la expresión del triunfo en la cara y Luis la de la resignación. "¡Perico ya tiene parvulario!", decía para sus adentros la madre, gozosa.

Mamita Carmen se dispuso a llevar a la práctica una idea que le había surgido durante la conversación con Luis. Esperó a que los nietos se quedasen dormidos y se fue al salón. Buscó el álbum de fotos de la boda de Carmela, lo llevó a su habitación y cerró la puerta por dentro con llave. Hojeó el álbum hasta que encontró la foto que había dicho Luis… No fue difícil; a pesar de no conocer a Josefa la reconoció por su aspecto descarado, chabacano y ofensivo. Estaba en primer plano, con los brazos en jarras. Mamita recibió el mensaje que estaba enviando al pasarle por encima la yema de sus dedos. Un sudor frío bañó su cuerpo. Cerró los ojos; sus sentidos se paralizaron y sólo pudo percibir un inequívoco olor a azufre que se hizo intenso… La respiración se le hizo difícil y convulsiva, la pituitaria le dolió y comenzó a sangrar por la nariz a borbotones. Abrió los ojos. Encontró la falda manchada con la sangre que había sentido resbalar por sus labios, cálida, viscosa y lenta. Quiso limpiarse, pero sus movimientos eran inseguros y tuvo que esperar un instante hasta que consiguió reponerse. Lo hizo con la falda que llevaba puesta. Quitó indignada la foto del álbum, la envolvió en un paño negro de hilo que sacó del armario, la metió en la caja de caoba que tenía encima de la cómoda, donde guardaba sus cosas "santas", la cerró con la llave de hierro forjado que colgaba de su cuello, y la llevó sigilosamente al desván, en donde guardaba los bártulos traídos de Cuba. Despacio y cuidadosamente, puso la caja en un rincón. Se sentó en una vieja silla de cortas patas, junto a una mesita muy baja sobre la que había un cofrecillo de plata oscura. De él sacó un rosario de barruecos de El Caribe, lo entrelazó entre sus huesudos dedos y se puso a rezar a media voz.

Cuando regresó a su habitación, ya amanecía. Había pasado largas horas reflexionando y tomado una decisión firme: desembarazarse de Josefa. Lo haría a la manera de los yorubas afrocubanos, por duro que fuese. Iba a ser la primera vez en su vida que oficiase, aunque cuando era una chica de ocho años había presenciado como lo hacia la mulata Florita en su casa de La Habana. Lo llevaría a la práctica tan pronto como tuviese preparadas las cosas. Se quedó dormida con la tranquilidad que se tiene antes de librar una batalla ineludible en la que puede jugarse una vida.

La despertaron los gritos alegres de Perico y el bullicio familiar cotidiano. Del salón llegaba la música que ponía Carmela en la gramola escuchando los nuevos discos que había traído Luis. Mamita se levantó y cogió la bolsa para ir al mercado, donde tenía encargados los ingredientes para la comilona de bienvenida del nieto. Regresó muy cargada acompañada de una amiga que le ayudaba a traer las cosas.

Lo primero que hizo fue llevar al desván un cesto lleno de velas, frutas, flores, dos cántaros de leche y un gallo de lucido plumaje que necesitaba para el ritual yoruba, y que a pesar de tener atadas las patas luchaba por salir del cesto. Después bajó para preparar la comida.

Por la tarde los nietos salieron con Perico al jardín, donde habían quedado con José y su mujer, que traían a los gemelos a pasar la tarde en La Coruña.

Mamita Carmen subió al desván tan pronto quedó sola. Abrió un biombo negro y allí colocó las estampas religiosas que guardaba en un cajón. Las colgó de los clavos del biombo siguiendo un orden... Eran santos católicos: la Virgen del Rosario, la de la Merced, San Francisco, Santa Bárbara, la Virgen de la Caridad del Cobre, San Pedro... Colocó los velones sobre una mesa cercana, los encendió y observó. Se vistió con las prendas criollas cubanas y se adornó con collares de lo los que colgaban cayajabos, colmillos, medallitas católicas y bolsitas de cuero en las que guardaba sus "gris-gris" más estimados. Sacó la fotografía de Josefa de la caja de caoba, la recortó y la puso encima de la mesa. Del cofre de plata sacó un tapete rojo de seda, lo extendió en una esquina, y sobre él depositó el collar de Ifá, que era el tesoro del cofre, el que usaban los brujos afrocubanos de Yoruba, y que estaba formado por cuatro hilos de canuto de bambú amarillos y verdes, alternativamente, en los que había semillas de mango secas y partidas por la mitad entre los canutos. A su derecha puso un vaso de agua. Mirando la foto fijamente, lanzó en alto sobre el tapete, por tres veces, el collar para deducir sus presagios y así confirmó lo que sabía, por la posición que adoptaron al caer las semillas de mango.

En una tina grande vertió la leche de los cántaros, las frutas y las flores. Se desnudó y se introdujo poniéndose de rodillas al tiempo que decía oraciones en voz baja... Se echó la leche varias veces por la cabeza. Salió del baño y, sin secarse, abrió un maletín que tenía huesos humanos. Puso encima de la calavera la foto de Josefa. Agarró fuerte al gallo dispuesta a sacrificarlo y le dijo unas palabras mágicas. Bebió ron blanco a morro de una botella y, sin tragarlo, se lo escupió por dos veces al gallo. Encendió uno de sus enormes puros, aspiró el humo y lo expulsó dos veces al rostro de Josefa. Entonces recitó su jerga sagrada, diciendo a continuación:

–Acepta la sangre de este gallo que te ofrezco para deshacerme de esta mala mujer. –Y, mirando al gallo, dijo–: Gallo, te mato por tu sangre.

Le sujetó la cabeza entre los dos primeros dedos de su pie derecho y, tirando con violencia de las patas, lo decapitó limpiamente y exactamente a la manera de los yorubas. Roció con su sangre la maleta de los huesos y la foto. Cerró los ojos con recogimiento y, al instante, se le presentó la imagen de Josefa durmiendo que se despertaba sobresaltada.

–¡Ya está!

Sabía que con este rito sagrado conseguía un maleficio hacia la persona que iba dirigido, haciéndola presa de un tormento insufrible que la induciría irremisiblemente al suicidio en poco tiempo; y con la plena seguridad de haber hecho lo que tenía que hacer, se puso a recoger todo. Quedó limpio y ordenado, como si allí no hubiese pasado nada.

Entró en el piso estornudando y se fue a la cocina a preparar una de sus pócimas.

-6-

Iban a celebrar el cumpleaños de Perico con una gran fiesta en la que Carmela estaba dispuesta a que no faltara nada de lo considerado por ella importante. Cumplía tres años, pero todo el mundo decía que aparentaba los cuatro por lo desarrollado, espabilado y charlatán.

El padre, que se había perdido todos los anteriores, les prometió que haría un esfuerzo para asistir, por eso ella tenía tanto interés en que saliese todo muy bien, y, para conseguirlo, no había parado un solo instante desde varios días antes, esmerándose hasta en los más insignificantes detalles. La víspera ya estaba agotada, pero no lo quiso admitir y continuaba con el mismo ritmo, tirando del cuerpo con una sonrisa estúpida reflejada en la cara.

Cuando llegó Luis, el mismo día de la fiesta por la mañana, las encontró tan ocupadas que apenas le saludaron, e incluso Perico parecía atontado con tanto ajetreo desacostumbrado; estaba sentado en la mesa de la cocina con la cabeza apoyada en la mano derecha, se levantó para darle un beso, y volvió a la misma posición con gesto de fastidio. Luis, tomando asiento a su lado, se puso a observar. ¡Nadie le hacía caso! y se estaba deprimiendo después de preguntarse si habría valido la pena el esfuerzo que había hecho para venir. Se levantó, agarró por un brazo a Carmela y la llevó al salón para decirle:

–¿Es así como recibes a tu marido? ¡Párate un momento!

–Lo siento, pero por la tarde vamos a tener mucha gente invitada.

–¿Ah, sí? ¿Quiénes vienen?

–¡Todos! Los de Betanzos con sus hijos, los padrinos, Laura... ¡Todos! Es carnaval y aproveché para una reunión familiar.

–Ya... Le traje un regalo a Perico que dejé en la tienda de la esquina. Después de apagar las velas, se lo daré.

–De acuerdo. Ahora tengo que hacer... ¿Me ayudas?

Quedó frío porque no le había preguntado qué era aquel regalo, pero supuso que lo haría más adelante. Entre los dos adornaron la casa con globos, serpentinas, farolillos... y prepararon la mesa del comedor para los niños y un rincón en el salón para los mayores. Echaban de menos la disposición de Mamita, que no había abandonado ni un instante la cocina, donde no paraba de cocinar, porque quería obsequiar a los invitados con sus famosas *orejas*, *filloas*, *flores* y *hojas de limón*, típicas de carnavales. El olor de sus frituras llegaba hasta el centro de la Plaza de Azcárraga, y solo con olerlo ya alimentaba. Cada vez que Luis pasaba por la cocina, picaba de la fuente y Mamita lo espantaba como si fuese un moscardón. Hasta que le cerró la puerta para que no entrase.

A las doce llegó la tarta de cumpleaños, regalo de Clotilde la confitera. Querían verla y abrieron el paquete; era de moka con tres velas azules y un cartel de oblea con el "Feliz cumpleaños".

–¡Preciosa! ¿Verdad que es preciosa, Perico? –preguntó Carmela, bajando la tarta para que la viese el niño, que la miró sin decir nada, dio media vuelta y se marchó–. ¡Preciosa! –insistió.

Nadie le contestó, pero estaban de acuerdo.

Comieron pronto para que Perico durmiese la siesta y no se pusiese pesado por la tarde. Entonces Luis fue a buscar el regalo, con el que había cargado desde Madrid. Al regresar traía un cesto de mimbre adornado con un gran lazo azul; dentro había un tembloroso cachorrito, muy pequeño, que no cesaba de lloriquear. Para que no despertase a Perico, lo metieron en la galería. Carmela lo acarició y se calló. Luego fue a buscar un reloj despertador y se lo puso cerca del corazón, consiguiendo que el animalito durmiese con el tic-tac. Mamita Carmen se acercó a Luis y le refunfuñó:

–¡Lo que faltaba! ¡Bien se ve que tú no lo vas a cuidar!

Y se marchó a continuar con sus fuentes. A Carmela le gustaban mucho los animales y lo aceptó de buen grado, pero también siguió con sus ocupaciones sin hacerle más caso, en cambio él no cesaba de entrar en la galería para contemplarlo. "No sé si le gustará a Perico –pensaba Carmela al verlo–, pero ¡lo que es al padre…!". Le asombraba este aspecto desconocido de su marido. Luis seguía molesto porque nadie le había preguntado sobre el animal; esperaba algo como: "¿dónde lo compraste?, ¿de qué raza es?, ¿está vacunado?". Continuaban sin decirle nada y decidió preguntarle a Carmela:

–¿Adivinas qué raza es?

–¡Claro! No hay duda de que es un terrier.

–¡Caramba! No sabía que entendías de perros.

Quedó pensativo. Ella lo observaba y pudo leer sus pensamientos: Luis se asombraba de no conocer todas sus facetas. "¡Qué curioso! –se dijo–, somos dos extraños… que creíamos que no lo éramos". Entonces, obedeciendo un impulso, dijo:

–¿Quién te lo dio?

–Lo compré en un criadero de Madrid. ¿Te gusta? Espero que a Perico le haga ilusión tenerlo y cuidarlo.

–Es el mejor regalo que pudiste hacerle. ¡Le gustará!, además, los niños que se crían con perros son más responsables y aprenden muchas cosas naturales.

Sobre las cinco llegaron los primeros invitados: José con su mujer y los gemelos. Traían para Perico una caja de soldaditos de plomo. Carmela fue a despertarlo. Perico, muy serio, se hartó de repartir besos, cogió su regalo, se sentó en el suelo, en un rincón, acompañado por los gemelos, y se pusieron inmediatamente a jugar a la guerra. Luis lo llamó para que fuese a la galería, donde le esperaba su regalo. Fue de mala gana y a regañadientes, los mayores iban detrás. Quedó clavado en el suelo al ver aquel inesperado animalito, que parecía de algodón, y que estaba vivo.

–¡Sorpresa! –exclamó Carmela cogiendo al cachorrito lloroso en el regazo. Le soltó una gran meada, lo puso en el suelo fastidiada y se fue a cambiar.

Perico la siguió para regresar con su osito de peluche al que apretaba con fuerza entre sus brazos. Se puso delante del cesto, mirando sin hablar y observando todas las tonterías que estaban haciendo los mayores con aquel animal. Los gemelos lo pasaban en grande. Le preguntaron cómo se llamaba y contestó:

–¡Perro! –De inmediato fue a jugar con los soldaditos, sin soltar el osito.

Según iban llegando los demás invitados, Perico repetía más besos y recogía más regalos. Cuando se los mostraban, los miraba un instante, luego se marchaba con los soldaditos y dejaba a los mayores con todos los papeles y las cajas abiertas.

–¡Qué niño más raro! –dijo Angustias.

Todos pensaron que ella, la solterona, era la menos indicada para hablar de niños. Carmela, a partir de entonces, puso todo su empeño en que la cuñada fuese ignorada y le siguieron el juego inconscientemente, incluso Luis, con lo que Angustias empezó a encontrarse incómoda mucho antes de la merienda. Pronto se desquitó con la comida. Parecía imposible comer tanto y tan rápido, y no agradaba verla comer a dos carrillos sin descanso, vaciando las fuentes en un momento, hasta que Carmela se ocupó de alejarla de las viandas.

Perico apagó las tres velas de su tarta con un fuerte soplo que fue muy aplaudido. Carmela se sentó al piano e interpretó "Cumpleaños feliz", coreado por todos, excepto por Angustias, que estaba en un rincón, muy ocupada, comiendo su segunda ración de algo. Luego siguió tocando temas del swing y recordando a Broadway. Estaban todos embriagados de exaltación cuando se pusieron a cantar "Todo va bien" de Cole Porter y "Las Leandras" de Celia Gámez. Cansados, se fueron a buscar algo más para beber y dejaron a Carmela sola interpretando "La Carioca", de la película *Volando hacia Río de Janeiro.* Abrieron una botella de champán y tuvo que dejar de tocar para unírseles en el brindis por la felicidad de Perico. Los hombres habían formado un grupo para hablar de política y se iban acalorando. Sus voces, cada vez más fuertes, llamaron la atención de las mujeres, que se callaron para escuchar.

–...el "Deutschland, Deutschland", cuando lo oigo entonado por una multitud... ¡me pone la carne de gallina! Suena a... guerra. También me sobresaltan los judíos escapándose al exilio... ¡Bueno! Y no me sobrepongo de mi estupor cuando oigo contar cosas como la supresión de los Sindicatos, la "noche de los cuchillos largos" en Berlín, el asesinato de Dollfus en Viena, las nuevas dictaduras en Estonia y Lituania... –Luis hizo una pausa para continuar–: ¡Y la revolución de octubre en Cataluña y Asturias, con su sangrienta represión! Pero lo que me ha dejado petrificado fue el triunfo de las derechas. ¡Hum!

–Todo esto parece un gran sacrificio donde los chivos expiatorios son los grupos humanos convertidos en culpables –añadió Tomás, con indignación–. Me parece a mí, digo yo.

Fríamente, intervino Gumersindo:

–Yo creo que todo lo que está ocurriendo surge de necesidades del pueblo. Me explico. El nazismo necesita un chivo expiatorio, como bien dijo Tomás, e inventa a los judíos, ¿de acuerdo?; el fascismo se alimenta con socialistas y comunistas, ¿de acuerdo?; a Stalin le ocurre lo mismo con trostkistas y desviacionistas... ¡Son necesidades de la época!

–Sí, sí… ¡Necesidades de nuestro tiempo!, y para cubrirlas se inventan… lo mismo que el cristianismo inventa herejes. ¡Señor, señor! Lo que es cierto es que resulta inevitable una guerra –dijo José.

Se hizo el silencio mientras cada uno seguía sus propias reflexiones. Se trataba de un grupo muy heterogéneo, integrado por personas de muy distintas ideologías, y conscientes del punto hasta donde les era permitido llegar para no molestarse entre sí y preservar su amistad y el calor familiar de la reunión. Se imponía un cambio de tono. Las mujeres estaban atentas, respetando la conversación, pero dispuestas a intervenir si se traspasaban los límites de lo tolerable. Sabían que hablar de política en su grupo podía resultar irritante y llegar a comprometer seriamente su relación. Había entrado Mamita y unido al grupo de mujeres en silencio… La única que no se enteraba de lo que estaba pasando era Angustias, que se estaba poniendo verde de bombones. El momento era especialmente crítico y todos lo sabían.

Maruxa, sentada en una silla, con las piernas cruzadas y balanceando nerviosamente el pie derecho, repasaba con cuidado a los hombres: "José, ¡monárquico! Tomás, republicano… Gumersindo, fascista, ¡claro! y Luis, socialista… ¡Una verdadera casa de putas! y una discusión absurda que conduce a un callejón sin salida. Si tengo que irme, me voy, y en paz".

Tomás se había puesto a hablar con excesiva solemnidad:

–Nosotros, los cuatro, vivimos cada uno nuestra propia realidad y estamos comprometidos con ella, aunque desde vertientes distintas y, como consecuencia, desde distintos puntos de vista… ¡políticos, por supuesto! No somos ni insensibles ni alocados, y por eso estamos con los que comparten nuestros ideales… –repitió su muletilla–: Como debe ser, digo yo… Es más, todos tenemos la obligación de participar en la vida política del país para que esta situación dure lo menos posible, digo yo, sin fantasías, para no terminar en el tablado con redoble de tambores. Lo que me indigna es ver personas de espectadores, como si las cosas no fueran con ellos, imaginando que manteniéndose al margen no recibirán las salpicaduras de lo que pueda pasar. Me parece a mí, digo yo.

–¡Todos estamos de acuerdo con Tomás! –dijo Maruxa, tomando la botella de champán y llenando de nuevo las copas–. ¡Brindemos por la paz!

–Todavía no –cortó Gumersindo rechazando el brindis y dejándolos sorprendidos. Cuando el general Franco…

–¡Gumersindo…! –le gritó Tere.

–Sí, sí… Por favor, disculparme…

Tomó su copa y se hizo el brindis sin demasiada animación.

Cuando entró Perico, seguido de Esthercita, el momento difícil ya había pasado.

–¡Mamita, Perro vomitó!

–Es que los gemelos le dieron tarta, y se va a morir –explicó Esthercita, señalando a Pepiño y Felipe, que se escondían debajo de la mesa.

Las mujeres, aún excitadas, se fueron con los niños para atender a Perro. Laura lo cogió y lo bañó en el lavadero, lo secó y ya no lo soltó el resto de la tarde para que los niños no le hicieran más judiadas. Estaba encantada con el cachorrito. A Pepiño y Felipe los castigó la madre sin salir en tres días, pero ellos se miraron, encogieron los hombros sonrientes y dijeron a la par.

–Y qué nos importa.

Cuando todos se fueron, Carmela, mirando aquel desorden, cansada y muerta de sueño, le dijo a Mamita:

–Mañana es otro día.

Cogiendo en brazos a Perico, que no se tenía en pie, se fueron a la cama. Luis tuvo que sacar a Perro a pasear a la Plaza y comenzar su adiestramiento. La verdad era que le apetecía salir a tomar un poco el fresco.

En septiembre comenzaba Perico el parvulario, con tres años y siete meses.

–¡Demasiado chico! –repetía constantemente Mamita Carmen, mirándolo con lástima.

Carmela sabía de la madurez de su hijo y había luchado hasta conseguir que se lo admitiesen en el Colegio Francés, que se había puesto de moda. Tenía que agradecérselo a la buena Antoñita. Como consecuencia disponía de mucho más tiempo libre para dedicarse a sus cosas; y en eso de "cosas" incluía a las amigas, tertulias, visitas, paseos, compras, rezos… y poco más.

Además de aquella novedad había otra. Aquel verano, cuando estuvo Luis, la volvió a dejar embarazada. La primera falta la tuvo en agosto, acompañada por los mismos síntomas del anterior. Todo parecía lo mismo, hasta Mamita se lo había anunciado con las mismas palabras:

–Niña, estás embarazada.

Pero esta vez le aseguraba que venía una niña, y Carmela no lo puso en duda ni un solo instante. Estaba muy feliz, pero Luis no tanto. También en esta ocasión le tuvieron que dar la noticia por teléfono, sin embargo la reacción fue distinta: enmudeció. A ella volvieron a quedarle las ganas de verle la expresión del rostro. Cerraba los ojos y le resultaba fácil imaginarla… Bastaba recordar el día que la había penetrado. Había sido su cuarto orgasmo, y las cuentas le salían a dos por hijo. Cierto era que otras mujeres que parecían conejas pariendo a todo parir, jamás lo habían podido disfrutar. Luis le había mandado lavarse inmediatamente con jabón Lagarto la vagina, "no te vayas a quedar embarazada", le insistió. Y así había sido, a pesar del jabón Lagarto. A Perico no le dijeron que iba a tener una hermanita, porque ya tenía demasiado con el disgusto del Colegio.

Los primeros días de clase fueron un tormento para todos. Perico no quería ir y tenían que meterlo a la fuerza en el autobús; seguía llorando y gritando hasta perderlas de vista, con la cara pegada al cristal de la ventanilla, llenándola de lágrimas, mocos y baba… y se le ponía tan roja y ennegrecida que daba la impresión que se asfixiaba. Así todos los días, pero sólo mientras que no las perdía de vista, luego se calmaba misteriosamente y no repetía los llantos hasta que volvía a verlas en la parada esperándolo. Sería cómico si no resultase trágico, pero tanto la madre como la bisabuela, conocedoras de la astucia del niño, fueron intransigentes, y hasta que estuvo convencido de que sus pataletas eran inútiles, no calló. Después fue el niño más integrado de todos, el más obediente y el más feliz.

Un día llamaron por teléfono del Colegio para que se acercasen a recogerlo, porque se habían quedado sin autobús. Aprovecharon para ir dando un paseo y llevaron a Perro. Allí se enteraron de lo que había pasado. El conductor, que había manejado ambulancias durante la Guerra Mundial, se había ido contra los eucaliptos del bosque de la plazoleta y metido en el garaje del Colegio sin abrir la puerta, con todos los niños dentro del vehículo. Un estúpido accidente del que no había que lamentar víctimas. No habían dicho nada a las familias para no asustarlas, pero a partir de entonces suprimieron el autobús porque despidieron al chofer, y tenían que llevar a Perico. Terminaron turnándose: la bisabuela lo llevaba y Carmela lo recogía. Si hacía mal tiempo, cogían el tranvía en Puerta Real.

-7-

Aquel embarazo resultaba muy diferente al de Perico y lo llevaba muy mal, pero no había sido así al principio. Entonces Mamita Carmen le había explicado que debía ser porque el cuerpo ya estaba más preparado. Ahora que estaba en el séptimo mes, con muchas más molestias y menos ilusión, resultaba que no era caminar por viña vendimiada. Sabía que atravesaba los peores meses, los "meses mayores", que es cuando el vientre se pone prominente. Aquella hija le estaba resultando, ya antes de nacer, una amargura, y sospechando que así sería siempre, no sentía la felicidad propia de su estado. En cambio la abuela estaba gozosa y procuraba quitarle los temores, alabando la criatura que llevaba en su vientre... Se miraba en el espejo cada vez menos. Se encontraba mucho más fea que cuando Perico, con unas añadidas y antiestéticas varices, el vientre puntiagudo y tan abultado que le impedía verse los pies. Pensaba que parecía más vieja que la abuela.

Se mostraba en público feliz con su nuevo estado, pero la realidad era otra. Se le había ocurrido la posibilidad de tener gemelos, porque en la familia de Luis era frecuente, y esto aumentaba su mal humor. Para consolarla, Mamita le repetía constantemente que tendría sólo una niña y que sería preciosa, pero el consuelo duraba justo hasta la mañana siguiente, cuando se ponía delante del espejo para recitar su oración:

–¡Espejito mágico! ¡Espejito! ¿Habrá en este país alguna mujer más hermosa que yo? –decía con rabia, antes de terminar llorando.

Repetía una y otra vez que era demasiado vieja y que estaba demasiado cansada para comenzar de nuevo con los pañales, y que le hubiese gustado quedar solo con Perico, que ya estaba criado. A las amigas las tenía aburridas repitiéndoles constantemente que ya tenía treinta y seis años, y ellas le aconsejaban que se olvidase de la edad.

–¡No puedo! Nací con el siglo y aunque quiera quitarme años no puedo… ¡El calendario tiene la culpa! Cada vez que lo miro…

–Todas tenemos más o menos tus años y no nos podemos histéricas –le repetían.

–Pero la horrorosa y barriguda embarazada soy yo.

–¡Claro! También lo disfrutaste –matizó Laura–. Pero pasa a los nueve meses, mujer.

–Y hablando de meses… –preguntó Tere, mirándola de arriba a abajo y girando a su alrededor–, ¿cuándo sales de cuentas?

–¿Qué dices?

No podía creer la crueldad de Tere.

–Que cuando das a luz –repitió.

–Para… abril.

–¡Pero si todavía te faltan tres meses! ¡Desde luego que estás abultada!

Y con esta insolencia, le tocó el vientre. Carmela intentaba meterlo, aguantando la respiración, pero le fue imposible. Estaba desolada. Laura acudió en su ayuda:

–¡Vaya por Dios, Tere! Está visto que contigo hay que tener más paciencia que un santo.

Carmela reaccionó:

–Te voy a aclarar que lo que se dicen meses… me faltan dos. ¿Escuchas? ¡Dos! ¡Y son lunas, entérate! Además tú no entiendes de estas cosas, porque nunca tuviste un hijo…

–Por lo que veo… todavía estoy a tiempo.

–¡Callaros ya! –les gritó Laura.

Últimamente conseguía que las reuniones con las amigas terminaran siempre así. Estaban hartas y se lo decían con franqueza para que se controlase, pero resultaban inútiles los buenos propósitos. Era superior a sus fuerzas; esperaba que después de dar a luz todo volviese a ser normal.

Luis llamaba por teléfono cada vez menos, y hasta lo agradecía. "¡Así no se entera de nada! Estoy insufrible". Pensaba que era mejor, para evitarle el bochorno de padecerla y la posibilidad de discutir.

Sin tener intención, Mamita la deprimió más cuando le dijo que tenían que comprar alimentos para almacenar, porque el verano vendría duro y posiblemente con escaseces. Lo hicieron con sus malas premoniciones a cuestas, y esto terminaba con las pocas ilusiones que tenía. En medio de su crisis, todo le daba igual.

Cuando llegó febrero, no quiso saber nada del cumpleaños de Perico; su intención era que pasase como un día más, y aunque la abuela le llevó al niño una tarta con cuatro velas, no había querido salir a comprarle nada, alegando que no se encontraba bien, y permaneciendo en cama. Pero fueron inevitables las visitas de la tarde, que la obligaron a levantarse para atenderlas. Venían a felicitar al niño y a traerle su regalo de cumpleaños, y Perico no tenía culpa de nada.

Laura y Tere, mientras tomaban el chocolate, intentaban distraerla contándole los dimes y diretes de la ciudad, a los que prestaba escasa atención. Lo que la preocupaba y ponía furiosa era que había transcurrido el día sin que Luis llamase a su hijo para felicitarlo… Ya debería estar vacunada de los desplantes del marido, cada vez más preocupado por la fastidiosa política y menos por su familia, que tenía prácticamente abandonada, pero no lo estaba.

La llegada de Maruxa fue anunciada por sus grandes risas que llegaban desde las escaleras, donde hablaba con Perico y

Mamita. Al entrar en la habitación quedó parada bajo el dintel de la puerta, y haciendo aspavientos acompañados de carcajadas, exclamó:

–¡Joder! ¡Qué caras! ¿Esto qué es? ¿Un velorio o el cumpleaños de mi ahijado? –Se sentó en una silla, añadiendo después–: ¡Seguro que estáis hablando de la jodida política!

Comenzaron a hablar del tema pese a saber que era el peor para Carmela, o casi el peor, porque había otro más insufrible, el de su aspecto físico, que solo de mencionarse la haría llorar. Se habló del resonado triunfo del Frente Popular y de lo bien que esta vez se habían organizado las fuerzas de la izquierda, y se comentó lo que decía todo el mundo: que España estaba más dividida que nunca en dos bandos y que era inevitable una guerra civil. Carmela palideció, notó como se le ponía carne de gallina por todo el cuerpo y les rogó que hablasen de otra cosa. Volvieron a las anécdotas y chistes fáciles que no conseguían distraer a nadie y la reunión fue decayendo hasta que terminaron marchándose. Incluso Perico, que había adquirido un sexto sentido y una antena especial para detectar los humores variables de la madre, agarró a Perro y desapareció. Esta actitud del niño siempre llamaba la atención de Carmela. Es más, sabía que si tenía a Perro, cerca lo más probable sería que terminase dándole una patada, así que Perico, que se había ganado a pulso el apodo de "Don Sensato", sabía muy bien lo que tenía que hacer en cada momento, y ahora estaba por algún sitio de la casa con sus regalos y su inseparable Perro.

Nuevamente en cama, Carmela volvió a lamentarse del descuido de Luis para con su hijo, y, para olvidar, se puso a pensar en la situación del país con la victoria de las izquierdas, que lo trajo de nuevo a su mente y le produjo un acceso de rabia que terminó desahogando con lágrimas.

A la mañana siguiente ya había adquirido nuevos bríos y comenzó una nueva forma de sobreponerse, la del misticismo religioso. Empezó a ir asiduamente a la iglesia. Mamita Carmen le preguntaba si por ventura había venido Dios a verla para que, de repente, no se perdiera una Misa, y terminaba diciéndole que ojalá le durase más que un par de zapatos. Pero Carmela vivía su devoción, y con el mínimo pretexto se acercaba a la Iglesia de San Nicolás a rezar a sus santos preferidos, la Virgen de los Dolores y el Cristo Crucificado de Alfeirán, a quienes encomendaba la protección del marido y de todos los suyos. El espíritu se le estaba serenando, y volvía a sonreír.

También encontraba placer comprando ramos de flores para adornar los búcaros de la casa. Su desarrollado olfato de embarazada la guiaba hasta los mejores puestos del mercado, donde tenían las flores recién cortadas. Prefería las blancas camelias, los narcisos y alguna que otra violeta de Parma, que eran las más abundantes. Había conseguido que la casa oliese mejor que los Jardines y que Perro se pasase el día estornudando como si tuviese alergia al polen. "¡No te fastidia! –pensaba mirándolo–, ¡hasta ahí podíamos llegar!".

Maruxa llegó una tarde para que le echara las cartas, porque tenía a su hijo Xan de prófugo por no haber querido hacer el Servicio Militar, y había escapado a los montes de "O Picouto", en Oleiros, donde permanecía escondido. Quería preguntarle al Tarot de su amiga, porque siempre acertaba haciendo honor a todos los rumores. A pesar de su disgusto, no dejaba de reír y hacer bromas. Carmela tuvo que pedirle silencio y un poco de recogimiento para comenzar. Dejó de pensar en sus problemas para concentrarse en algo que siempre le había gustado.

Desplegó un pañuelo de seda negro que sacó de la caja de madera donde guardaba el mazo de cartas amarillentas y deterioradas por el uso, que había recibido de Mamita Carmen, y esta a su vez de su madre, constituyendo una herencia familiar muy apreciada.

Poseía un auténtico arte que sólo ejercía con sus amigas íntimas, pero que todo el mundo conocía de oídas y que le había dado la fama de ser la mejor de las adivinas. Sus cartas eran una variante del Tarot de Marsella, y adaptaban los arcanos a situaciones especiales para los gallegos, con su filosofía, sueños y fatalidades, componentes de su problemática humana. Después de colocarlas siguiendo el orden numérico, se las pasó para que las barajase.

–Libérate de tu angustia y no las condiciones.

Hizo la tirada formando dos diagramas, cada uno con seis cartas tapadas, viéndose claramente que se afectarían según la proximidad y la posición... Con su clarividencia, no necesitaba descubrirlas, porque sabía exactamente lo que iba a encontrar; pero tenía que confirmarlo. Con el rostro relajado e impasible, fue volviéndolas de cara... una a una, tomándose su tiempo con expresión de jugador de póker... Por más esfuerzos que hacía Maruxa para adivinar lo que pensaba, no conseguía que moviese ni un sólo músculo. Impaciente, le dijo:

–¡Joder, Carmela! Lo que veo no me gusta nada... ¡Di algo!

–Verás... Las cartas dicen que Xan está bien de salud... y también dicen que corre peligro. Este peligro le viene de un amigo que, si pudiese, lo traicionaría. Eso está muy claro. También... ¿Ves esta carta aquí? –La golpeó repetidas veces con el índice derecho–. Pues dice que tu hijo tiene que tomar una decisión que lo llevará a un largo viaje al extranjero. Pero... aquí hay una joven preñada que retiene a Xan. –A Maruxa le había dado un pasmo y estaba con la boca abierta–. Xan quiere conocer a su hija antes de marcharse. ¡Ese es el riesgo!

–¿Estás segura? ¡Yo no sé nada de lo que me estás diciendo!

–Sí... Y te voy a decir algo más: Xan no regresará.

–¿Se va a morir? –le preguntó, a punto de llorar.

–Tranquilízate, que no. La muerte, aquí –señaló de nuevo con el índice–, representa la violencia que le acompañará. Para Xan es como una bendición en la desgracia. Además… ¡hará una gran fortuna! Es cierto que él no volverá, pero tú lo volverás a ver.

–¡No sé cómo!

–Muy fácil… ¡vas a ir a verlo!

–Si no me muero del disgusto antes…

–¡Déjame ver tu mano! –le observó la palma de la mano y le pronosticó–: ¡La línea de la vida dice que vivirás muchísimos años!

–¡Ya! ¿Tantos como Mamita?

–Tantos como Mamita. Volvamos a Xan… Tu hijo es muy fuerte. Tú misma puedes verlo representado por *o carballo*…

Cuando se despidieron había en los ojos de Maruxa la resignación de los gallegos ante el dolor, lograda a través de siglos y muchas generaciones que solo conocieron el sufrimiento. Pero no le abandonó el humor por mucho tiempo, pues, recurriendo a su lengua materna, como hacía siempre que quería reírse de su mala sombra, exclamó:

–*¡Ay, carallo! Tanto ir á leira… ¡O meu fillo non perdéulo tempo! ¿nonsí?*

Como ya era tarde, se dijeron adiós con una triste sonrisa.

Perico estaba peleando con Perro en la galería, donde Mamita, muy entretenida, miraba a través de los cristales. Carmela se puso a su lado. Perro tiraba de la falda de la abuela jugando, pero ella no se enteraba. Se preocupó y le preguntó:

–¿Ocurre algo, Mamita?

–Sí –la agarró por los hombros empujándola hasta que rozó con la nariz el vidrio–. ¿Ves allí a Gumersindo?

Lo reconoció enseguida. Estaba de uniforme, hablando muy serio con otros oficiales delante del palacio de Capitanía.

–Están conspirando –afirmó Mamita, ante el asombro de Carmela.

–¿Cómo lo sabes?

–Ya hace días que los observo, y te digo que aquí, en los Cuarteles, se prepara algo contra la República.

–¡Dios mío! ¡Lo que nos faltaba! –exclamó sobresaltada, prestando más atención a lo que pasaba en la plaza.

–Suelen reunirse cuatro Capitanes de diferentes cuerpos con un comandante y un teniente coronel... Si pensamos en lo mal que van las cosas, lo descontentos que están los militares, y que La Coruña es sede de la Octava División Orgánica Militar... se llega a esa conclusión.

–¡Claro!, pensando así encaja todo. –La abuela la miró sorprendida, y le aclaró–: En el cumpleaños de Perico, Tere se despepitó para disculpar que Gumersindo no viniese a ver y felicitar a su ahijado. Dijo muchas veces que tenía trabajo y que permanecía en el Cuartel todos los días hasta muy tarde. Además, hay otro detalle... ¿Te fijaste que aquel día no vino ningún hombre a casa, ni siquiera los de Betanzos? Ya hace tiempo que no vienen por aquí.

Mamita la miró para preguntarle:

–¿Te comentó algo Maruxa? ¿Estaba preocupada?

–Sí que lo está, pero por Xan. El problema del hijo acapara toda su atención. Se marchó bastante más tranquila. ¿Llevan mucho rato hablando?

–Sí –contestó la abuela, mirando el reloj de la Iglesia de Santiago–. Una hora pasada.

Vieron como Gumersindo se despedía y se marchaba atravesando la Plaza. Ellas volvieron a los quehaceres domésticos, sin otros comentarios.

Mientras Mamita preparaba la comida con la radio puesta, escuchando música y canturreando, Carmela leía el periódico y comentaba algunas noticias con la abuela. Pasaba por alto todos los sucesos sangrientos, cada vez más numerosos, y se iba a las páginas de cine y espectáculos. Por la radio dieron las noticias y dejaron todo para escuchar. Disturbios en fábricas, universidades... Al terminar, volviendo a poner la sartén al fuego, la abuela comentó:

–Los grandes capitales privados, ¡y los menos grandes!, se guardan en el extranjero. Las familias temen lo peor y salen de España con cualquier pretexto poniendo a salvo sus bienes. ¡Ay, qué *caraho*! ¡Así es como se empobrece más y más el país! Resulta increíble que el Gobierno no tome medidas.

Furiosa, apagó la radio y, volviéndose a Carmela, le quitó el periódico de las manos para decirle:

–Arréglate y vamos a dar un paseo con Perico... hasta la panadería. ¡Hay que comprar pan!

Se llevó el periódico. A Carmela le pareció extraño y la siguió. Vio como lo guardaba en el armario. "Desde luego tiene interés en que yo no lo lea. ¡Alguna noticia habrá que quiere ocultarme! Ya lo repasaré a la vuelta". Salieron, y tan pronto regresaron, aprovechando que Mamita estaba entretenida, fue a buscarlo. Pasó las hojas con rapidez buscando no sabía qué, pero sabiendo que lo encontraría. Le llamó la atención un recuadro de noticias locales y empezó a leer: "Aparece el cadáver de una mujer...", y al pasar de hoja tuvo un presentimiento que la hizo volver a la noticia. "Aparece el cadáver de una mujer en avanzado estado de descomposición flotando en las aguas del Orzan". Señalaba que llevaba una cadena de oro en la muñeca derecha con una chapa en la que figuraba el nombre de "Luis", y pedía que si alguien sabía de una desaparición con esas características, fuese al depósito de cadáveres a identificarla. Pensó inmediatamente en su marido y en las llamadas anónimas telefónicas, que ya hacía tiempo que habían cesado. Tuvo la certeza de que la abuela había tenido parte en aquella muerte usando sus poderes. Sintiendo ganas de vomitar y vergüenza, dejó que un fuerte impulso la empujase y, con gran ligereza, a pesar de su voluminosa preñez, corrió por el pasillo agitando en la mano el periódico y gritando:

–¡Mamita! ¡Mamita! –La abuela salió a su encuentro–. ¡Lo hiciste tú! ¡Confiésalo! ¡Y sin decirme nada! –Comenzó a sollozar–. Habíamos quedado en que me lo dirías todo y decidiríamos entre las dos... –Y, aumentándole la rabia, comenzó a dar saltos botando como una pelota. Mamita la obligó a sentarse haciendo uso de toda su fuerza, para que no ocurriera nada con la criatura que llevaba dentro. Perico, con los ojos redondos, cogió a Perro y desapareció. Carmela continuaba lamentándose–. ¿Por qué no me lo dijiste? ¿Por qué...?

Tardó mucho en calmarse. El disgusto le había producido una gran jaqueca. Sin fuerzas, le pidió a la abuela que le contara.

–Bueno, pero no quiero que te pongas peor...

Le aseguró que ya estaba bien. Entonces la abuela, tomando asiento cerca de ella, y encendiendo uno de sus enormes puros, le dijo:

–Fue hace un año, en Navidades. Tuve una charla con Luis sobre lo que estaba ocurriendo con el teléfono. Yo estaba segura que había tenido un lío con Josefa... Por lo que tu marido me contó, y lo que yo pude averiguar, llegué a la conclusión de que era de muy mala influencia para vosotros, especialmente para ti.

Según iba hablando Mamita, se erguía sobre el asiento, cada vez más, hasta lo increíble, mientras Carmela se empequeñecía en la misma proporción. Con voz profunda y con toda la dignidad acumulada a través de su vida, afirmó:

–Actué como lo que soy... ¡una yoruba afrocubana!

–Pero... qué hiciste...

–¡Ya lo sabes! Lo que se hace en estos casos. ¡Somos seguidores de Nagos! –Acudió a la jerga de los yorubas para explicarle a Carmela–: ¡Tuve el *santo* y le eché la *salación*! Inmediatamente sentí que había quedado con el *ñeque*...y que el *embó* desarrollaría lentamente el *birongo*. ¡Lo demás tenía que suceder! Lo que me asombra es que resistiese más de un año. El *birongo* era muy fuerte y tenía que haber dado resultado en dos o tres meses… Claro que esa mujer poseía una fuerza maligna enorme… ¡enorme! ¡Qué *caraho*!

Estaba seriamente disgustada y, para olvidarse, desvió la conversación hacia la historia personal de Josefa. Ya tranquila, le contó todo lo que sabía, incluso la historia del hijo negro. Pero no dijo nada que pudiese comprometer a Luis. A la nieta no le hizo falta, pues con los ojos cerrados escuchaba y veía las escenas con todo detalle.

Concluyó la abuela:

–Puedo asegurarte que Josefa estaba metida en ritos satánicos. Me contaron que al hijo lo inmolaron en un aquelarre durante una Misa Negra que celebraron en un cementerio abandonado, y que la prostituta que hacía de acólito era ella… ¡Figúrate qué atrocidad! ¡Se bebieron la sangre del niño y comieron su corazón palpitante!

Carmela sentía como se le estremecían las entrañas ante aquella historia. Se desahogó llorando. La abuela la acariciaba, una y otra vez, hasta que se fue tranquilizando. Con la cara enrojecida, hinchada la nariz de tanto limpiarla con el pañuelo, y los ojos vidriosos, comenzó a comprender aquello que tanto repetía Mamita sobre "medir fuerzas con los yorubas", y era imposible saber si seguía lamentándose por comprender o por lo sucedido. De vez en cuando le volvía a decir que no tenía que haberlo hecho, pero, a base de insistirle Mamita en que aceptase lo sucedido, que se tranquilizase y que no se disgustase más, reposó su dolor.

Entonces Mamita Carmen, aspirando plácidamente el humo de su puro habano, dijo en tono solemne:

–Lo que tiene que ser, es.

La habitación estaba llena del agradable olor del humo. Carmela se había recostado en el sofá y estaba adormecida. "¡Estoy tan cansada! Parece como si la abuela me hubiese hipnotizado. Pero no importa… ¡Estoy tan cansada!".

-8-

Una paisana de Maruxa les traía todos los días un cántaro de leche desde El Carballo y al mismo tiempo hacía de correo. Les dio la noticia de que Maruxa era abuela, y el recado de que la esperaba con Perico la semana próxima, pues el domingo era el bautizo de la criatura y contaba con Carmela de madrina.

No hacía un mes que le había augurado con el Tarot que iba a ser abuela y ya lo era. Tenía que ir al bautizo, a pesar de que estaba en uno de los peores momentos de su vida, con aquel espectacular embarazo. Era fastidioso, pero no le quedaba más remedio, porque conociendo a Maruxa sabía que si no fuera no se lo perdonaría jamás. "¡Menuda racha estoy pasando! ¿Cambiará cuando dé a luz? –pensaba–. ¡Esto tiene que ser pasajero!, si no estoy perdida". Había adquirido la costumbre de culpar de sus frustraciones y pesares a la preñez, que en esas condiciones se le hacía todavía más pesada. Pero por las noches era peor, al no tener a Luis a su lado para compartir sus agrandados problemas. Aquella soledad, que tantas veces había maldecido, todo lo agravaba.

Además, tenía que llevar a Perico, lo había dejado claro la lechera. Añadió que Maruxa había cogido unos días de permiso porque contaba que se quedasen algún tiempo. "Ya veremos. Yo estoy bastante condicionada", le había comentado. Se veía a simple vista. De todos sus problemas el peor era Perico, que no quería ir sin llevar a Perro, y eso no estaba dispuesta a consentirlo, pues le llegaba bien arrastrar su incómodo estado, cargar con la maleta y tirar del niño. No iba a ceder.

Estaba preparando las cosas y seleccionando las más imprescindibles cuando reflexionó sobre el "no ceder" que había convertido en una de las constantes de su vida. Tenía que reconocer que no era persona que se doblegara fácilmente, que desde pequeña había sido muy obstinada, y que hasta donde le alcanzaban los recuerdos, solía salir siempre con la suya. Pero había excepciones y la más importante, incómoda y obsesionante era la de Luis. Ahí estaba su fracaso. "¿Es qué no tenemos arreglo? ¡Pues todavía no he tirado la toalla!" Indignada con estos pensamientos, se puso a llenar la maleta, pero eran demasiadas cosas. La vació y clasificó de nuevo la ropa rechazando unas cuantas prendas. Tenía que dejar todo listo antes de comer, porque se marchaban por la tarde. Mamita tenía prisa en que se fuesen para empezar unas obras en la casa. Se había empeñado en modificar la entrada al desván, y los albañiles esperaban el aviso para comenzar.

Llamaron un turismo de alquiler. Malhumorada metió a Perico dentro, dándole un empujón para que dejase el berrinche que había cogido con Perro; luego intentó meterse en el coche, lo que resultó muy difícil, consiguiéndolo a la tercera intentona y con la ayuda del chofer. Se acomodaron y, suspirando, trató de subsanar su enfado comenzando por cambiar el gesto de la cara. Aquel era un viaje corto de solo quince kilómetros por una buena carretera, la Nacional Coruña-Madrid, pero con un pavimento de adoquines que le hacían temblar el cuerpo. Rebotaba constantemente y comenzaba a preocuparse. Perico se había dormido sobre su corto regazo y, para entretenerse, se puso a pensar cosas que, por lo disparatadas, le hicieran sonreír. "¿Y si aborto al llegar al Carballo? ¿Qué cara pondría Mamita?". Cerraba los ojos y la imaginaba corriendo detrás de ella para echarle en cara el poco cuidado. De pronto ya habían llegado. Vio a lo lejos a Maruxa en la huerta. El chofer hizo sonar el claxon, Maruxa se volvió y, nada más verlos, corrió para ayudarla. "¡Qué envidia! ¡Cómo corre! ¡Quién pudiese!". Le llevó la maleta y los acomodó en una habitación del piso, con dos camas. Mientras colocaba las cosas en el armario, no paraba de hablar contando del parto de la nuera, de la criatura, del calor. Pero Carmela quería saber algo de Xan, el padre de la niña.

–Dime… –le interrumpió–, ¿marchó Xan?

–Sí. Hace dos días. Embarcó en La Coruña, ¡para la Argentina! –Rompió a llorar.

–Mira, si lloras me vas a contagiar y terminaremos como unas tontas plañideras. Si lo prefieres, no hablamos más de él.

–No pude evitarlo… ¡Lo siento! –Se sonó ruidosamente para poder continuar–: Le conseguí una documentación con nombre falso a través de un señor que trabaja en una naviera. Lo fui a despedir. Cuando se metió en la lancha para ir a aquel trasatlántico que estaba allá lejos, sentí cómo se me rompía el corazón. ¡Luego dicen que el corazón no duele! ¡Fue horrible!

–Claro que duele, de eso yo sé mucho. Es la parte del cuerpo que más duele. Dime. ¿Se casó?

–No pudo, pero dejó la niña reconocida. Prometió casarse por poder y reclamarlas si las cosas le iban bien allí.

Perico las interrumpió y, tirándole a Maruxa de la falda, le dijo:

–¡Madrina! ¡Madrina! Quiero ver a la bebecita…

Maruxa lo miró sonriente, antes de contestarle:

–¿Sí? ¡Pues vamos! –Y salieron, dejando la tristeza atrás.

La casa de la nuera estaba cerca y la encontraron amamantando a la criatura. Al terminar, permitió que Perico la acunara. Le cantaba muy bajito una nana que escuchaba siempre a Mamita.

Acompañaron a Maruxa a la *leira* a recoger hierba para las vacas y nabos para los cerdos. Carmela tuvo antojo de *xelos* para hacer un cocido de lacón y cogieron unos pocos. Perico empujaba la carretilla con aires de hombre, muy serio y haciendo exagerada ostentación de su fuerza. Por lo mucho que había ayudado, Maruxa prometió llevarlo a cazar grillos al anochecer, y no tuvo más remedio que cumplir su promesa. Llenaron una caja que dejó dejar en la *lareira* antes de acostarse, por mandato de la madre, pues pretendía meterlos debajo de la cama.

Cuando Perico se acostó se reunieron en la cocina y se sentaron alrededor del fuego. Calientes y relajadas conversaron durante horas, mientras que en la olla se cocía el lacón para la comida del día siguiente. Recordaron muchas cosas. Rieron y contaron chistes cada vez más picantes hasta llegar a los verdes. Y terminaron llorando de risa. Había resultado una agradable velada. Quedó dormida con una sonrisa en los labios, y al despertar, aun entre sueños, escuchó con placer el canto de los jilgueros con la sensación de encontrarse en el paraíso. Le costó mucho trabajo abrir los ojos. La luz del sol que entraba por las rendijas de las contras la cegaba. Tuvo que levantarse en un arranque contra la lasitud que la estaba envolviendo.

En la cocina le esperaba un cántaro de leche recién ordeñada, todavía caliente, y una humeante borona. "¡Qué maravilla! ¡Cuánto tiempo desde el último desayuno en esta casa!". Se sentó a disfrutarlo.

Maruxa había salido y pensó esperarla en la huerta cogiendo flores. La primavera de marzo estaba en su apogeo, y la variedad que tenía ante su vista la hizo dudar entre las camelias, cinamomos o azaleas. Se decidió por todas. Con un gran ramo en el cesto, cansada por el esfuerzo, se sentó en un banco cerca de un sauce que la resguardaba del sol. Se sentía feliz. Había estado allí unos años antes y se preguntaba cómo había podido olvidarse de aquello. Comprendía que Maruxa fuera tan alegre a pesar de las penas. Se recreaba en la idea de Dios descansando su mano sobre esta tierra para que surgieran las rías coruñesas. Pero antes, cuando había hecho nacer a Adán y Eva, con seguridad los había puesto en El Carballo. Y uno de aquellos manzanos en flor era el de la fruta del Bien y del Mal…

Maruxa se acercó con un cesto colmado de fresas; se sentó a su lado:

–¿Quieres?

–Me gustaría. ¡Qué color más bonito tienen! Pero... Mamita me las prohibió. Dijo que nacería la criatura con manchas, ya sabes.

–Sí... Eso dicen las viejas también por aquí. ¡Pero yo no lo creo! Entonces tampoco podríamos comer carne de vaca... ¡nacerían los niños con cuernos! ¡Ja!

Se rieron con fuerza. Carmela le preguntó:

–¿A qué hora es el bautizo?

–A las cinco. Tú tienes que decidir el nombre. ¡Me lo encargó Xan!

–La madre me dijo que le gustaba el de Xana. Yo estoy de acuerdo, pero falta saber lo que piensa el padrino.

–¡Ah! Pues mira... El padrino es un socialista que quería que fuese niño para ponerle Pablo. Como es niña, está empeñado en que tiene que llamarse Pabla... ¿No te fastidia?

–¿Es broma?

–¡Qué va! –dijo con los brazos en jarras, muy seria, antes de romper de nuevo a reír.

Xana lució en el bautizo una mantilla bordada por Carmela y llena de puntillas palilladas por Mamita Carmen, que llamaba la atención. Pero no cesó de llorar ni un instante. Perico la acompañaba con berridos y gruesos lagrimones corriéndole por las mejillas, para terminar mezclándose con verdes y densas mucosidades que Carmela estaba empeñada en limpiar cada cinco minutos con su pañuelo. Muy enfadada, le preguntaba constantemente el motivo del llanto, y el niño contestaba una y otra vez que "le dolía mucho a Xana". Resultaba imposible callarlo y estaba desesperada, porque entre los dos armaron un dúo que molestaba incluso al cura, quien, como no podía reñir a la neófita, se desquitó con Perico, gritándole a Maruxa que lo sacase de allí.

Para Carmela fue una jornada agotadora. Por la noche estaba destrozada, con los pies inflamados y sin poder calzarse. Pensaba irse al día siguiente, pero tendría que esperar a que descansasen los pies. Maruxa insistía en que no se fuesen tan pronto, y como se encontraba muy bien allí, no tardó mucho en aceptar. Después de unos días, su aspecto había mejorado y su carácter se había dulcificado. Con gran pesar tomó la decisión de irse:

–¿Qué prisa te entró?

–Ninguna. ¿No lo entiendes? Estoy preocupada por si llama Luis a casa.

–¡Si ya sabe que estáis aquí!

–Sí, sí… Lo que ocurre es que le dije que estaríamos unos dos o tres días, y se va a preocupar.

–¡Pues que se preocupe un poco, joder! Mira, Carmela, Luis debería estar en La Coruña contigo y no por ahí sabe Dios con quién…

–Bueno, yo… Tengo en cuenta lo que dice él, que sus obligaciones no se lo permiten.

–Te voy a ser franca, Carmela… Aprecio mucho a Luis… ¡pero mucho más a ti! Por eso te digo que no debiste casarte con él si ibais a vivir separados. ¿Me comprendes? Yo no te veo feliz, ni mucho menos.

–Yo también te voy a ser franca. –Irguió todo lo que pudo la barbilla para decir–: Creo que tienes razón y que es cierto que no soy feliz. Me siento demasiado sola y me desespero. Pero… ¡entiéndeme bien! Yo sé que no puedo vivir sin Luis y agarro lo que puedo.

–Que es muy poco, por cierto. ¡En fin! Cuando nazca la criatura te sentirás mejor, menos deprimida.

–¡Cuándo nazca! –Se puso nerviosa e hizo esfuerzos para controlarse. Dijo, con énfasis–: ¿Sabes qué puede esperarnos en este país? ¡Yo no!, pero me temo lo peor. Vivo en medio de cuarteles, con militares por todas partes. ¡Bueno!, pues desde casa veo cosas muy raras. ¡Hay mucho movimiento! Y lo peor del caso es que yo pienso que… ¡todo lo malo que ocurra es por culpa de los socialistas! ¡Ya sé, ya sé! Vas a decirme que estoy muy condicionada por mi vida privada…

–Yo no lo digo, lo dices tú. Yo lo único que digo es que lo de los cuarteles no es de extrañar. ¡Y es que las cosas nunca se hicieron bien! Está visto que a los militares siempre se les trató con guante blanco y se les consintió todo. ¡Al general Sanjurjo, cuando se sublevó contra la República, tenían que haberlo fusilarlo! ¡Pero no! Y ahora los militares piensan que se puede conspirar impunemente. ¡Claro! ¿No ves? Y los socialistas… Ya sabes que pienso igual que tú, pero discrepo un poco –levantó el dedo índice y lo batió en el aire–. ¡Los verdaderos culpables son los de la C.N.T.! ¡Unos pistoleros anarquistas! ¡Decidieron los resultados electorales solo con su acción u omisión! ¡Menos mal que después de los batacazos empiezan a recobrar el sentido de la responsabilidad!, si es que alguna vez lo tuvieron.

–La verdad es que todo esto… me quita el sueño. ¡Me preocupo demasiado! Si no fuese por Luis, creo que convencería a Mamita para que nos marchásemos del país.

–¿A Cuba? –preguntó, sorprendida, Maruxa.

–A cualquier sitio… A Cuba, ¡sí! ¿Por qué no?

–¡No es posible! Te conozco, y tú no eres de las personas que escapan a los problemas. ¿Me equivoco acaso?

–No. Me conoces bien.

Regresaron a La Coruña con muy buen color. Carmela ya sabía en donde podía encontrar la serenidad.

Mamita tenía terminada la obra. Había tapiado la entrada al desván desde la escalera y abierto su acceso desde dentro del piso, a través de la pared del comedor, por medio de una pequeña puerta que quedaba oculta parcialmente. Estuvo todo pintado y terminado en el tiempo previsto, y ahora para ir al desván no era necesario salir de casa. La abuela le insistió mucho en que no dijese nada a Perico, porque iba a ser una entrada secreta con objeto de que los alimentos estuviesen bien guardados mientras durase la crisis, porque, según decía, habría mucha escasez y mucha más rapiña. Y no quería que nadie lo supiese. Quizás, pensaba ella, fuera para prevenirse y guardarse de ladrones, o quizás Mamita se pasaba de los límites razonables con su excesivo celo. Decidió achacarlo a la mucha edad que debía tener, a pesar de que Mamita Carmen jamás hablaba de sus años. Lo cierto era que gozaba de longevidad y, como la abuela solía decir en broma, había que dispensarla de decir la edad, porque no pensaba llegar a anciana y lo único que permitiría y aceptaría sería lo de peinar canas. Temiéndose que lo del desván fuese una chochera, la observaba para ver si ya arrastraba los pies. "Aunque fuese una matusalena jamás lo admitiría, pero en algo le tendría que fallar el sentido". Cuantas más vueltas le daba al asunto, menos lo entendía. "Que piense en escasez es normal, pero tenemos suficiente dinero para pagar el precio. A no ser que se volviese de repente usurera, cosa improbable dada su generosidad". Sólo con pensar que se pusiese senil, Carmela se estremecía de pena.

–¡Allá ella y sus manías! –terminó diciendo, en voz alta.

Pero esta era una de las más inútiles, a su modo de ver.

II

-1-

–¡Virgen del Cobre! –exclamó Mamita Carmen al entrar en la habitación, desde el dintel de la puerta, paralizada por el susto.

Carmela ofrecía un espectáculo inesperado. Estaba encima de la cama con la ropa encharcada por el sudor y pegada al cuerpo como si se trátese de una segunda piel. Se agarraba con las dos manos fuertemente a los barrotes de la cabecera y dando desgarradores alaridos se retorcía. Acusaba el esfuerzo con una respiración agitada y entrecortada. Mamita, nada más verla, comprendió que estaba en pleno parto y que los dolores de dilatación ya habían pasado. Reaccionó inmediatamente. Lo primero fue separarle bien las piernas y ponerla en posición de parir, porque el parto estaba en marcha y no había tiempo para avisar a nadie. Resolvió, con increíble velocidad, todo. Carmela sólo se ocupaba de reunir fuerzas para empujar durante aquellos fuertes dolores que ya eran continuos. Lo estaba pasando peor que la primera vez, y según le habían dicho todo iba a ser más fácil. Así que no lo esperaba.

–¿Pero qué ha pasado? –preguntaba la abuela continuamente, sin esperar contestación y sin cesar en el ajetreo.

Aquella mañana había salido como siempre a llevar a Perico al colegio, y de vuelta fue a hacer la compra en el mercado. Pero se había entretenido y ahora se lamentaba. Pudo entenderle que los dolores de dilatación le comenzaron nada más quedar sola, pero no le preocuparon porque todavía no había roto aguas. No esperaba nada distinto al otro, por lo tanto no se puso nerviosa. Sin creerlo, se encontró en pleno parto, hasta perder la noción de todo.

Mientras sudaba, jadeaba, gritaba y se esforzaba hasta extenuarse, Mamita hervía agua, preparaba toallas, se ponía un mandilón y hacía lo necesario para recibir a la biznieta, a la que ya había puesto nombre: Carmiña. Le colocó una palangana entre las piernas para que cayese allí la criatura, aunque lo que le hubiese gustado era que pariese al estilo de las negras, como la primera vez, en cuclillas, pero comprendía que ahora no podía ser. Lo tomó como un mal presagio y frunció el ceño disgustada. Tenía el presentimiento de que era un mensaje. "¡Perico! ¿Perico?". Lo rechazó sin más.

La criatura se veía, pero Carmela iba perdiendo fuerzas y no conseguía la expulsión. Dado el estado en que se encontraba, tenía que obrar con mucha rapidez. Cogió la afilada navaja que había estado hirviendo en agua y le hizo un corte lateral hasta la vagina para poder agarrar la criatura y sacarla del claustro materno. Fue un corte firme, manejando la navaja como si se tratase de un escalpelo. Carmiña vino al mundo. Dejó la criatura para volver a atender a la madre, que había perdido el conocimiento, y la cosió con el catgut que tenía preparado. Cuando Carmela se recobró, Mamita le puso la niña en los brazos:

–¡Mira qué hermosura!

No dijo nada, sonrió. Lo que le apetecía era descuajaringarse y quedarse dormida. En lo único que pensaba era que por fin se había terminado aquella pesadilla de parida. Despertó pasadas varias horas. Mirando la bola de manteca rosada que tenía a su lado y acariciando una de sus manos, dijo:

–¿Así que tú eres Carmiña? ¡Bienvenida a este valle de lágrimas! –comenzó a llorar al decirle: –¡Eh! ¡Mujer! ¡Ya aprenderás! Cuando te fijes en mí, sabrás lo que no debes hacer... ¡Húchocho!, ¡húchocho!

Como si se tratase de una cría de halcón a la que había que enseñar y adiestrar en el arte de la caza para perseguir y matar a la presa, repitió varias veces:

–¡Húchocho!, ¡húchocho!

Fue sumergiéndose en un sueño. Despertó al sentir en la cara el beso húmedo de Perico y lo puso a su lado con la hermana. Sintiendo el calor de sus hijos contra el cuerpo, se olvidó del llanto.

A los pocos días pudo levantarse. Con pasos cortos, encogida, y con un enorme vacío en el vientre, se fue al teléfono para intentar hablar con Luis aprovechando una de las salidas de la abuela, que no le permitía el menor esfuerzo.

Ya sabía del nacimiento de Carmiña, porque el mismo día lo había llamado Mamita para decírselo, usando las palabras que tenía preparadas en la mente desde hacía tiempo y entonándolas con aquella melosa cadencia que guardaba para los ocasiones que lo merecían: "¡Eres padre de la más hermosa criatura, de nuestra Carmiña!". No le había contestado y ella, sin darle importancia a su silencio, había continuado dándole noticias de la madre, de Perico. Ante la pregunta de si vendría al bautizo, Luis se disculpó diciendo que le era imposible. Mamita terminó encogiéndose de hombros y no comentó nada con Carmela. Se la quitó de encima diciéndole que no podía localizarlo y que, según decían en la pensión, estaba de viaje.

Cuando llegó al teléfono, tuvo que sentarse antes de llamar, porque el pequeño esfuerzo había hecho que la sangre fluyese abundante encharcando los paños higiénicos recién mudados. Estaba muy incómoda, pero hablaron. Sobre asistir al bautizo obtuvo una respuesta totalmente inesperada. No puso el trabajo como disculpa, dijo que no asistiría porque estaba enfermo y que ya conocería a la hija cuando le fuese posible. Fue notoria su prisa por terminar la conversación. Se despidió y colgó dejándola con el auricular en la mano, sin saber qué hacer. Había sido cortés y educado, demasiado, pero nada cariñoso. La dejó sorprendida y dolida, pero aguantó las ganas de volver a llamarlo para decirle lo que estaba pensando. Colgó el teléfono y, antes de moverse, gritó para desahogarse:

–¡Dios mío, qué cabrón!

Regresó a la cama mucho más lenta y encogida que antes. La sensación de vacío había avanzado y le llegaba al corazón. El frío lo tenía metido en los huesos y se acostó con la bata puesta. Cuando llegó Mamita, llamó al médico porque la encontró con una hemorragia. Tuvieron que ponerle una inyección para cortársela. Ella no contó cual había sido el motivo.

Se le retiró la leche y a Carmiña la criaron con biberón. Aunque muy pronto pudo reconocer las ventajas que suponía y lo bien que le sentaba, nunca podría perdonarle a Luis el haber sido el causante, y lo culpaba con dureza y amargura. En aquel momento, para ella, Luis era un hombre con dos caras; su intuición le decía que estaba siendo traicionada. Se acordaba de Maruxa, de cuando había comentado que le dolía el corazón por despedirse de Xan, y recordaba su contestación sobre lo mucho que sabía ella de esos dolores. Pero el cuerpo humano era la cosa más extraña. Cuando parece que no es posible aguantar más porque te morirías, va y lo aguanta, y no te mueres… Cuando hablaba sobre el tema con la abuela, esta le repetía incansable lo mismo:

–¡Niña! ¡Qué *caraho*! Pide a Dios que no te mande todo lo que el cuerpo puede aguantar.

Desde principios de abril no había cesado de llover con aquel *orballo* menudo, continuo y denso, que conseguía colorear todo de gris oscuro, humedeciendo hasta la médula de los huesos. Podía llegar a cubrir el cielo durante días y semanas sin dejar pasar un rayo de sol. Carmela miraba a través de los empañados cristales y ni siquiera podía ver la Plaza de Azcárraga. "Luego dicen que los gallegos somos melancólicos y con tendencias al suicidio. ¡Hay que vivir un *orballo* así, con ausencia total de viento, para comprendernos!". Hacía días que estaba con la depresión post-parto, lo que acentuaba mucho más su modo de ver las cosas y de sufrirlas.

–Mamita... –comentaba–, siempre ocurre igual. Cuando estás en los peores momentos de tu vida y necesitas luz, sol y... calor de Dios para sobrevivir, viene la lluvia para fastidiarte más.

–Yo lo veo de otra forma. Dios nos acompaña en nuestros sufrimientos. La lluvia son sus lágrimas.

Quedó sorprendida con la hermosa metáfora de la abuela e intentó profundizar en ella: "¿Y si es así? ¿Y si es el estado de ánimo el que clama al cielo para complacerse con el *orballo*? Entonces la luz del sol, la lluvia, el *orballo* y... ¡el universo entero! se moverían por algo así como... ¡como la magia! La magia que perdura a través de los siglos. Sería la magia de las personas, de lo finito". Comenzó así y terminó especulando con sus creencias supersticiosas basadas en el espiritismo. Se había replegado en sí misma y nada lograba distraerla. Pasaba de todo y de todos. De Carmiña, que le daba la impresión de significar el principio de su fin, al haber cumplido la misión de su vida trayéndola al mundo; de Mamita Carmen, que desde siempre la había condicionado con la historia de los yorubas; de Perico, al que culpaba por haber nacido cuando le correspondía a Carmiña; de Luis, para el que sólo significaba lo de "santa esposa madre de sus hijos", y que además le proporcionaba el veraneo en la Ciudad de Cristal, que era la última moda en Madrid. Ni siquiera se salvaba Perro, al que culpaba de imitar todos sus estados de ánimo y depresiones poniéndose ostentosamente delante para que ella se viese como en un espejo. "¡Abracadabra!, ¡abracadabra! ¡abracadabra!" Repetía para sí, como si quisiese curar sus males de espíritu.

–Va a cambiar el tiempo –dijo Mamita en voz alta, sin esperar que la escuchase nadie.

Estaba sentada en la mecedora fumando un puro y mirando a través de los cristales de la galería mientras oía a Carmela tocar el piano. Hasta ella llegaba el sonido de la más triste de todas las melodías imaginables, la expresión emocional de los cánticos religiosos de los negros afrocubanos de origen bantú. Estaba improvisando, pero se trataba de una referencia clara a un canto mortuorio de una mujer por su marido. Repetía. Repetía incansable el ritmo, la duración, el tono, el timbre. Terminaban mezclándose entre sí con placer del oído, en una nostálgica cadencia. Y lo repetía una y otra vez hasta intensificarlo. Arrastraba los sentidos. Mamita se dejaba llevar y marcaba el ritmo con los pies, luego con la cabeza y más tarde se levantó para poder llevarlo con todo el cuerpo acompañándolo de palmadas y tarareos. Palmadas lentas-fuertes, lentas-suaves, fuertes, suaves… Aquel placer llegaba a ser tan intenso que la envolvía, la ataba, la arrastraba y transportaba a un mundo que había abandonado por amor hacía muchos años. Notaba el daño que le estaba haciendo aquella excesiva sensualidad.

–¡*Caraho*!

Intentó sobreponerse a la realidad del sufrimiento de Carmela, tan intenso como para poder interpretar de aquella forma y con tanto sentimiento. Consciente del dramatismo interior de la nieta, corrió a cerrarle el piano. La encontró sumida en silencioso llanto.

Dos días después cesó la lluvia. El cielo estaba transparente y el sol brillaba desde muy temprano calentando el aire e iluminándolo todo. A Carmela le cambió el humor y le apetecía hacer cosas… Arreglarse, salir, comprarse ropa moderna, reír, contar chistes. Con un día soleado todo se veía distinto, y las personas sacaban lo positivo que llevaban dentro del corazón. Las alegrías eran más fuertes y los disgustos menos disgustos. Ahora no podía comprender su enfado con Luis y lo consideraba desmesurado, porque admitía su defecto de desquiciarse y no razonar lo suficiente. Se repetía que no tenía ningún indicio que la llevase a sospechar del marido, sólo presentimientos y posiblemente producidos por su estado. Incluso se acusaba por no haberlo vuelto a llamar para preguntarle por su salud. Estaba arrepentida y se encontraba mal. Mamita siempre le había dicho que con un carácter tan intransigente como el suyo jamás podría hacer mundo, y que eso después pesaba mucho. Buscaba la forma de reparar aquella situación. Luis la había vuelto a llamar por teléfono, pero no quiso hablar con él por lo dolida que se encontraba por no haber podido celebrar el bautizo de Carmiña, pues sin el padre no hubo fiesta.

Le surgió una idea y decidió llevarla a la práctica:

–¡Mamita! ¡Me voy a Madrid a darle una sorpresa a Luis! ¿No dices nada?

–No –le respondió secamente.

La ansiedad la excitó y puso nerviosa, pero al día siguiente, pese a todo, cogió el tren. Mamita, que se había negado a hacer comentarios, quedó muy disgustada.

-2-

Viajar en tren le resultaba distraído. Hacía mucho tiempo que no salía de viaje y pensaba que ya iba siendo hora; además, esta vez lo consideraba imprescindible para mantener su estabilidad emotiva y su felicidad conyugal. Llevaba una mirada resplandeciente que le iluminaba el rostro y que armonizaba con su satisfacción interior. Estaba dispuesta a disfrutar hasta del mínimo detalle. Los hombres le decían piropos, que reafirmaban su seguridad y vanidad. Recordaba la frase de Mamita: "La mejor crema de belleza es la felicidad puesta en la mirada", y cuando en una ocasión ella le había replicado: "Sí, sí... pero ¿qué es la felicidad y dónde está?, ¿eh? ¡Ni que fuese tan sencillo!". La abuela le contestó: "Es la conformidad, y está en nuestro interior. ¡Búscala!". Pero ella era una inconformista y solía rebelarse ante las injusticias. Aunque viniesen de Dios no se resignaba. Lo malo era quedarse en eso, y reconocía que toda la fuerza se le iba por la boca, como al champán. "¿Por qué pensé en el champán y no en la gaseosa? ¡Caray! Me sale la presunción hasta en el mínimo detalle, señal de orgullo y de soberbia. ¡Justo lo que dice Mamita! Altiva, arrogante... y con una obstinación que me lleva a casar con mis propias ideas. En fin... ¡un encanto!".

El tren se aproximaba a Madrid, y según disminuía la distancia también lo hacía el buen humor y aumentaban los temores. "Pero... ¿de qué tengo miedo?". No lo sabía, y no encontraba explicación lógica a aquel sentimiento absurdo. Quizás algo que flotaba en el seco aire de la Meseta hacía que se encogiese cada vez más y que el viaje, que había surgido como una idea luminosa, de pronto careciese de sentido y pareciese incluso inoportuno. Le pasó por la mente regresar sin ver a Luis, porque tenía la sensación más desagradable de su vida. Al pisar la estación estaba completamente arrepentida y avergonzada por su decisión. Cuando subía las escaleras de la pensión, se encontraba aterrorizada. "¿Qué me ha pasado?", se preguntaba mientras pulsaba el timbre. Abrió una doncella uniformada:

–Quisiera ver a don Luis Quiroga. –No podía reconocer su propia voz.

–No ha llegado todavía, pero está la señora. ¿Se la aviso?

–¿Qué…?

–Que si quiere hablar con la señora.

–¿De qué señora me habla? –le temblaban las rodillas.

–De la señora de don Luis Quiroga.

Tuvo que hacer un gran esfuerzo para no caerse al suelo y para que aquella mujer no le notase la sorpresa. Se irguió todo lo que pudo, levantó el mentón y dijo con la mejor de sus sonrisas:

–¡No, por Dios! ¡No la moleste! Es algo… personal, ¿me entiende? –Cogiendo su bolso de viaje del suelo, añadió–: Me pondré en contacto con él por teléfono.

–¿Sabe el número?

–Sí, muchas gracias.

Se agarró fuertemente del pasamano para bajar con lentitud las escaleras.

Tuvo que mirar por la ventanilla el letrero de aquella estación para saber dónde se encontraba. La gente del vagón decía que llevaban mucho retraso por culpa de algo que había ocurrido en Monforte. A ella le daba lo mismo estar en el Norte que en el Sur, en Barcelona que en Oviedo. Podía pasar el resto de su vida metida en el tren sin llegar a ninguna parte. El tiempo carecía de sentido. Era como si le hubiesen cerrado los ojos, los oídos, la boca y la mente. Viajaba con la mente en blanco. Escuchaba hablar... Alguien decía que estaban en Cambre y que en media hora, o poco más, llegarían a La Coruña. Comenzó a temblar imaginando su calvario cuando tuviese a Mamita Carmen delante, preguntándole. Tenía que reunir el suficiente valor para contarle todo y no sabía de dónde sacarlo.

La esperaba a pesar de que no la había avisado. "¡Dios mío! ¡Cuánta sabiduría tiene la abuela!". Carmela no podía mirarle a los ojos. Estaba en la mecedora fumando su puro habano y, sin levantarse, le preguntó:

–¿Me lo vas a contar ahora o más adelante?

–Más adelante. Estoy muy cansada y me voy a acostar.

Salió corriendo, atropelladamente, tropezando con todo, porque las lágrimas le nublaban la vista. Se encerró en su habitación sin ver a nadie. Pensaba que mañana sería otro día y que incluso podría lucir el sol para que secase sus mejillas...

Había recibido el golpe más bajo de su vida y estaba convencida de que el disgusto la llevaría a la muerte. Necesitó diez días para superarlo. Por más esfuerzos que hacía para recordar qué había hecho en Madrid durante las horas que siguieron a la visita, no conseguía saberlo, y tenía la impresión de que jamás lo averiguaría. Estaba convencida de que su mente le había jugado una mala pasada, aunque era posible que fuese lo mejor en aquellas circunstancias.

El proceso fue largo y penoso. Se había desahogado en solitario sobre la almohada y al quedar sin lágrimas pudo contárselo a Mamita, sintiéndose muy aliviada al contar con otro para llevar la carga. Pero sucumbió a la tristeza. Más tarde fue presa de la rabia, que le produjo más dolor, más impaciencia y más enojo, llegando a ponerse airada y violenta... Después comenzó su conformismo, llegando a resignarse. Y durante todo ese tiempo hizo acopio de fuerzas para poder enfrentarse al problema con sensatez. Llegó a discurrir sobre su matrimonio con tanta frialdad que asustó a Mamita Carmen. Pero, en conclusión, Luis era el padre de sus hijos y estaba dispuesta a luchar y a exigir el derecho de los niños a tenerlo y disfrutarlo. No ignoraba que esto tenía un precio y estaba decidida a pagarlo, una vez que se convenció que no había pasado nada que ella no pudiese soportar mientras viviese. Finalmente consiguió dormir. Lo llamó por teléfono, hablaron y no le hizo ningún comentario. Decidió que todo había sido un mal sueño y que debía permanecer en secreto. Le dio un abrazo a Mamita, que lo estaba esperando desde hacía días:

–Gracias, Mamita, por tus consejos.

A la abuela le rodaron lágrimas por las mejillas sin dejar de sonreírle.

En aquel momento Carmela tuvo en la mente el recuerdo de su hermana Charo. Aquel mensaje que le había enviado en el sueño antes de casarse, lo había descifrado: bigamia.

-3-

–Tengo la intención de volver a trabajar –dijo Carmela, de pronto.

Tere casi se atraganta con la galleta que estaba mordisqueando y rompió a toser. Carmela se levantó para golpearle la espalda hasta que cesó la tos y entonces Tere se apresuró a preguntarle:

–¿Lo dices en serio? ¡Yo sabía que algo te estaba ocurriendo! ¿Me lo cuentas?

–Pues nada Que estoy pasando una crisis matrimonial y necesito distraerme. –Le guiñó un ojo–. Lo que te imaginabas, ¿no?

–¿Es grave?

–Sí… Sí que lo es…

Tere se revolvía en el asiento, inquieta y preocupada.

Quiso quitarle importancia a la afirmación:

–Me explico… ¡Es muy grave!, pero a mí no me da la gana que lo sea. Significaría el fin de mi matrimonio. ¿Qué digo?, ¡si mi matrimonio ya no existe! No, mira, sería el fin de mi estatus… ¡Hay unos hijos! ¿Me entiendes? Tengo que hacer lo imposible para salvar la familia. Además… pienso darle a Luis otra oportunidad, a ver qué ocurre.

Mostraba el convencimiento que le había dado la meditación. Tere estaba sorprendida, pero, comprendiendo que era doloroso, y para no machacar la herida, no quiso preguntarle. Esperaría que se lo dijese cuando considerase oportuno. A pesar del riesgo de decepcionarla, preguntó:

–¿Cuantas oportunidades le darás?
–Todas las que sean necesarias y soporte mi dignidad. Supongo que habrá un límite, pero no puedo decir donde está. Pienso que eso depende de mi capacidad de aguante.
–¡Venga!, que yo conozco tu aguante.
–Está bien. ¡Está bien! Tú ya sabes el fondo de mi problema. ¡Soy consciente de que no puedo vivir sin Luis y no renuncio fácilmente! Para sobrevivir necesito rechazar muchas cosas. ¡Ya sabes!
Tere dijo, indignada:
–Y ahora vas y dices que no puedes vivir sin Luis. ¡Pero si estás viviendo sin él desde que te casaste!
–¡Ya lo sé! Me equivoqué al plantear mi vida. ¿Qué puedo hacer?
–Irte a vivir a Madrid con tu marido, por ejemplo.
–¡Imposible!, y tú lo sabes. La última voluntad de mi abuelo Pedro fue que lo enterraran en San Amaro. Mamita trajo sus cenizas desde La Habana y…
–Y no quiere separarse de su marido ni viva ni muerta. Y tú no la dejarías sola jamás.
–¡Eso es!
–Entonces, ¡no debiste de casarte con alguien como Luis!
–¡Ya! ¡Qué fácil! Tere… ¡me enamoré!
–¡Cierto! ¿Es que no lo entiendes? ¡Perteneces a la cofradía de las sufridoras! A sufrir como toda hija de vecino.
–Es lo que hago.
Continuaron en silencio. Tere encendió un pitillo y saboreó el humo, pensativa. Se levantó a mirar por los cristales y le dijo:
–Contó Gumersindo que la casa Berkel de máquinas de pesar… ¡Ya sabes!, la que vende esas básculas tan modernas, tuvo que mandar el personal más cualificado para una sucursal de Portugal y necesitan gente competente y de confianza.
Carmela puso cara de estupor:

–¿Pero no son los que están organizando la Central Obrera Nacional Sindicalista?

Tere se apresuró a hacerle un gesto con la mano:

–¡Para! Coordinan las Centrales por pueblos y aldeas. Pero no se trata de eso, no. Te hablo de que necesitan gente competente para la oficina de Payo Gómez. ¡Profesionales! Mira, tú lo piensas, y si te interesa le digo a Sindo que hable con don Ignacio, que es el gerente. El puesto es tuyo, si lo quieres.

–Déjame aclarar las ideas. ¿Acaso me estás hablando de que me afilie a Falange Española?

–No. Eso no sería necesario, por supuesto.

–Lo primero que se me ocurre es recordarte que Luis es socialista y… ¿Te das cuenta de lo que diría cuando lo supiese?

Tere sonrió maliciosa:

–Yo sí. ¿Y tú?

–Bueno… –Intentó reírse, pero no pudo–. ¡Me parece que no hace falta ser muy lista para imaginárselo! En medio de todo, ¡no deja de ser gracioso!

Increíblemente, le seguían ocurriendo cosas. Carmela no dijo que no y prometió pensarlo con calma.

Carmiña se criaba sin molestar a nadie, porque era tranquila y despedía tanta placidez que sólo con permanecer a su lado Carmela sentía como la calma invadía su espíritu y lo convertía en un remanso. Con Carmiña no necesitaba estar nadie, porque no le molestaban los ruidos, devoraba los biberones y dormía seguido. Lo ideal para la madre, que no quería ni recordar el olor a quesería rancia que tuvo en su cuerpo durante toda la lactancia de Perico. ¡No encontraba forma de quitárselo! "Y luego dicen del biberón… ¡Una maravilla de limpio!", repetía. Había sufrido mucho con aquel horrible olor porque siempre había tenido un olfato exageradamente fino, y aseguraba que si tuviesen que darle tortura lo mejor sería ponerle un hedor en la nariz. Cuando llegaba la época de las castañas asadas, que tanto le gustaban, era capaz de seguir su rastro como si fuese un sabueso.

Quien se ocupaba realmente de Carmiña era Mamita, absorbida por la tarea de criarla lo mejor posible. Que estuviese rodeada por un ambiente afectuoso, era para ella lo más importante. La idea de que se sintiese feliz para luego llegar a serlo, era la que usaba para coartarles la voluntad e inducirlos a que no la contrariasen, alegando que ya vendría el momento de educarla y que, para entonces, ya dejaría de ser exigente. Consiguió que todos sintiesen la necesidad de mostrarle a la niña su afecto.

Cada vez que Carmela pensaba sobre esto, comprendía la dificultad que tendría para ella. Percibía como Mamita conseguía moverles a todos la voluntad. A Luis ya le tardaba venir a conocer a su hija, se le notaba la sinceridad y la impaciencia. Perico, a pesar de estar consumido por los celos, lo primero que hacía al llegar del colegio era darle el biberón. Hasta Perro quería lamerle las manos constantemente. Carmiña, muy complacida, tomaba lo que le daban, pero exigiendo lo que ya consideraba suyo, con terquedad. Y fue aumentando su obstinación para conseguir lo que quería, porque notaba que estaban a su alrededor para hacerla feliz. A la madre no se le escapaba que se estaban haciendo felices a sí mismos. Pero comenzó a preocuparse cuando vio en un sueño el rostro de su hija convertido en adulta que la miraba retadora. Al despertar tuvo que frotarse los ojos para volver a ver aquel hermoso bebé que dormía a su lado en la cuna. Su felicidad comenzó a empañarse, presintiendo que aquella hija les daría muchos disgustos como no pusiesen freno a tanto capricho. Cada vez estaba más convencida de que la estaban malcriando, y habló con la abuela:

–No sé... Es como si quisiera reprocharme algo –dijo después de contarle el sueño–. No lo entiendo.

–¡Ay, qué *caraho*! Tonterías...

Pasaron bastantes días hasta que consiguió olvidar aquella mirada. Después dejó de pensar en ella y el sueño no se volvió a repetir.

La Casa Berkel tenía las oficinas en un bajo de la calle Payo Gómez, donde también exponía los últimos modelos de básculas alemanas que funcionaban con muelles. El gerente viajaba mucho y Carmela tuvo que esperar su regreso para entrevistarse con él. Fue muy recomendada por Gumersindo, quien le aseguró que no tendría problemas para conseguir el empleo, pero ella lo dudaba porque no estaba dispuesta a mezclarse en asuntos políticos. Se imaginaba el disgusto de su marido cuando se enterase que trabajaba con gente a la que se nombraba como nido de la masonería relacionada con Falange Española, y también sabía que iba a herir su orgullo. Pero por mucho que lo decepcionase e hiriese, no podría compararse con lo que a ella le había hecho pasar. Carmela no se amargaba con estas minucias, porque no se trataba de un reto, si acaso era la única forma decente que tenía para molestarlo un poco. Quizás no era ni eso. Lo definía como un impulso surgido de una necesidad de evasión, con el que pretendía demostrar que en sus decisiones personales él estaba al margen, tal como a la inversa, y nadie debería lamentarse. Por otro lado, Gumersindo le había asegurado que allí sólo llevaría la contabilidad de la empresa.

Si necesitaban una persona competente, llevaba muy buenas referencias de la Casa Underwood, y si buscaban otra cosa, no la encontrarían dispuesta. Fue a la entrevista siguiendo el consejo de Mamita Carmen: bien erguida.

No tuvo dificultades para conseguir el empleo. El gerente era una persona sorprendente por lo afable, con una mirada inteligente y de los que dan mucha importancia al primer golpe de vista, acostumbrado a no equivocarse. La estudió durante unos instantes y ella tuvo la impresión de que ya la conocía perfectamente.

Comenzó el trabajo haciendo solo media jornada y disponiendo de las tardes libres. Como no había ningún misterio, se lo contó a Luis, omitiendo lo que se rumoreaba por la ciudad sobre contactos masónico-políticos de la empresa, porque no le constaba que fuese cierto.

Luis quedó sorprendido y no hizo ningún comentario. Carmela, al percibir su enfado, se decidió a nombrar la palabra "dinero", porque hacía bastantes meses que no le enviaba nada, alegando dificultades financieras de los periódicos, y ella nunca se lo había reclamado. Pensaba que había otras cosas mucho más importantes que pedir dinero, y por eso no lo había hecho. Cuando se lo dijo, Luis calló, porque tenía que callar.

La que clamó al cielo fue Maruxa cuando le contó del empleo. Dejó claro que aquella metedura de pata no iba a interferir en la amistad que las unía, pero desde entonces ya no le volvió a hablar de política con la espontaneidad de siempre, y esquivaba el tema comentando asuntos familiares y domésticos, lo que a las dos les resultaba fastidioso. Parecía imposible, dada su íntima amistad, que durase aquella situación, y no tardaron en resolverla.

El día de la Virgen del Carmen celebraron su onomástica las tres Carmenes de la casa, dando una fiesta a la que asistieron las mujeres de la familia con sus hijos y las amigas, pero ningún hombre, aunque mandaron sus disculpas. Carmela comenzó a preocuparse cuando echó en falta a Maruxa, que no la había avisado que no vendría. Tampoco Luis llamó para felicitarlas. Se trataba de un viejo hábito al que no podía acostumbrarse, y sin embargo miraba el teléfono distraída, esperando que sonase. El ambiente estaba enrarecido, pero no quería que se malograse la fiesta y se perdiese el humor, por lo que se esmeró al servir la merienda mostrando la mejor sonrisa posible.

Brindaron y tocó al piano la "Salve Marinera". La cantaron todos, pero sus voces apenas se oían.

–¡Poner más alegría! –animaba Carmela–. ¿Qué os pasa? ¡Claro! ¡Faltan los hombres! Y las mujeres sin ellos no somos nada.

Escucharon el alboroto que hacían las sirenas de los barcos del puerto en el saludo a la Virgen que paseaban sobre una gabarra para bendecir las aguas, y decidieron salir con los niños a ver la procesión.

Por la noche estaba muy cansada y lo único que le apetecía era estirarse hacia atrás en movimientos continuos para aliviar su espalda. Mamita le mandó que se acostase y quedó dormida inmediatamente. El subconsciente le proporcionó una de sus grandes pesadillas, con imágenes desgarradoras acompañadas de gritos y llantos de niños a los que buscaba y no encontraba. Eso la angustiaba más. La calle estaba llena de cadáveres y caminaba haciendo grandes esfuerzos para no pisarlos. Los miembros mutilados estaban amontonados. Brazos con las manos abiertas que se movían para pedirle ayuda y agarrarle la falda. Y piernas… Carmela gritaba con todas sus fuerzas al Cielo, pidiendo piedad. En medio de aquel apocalipsis, escuchó una voz clara que decía: "Los cementerios están llenos. Ya no hay donde enterrarlos. No hay más tierra".

Pudo ver la cara de un anciano mutilado que estaba en el suelo a sus pies, y quedó horrorizada al reconocerlo. Agarrándose la cabeza con las manos, lanzó un grito desgarrador que la despertó. Sentada en la cama, con los ojos abiertos, siguió gritando con todas sus fuerzas. Mamita le dio una fuerte bofetada y, asombrada, se calló. Perico estaba en la puerta, llorando en silencio, con Perro a su lado encorvado y con el rabo entre las patas. Carmela vio movilizarse el escenario de repente: Perico se subió a la cama para darle un abrazo, Perro movió contento el rabo, y Mamita le tomó el pulso.

Quería hablar, pero se había quedado sin voz y no consiguió articular palabra. Lo siguió intentando hasta que Mamita le dijo:

–¡Silencio! ¡No digas nada!

Perico quiso dormir con ella en su cama. Y Perro se echó a sus pies.

-4-

Mamita Carmen había escuchado por la radio la noticia del asesinato de Calvo Sotelo, y más adelante los comentarios que había suscitado en la Diputación Permanente de las Cortes la intervención del representante de la C.E.D.A., José María Gil Robles, así como las reacciones que había promovido en algunos de sus conocidos. Además, Gumersindo había salido disparado para Madrid y el jefe de Carmela había dejado de ir a la oficina y nadie conocía su paradero.

Desde entonces siguió con todo detalle los acontecimientos. Cuando supo del Alzamiento en Marruecos, se negó a abandonar la galería desde donde veía la Plaza de la Constitución con el Palacio de Capitanía, y desde donde podía observar los movimientos de los militares, asegurando que estaba ante una base de operaciones con la tropa velando las armas. Permanecía tras los cristales día y noche, observando como todo parecía dispuesto para recibir las órdenes.

Una noche le llamaron la atención las entradas y salidas de militares de alta graduación en Capitanía. Pensó que estaban reunidas demasiadas estrellas y tuvo la sospecha de que estaba próximo el momento de la temida sublevación. Los vehículos llevaban y traían mandos de un lado para otro metiendo mucho ruido. Apareció Carmela atraída por la algarabía y se puso a mirar. Desde otras ventanas próximas también lo hacían. Cansadas, pero sin sueño, prepararon café para desayunar, y mientras lo hacían pusieron la radio. Escucharon en silencio llenas de malos presagios, cuando un locutor nervioso y tartamudeante dio la noticia de un levantamiento militar por todo el país y habló, a continuación, de la lucha armada contra la insurrección.

–¡Era visto! –exclamó Mamita.

Aguardaron muy tensas a que el locutor diese más noticias. Se enteraron que el Gobierno no tenía control sobre el país, y que en algunas ciudades el poder estaba en manos de las organizaciones del Frente Popular. Carmela apretaba con ambas manos la taza de café caliente y miraba a Mamita sin pestañear. Le preguntó:

–¿Es… la guerra?

Le iba a contestar cuando llamó de nuevo su atención la radio con noticias de Madrid, y escucharon expectantes. Hablaba otro locutor y decía que en la capital se habían sublevado varios cuarteles y estaban siendo atacados por un furioso pueblo que, usando toda clase de armas, y ayudados por la aviación, era fiel a la República. Se enteraron que los falangistas se habían unido a los sublevados, y que la multitud quemaba iglesias y toda clase de edificios religiosos.

–¡Ay, qué *caraho*! ¡Siempre con los curas a vueltas! –protestó la abuela.

–¡España está levantada en armas! ¡Estamos en una guerra civil! –gritó el primer locutor, muy angustiado.

Mamita no quiso escuchar más y apagó la radio. Rompieron a llorar, sintiendo la angustia de la impotencia. Carmela recordó sus premoniciones. Todas sus pesadillas estaban formando parte del presente. Un escalofrío le recorrió por tres veces seguidas el cuerpo y, víctima de un incontrolado y fuerte castañeteo de dientes, volvió a conectar el aparato de radio.

–¿Qué…? ¿Tenía yo razón cuando insistía en que los militares preparaban algo? –dijo Mamita Carmen mientras le ponía un mantón por los hombros–. ¡Qué *caraho*! ¡Deja de temblar! Hoy no se debe salir a la calle. Quizás no podamos salir en varios días.

La radio local las puso en medio de la acción, haciéndoles ver lo que ocurría en la ciudad: El edificio del Gobierno Civil defendiéndose con fuego de ametralladoras, la Avenida de la Marina llena de barricadas… No pudieron soportarlo y Mamita volvió a apagar la radio.

Con intención de no pensar en lo que estaba ocurriendo, se pusieron a hacer cosas por la casa. Fregaron y volvieron a fregar lo mismo varías veces; barrieron… una delante y la otra detrás, pero olvidaron recoger el polvo. Vaciaron los armarios para ordenarlos de nuevo. A Perico le dijeron que no había colegio.

–¿Por qué?

–Porque tenemos que rezar mucho por los hombres que están luchando –respondió Carmela, dispuesta a darle explicaciones.

–¿Por qué? –insistió Perico.

No pudo contener los nervios y le contestó airada:

–¡Porque lo digo yo!

Perico pareció entenderlo y se calló. Se acercaba a mirar por los cristales cuando iban ellas, pero no se molestaba en preguntar nada, porque le llegaba ver la cara desencajada de su madre y la preocupación de Mamita.

Después de comer, la abuela cogió su rosario de barrueco y, ante el asombro del niño, le mandó ponerse de rodillas para rezar, igual que ellas. Comenzaron, y al poco tiempo se dieron cuenta que Perico estaba debajo de la mesa, durmiendo. Lo acostaron, a pesar de ser temprano.

Carmela quiso llamar por teléfono a las amigas, pero no había línea, y no sabían cómo entretener los nervios. Entonces un fuerte ruido de tropas en movimiento las llevó de nuevo a la galería. Pasaban soldados armados procedentes de los cuarteles cercanos, y su crujido se mezclaba con estruendos de bombas y ametralladoras tan próximos que la batalla parecía estar en el Parrote.

–Es en el Náutico… –dijo Mamita, santiguándose.

Pusieron de nuevo la radio local, porque se dieron cuenta que debían aprovechar que todavía tenían luz, y por ella supieron lo que estaba pasando. Los militares acababan de tomar la Telefónica, Correos y Telégrafos; desde el Parrote estaban cañoneando el Gobierno Civil y el edificio del Náutico. Aquel ruido ensordecedor despertó a Perico, que llegó hasta ellas en pijama, descalzo, tapándose los oídos y temblando de miedo. Carmela lo cogió en brazos para taparlo con el mantón de Mamita y tranquilizarlo.

–Carmiña está llorando –les dijo.

La abuela la fue a buscar y la trajo envuelta en mantillas, sin tener en cuenta que estaban padeciendo el asfixiante calor de julio y con todas las ventanas cerradas.

–Desabrígala, que le va a dar algo –dijo la madre.

Retumbó el suelo y se movieron las lámparas y varios cuadros de las paredes. Perico comenzó a llorar de nuevo, a gritos. Pero el locutor dio un grito mucho más fuerte diciendo:

–¡Viva España!

Quedaron sobrecogidos y Perico, asustado, se calló. Un militar se hizo cargo del micrófono y lanzó una arenga en términos altamente patrióticos. Después leyó un bando y, a continuación, emitieron música militar. Mamita volvió a apagar la radio, le puso a Carmela la hija en los brazos, muy apurada, y fue por las habitaciones cerrando las contras. Se marchó la luz. A oscuras se sentaron en la cocina, que era el sitio más seguro, y poco después escucharon la rotura de varios cristales de la galería. Dejaron a los niños y fueron a poner colchones ante las ventanas, con el objeto de impedir la entrada ocasional de metralla. Como no eran suficientes los que tenían en las camas, subieron al desván a buscar más: "¡Menos mal que se entra por el comedor! ¡Caray! Y yo creía que la abuela chocheaba cuando hizo las obras". Carmela estaba asombrada.

–¿Cuando viene papá? –preguntó Perico, en voz baja.

En ese instante los buques del puerto lanzaron un alarido largo que resonó por encima del estruendo de las armas, y, como si mostraran respeto a aquel angustioso gemido, cesaron los disparos. Parecía un grito de auxilio, de socorro. Cuando las sirenas callaron, Perico repitió su pregunta a gritos:

–¿Cuando viene papá?

–¡Cállate! –chilló Carmela.

Perico lloró más desesperado, porque nadie le hacía caso; Perro ladraba a Carmela, reprochándole su actitud, amenazante. Fastidiada, lo miró:

–¡Estúpido chucho! ¡Lo que nos faltaba! –dijo entre dientes.

Y el alboroto fue reforzado por los llantos de Carmiña. Parecía que le iba a estallar la cabeza y se la sujetó fuerte con las dos manos.

Mamita, contemplando aquel desquiciamiento, exclamó:

–¡Voy a preparar tila para todos!

Avivó las brasas del fuego y puso agua a hervir.

Nadie se negó a tomar la tisana caliente. Incluso se la dieron a Carmiña, que no la rechazó.

Después de medianoche se fueron haciendo más lejanos los ruidos callejeros y los niños pudieron dormir. Ellas no tenían sueño y decidieron esperar de pie. En sus mentes estaba la preocupación por Luis, pero tuvieron cuidado en no nombrarlo, porque sabían que sería motivo de nueva pena y querían mantener la entereza para no disgustar a Perico, que ya estaba bastante alterado.

–Carmela, vete a la cama. Aunque no tengas sueño descansas. ¡Sabe Dios lo que nos aguarda mañana!

–Dentro de un rato. Todavía no tengo ganas.

Las dos estaban esperando y no sabían qué. Se entretuvieron rezando varias veces el Rosario y les asombraba su lucidez y su falta de sueño. Ni siquiera bostezaban.

–¿Oíste algo? –preguntó Carmela, sobresaltada.

Escucharon casi sin respirar, y lo único que consiguieron oír fue el latido golpeante de sus propios corazones. De pronto creyeron oír un ligero y suave chasquido, muy suave. Esperaron. Se repetía a intervalos. Fueron de puntillas hasta la puerta de la calle y pusieron el oído contra ella. Nada. Observaron por la mirilla pero no vieron nada ni a nadie. Quedaron extrañadas y temerosas. Mamita se decidió a susurrar:

–¿Quién es?

Les llegó una voz tenue que parecía un lamento y que creyeron reconocer, pero no entendieron lo que decía. Mamita repitió su pregunta en un tono más alto, y esta vez la respuesta fue clara:

–Soy Maruxa. Por favor… ¡Abrirme!

Se dieron mucha prisa, pero con el apresuramiento y los nervios no daban corrido el cerrojo. Encontraron a Maruxa sentada en el rellano de la escalera, con la cabeza apoyada en la pared, los ojos cerrados y apretando sobre el brazo izquierdo un pañuelo ensangrentado. Intentó incorporarse, pero no pudo; tuvieron que ayudarla y pudieron ver que la herida sangraba mucho.

–¡Virgen del Cobre! –clamó Mamita.

La llevaron hasta la cama de Carmela, y, como iba dejando manchas de sangre por el suelo, lo primero que hicieron fue limpiarlas desde la entrada del portal, pensando que podría traerles algún tipo de complicaciones, poniendo mucho cuidado en no ser vistas. Después, con tranquilidad, atendieron a Maruxa. Tenía una bala en el brazo y Mamita se la pudo sacar porque el proyectil no estaba profundo; le puso unas hierbas calmantes sobre la herida y, después de vendarla, alabó que no se hubiese quejado ni una sola vez. A pesar de su agotamiento, Maruxa quería darles una explicación. No se lo permitieron y lo dejaron pendiente para después que descansase. Durmió con continuos sobresaltos, muy nerviosa, y la acompañaron hasta que su sueño se hizo profundo. Horas después despertó y pudo contarles lo sucedido:

–Estaba en la Casa del Pueblo con unos compañeros cuando apareció uno de "La Lejía" para avisarnos que venía una patrulla del ejército a buscarnos. Huimos de prisa. Cada uno por su lado. ¡Casi nos agarran! ¡Disparaban de todas partes, los cabrones! –Le iba subiendo la sangre a la cabeza con el enfado. A Carmela, en cambio, le estaba bajando a los talones con el miedo, y un nudo en la garganta hacía su respiración dificultosa, agitándola–. ¡Ya me daba por muerta! Cuando me alcanzó la bala, les dije a los otros que siguieran sin mí porque yo tenía en dónde esconderme. Hice todo lo posible para no comprometeros. Sé que puedo contar con vosotras. No sé cómo daros las gracias.

–¡Ay, qué *caraho*! ¡Tú eres de la familia! –puntualizó, enfadada, Mamita–. ¡Faltaría más!

–¡Claro! –añadió Carmela.

Les contó lo que pasaba en la calle y supieron que se luchaba cuerpo a cuerpo, que desde las azoteas se disparaba contra los civiles, que el puerto estaba bloqueado por un torpedero de Ferrol, y que los barcos pesqueros y de cabotaje fueron obligados a desatracar y a fondear en el centro de la bahía para que no pudiesen utilizarlos las izquierdas…

–También intervino la aviación, porque de vez en cuando oímos motores de aviones, ¿verdad? –preguntó Carmela.

–Sí, sí… Hay dos hidros de la Naval de Marín que sobrevuelan constantemente la ciudad.

–¿Y las tropas adictas al Gobierno donde están? –preguntó Carmela.

–Perdiendo –le contestó Maruxa.

Costaba trabajo creerlo, y repitió:

–¿Perdiendo?

Maruxa afirmó con la cabeza. Mamita le preguntó:

–¿Hay muchos muertos?

–¡Muchísimos! Dicen que ya no hay tierra para enterrarlos. Ya ni siguiera se molestan en llevarlos a sagrado. En San Amaro no cabe ni un cadáver más.

A Carmela le resultaba increíble estar escuchando aquellas palabras, y para que su amiga no pudiese verle el terror reflejado en sus ojos, los cerró con fuerza. "¡Todo aquello tan perturbador, proyectado durante tanto tiempo sobre mí, con tanta influencia sobre mi vida, ahora está en los demás, en los otros… ¡En todos! ¡Dios mío! ¡Incluso con las mismas palabras del sueño! Está ocurriendo. ¡Mis sueños y premoniciones están siendo reales sobre la vida de todos!". El encanto, porque para poder sobrevivir con ellos los había encantado, de sus insufribles sueños, había desaparecido oculto por la realidad, y había desaparecido la magia. Ya eran hechos reales, ineludibles. "¿No es para morirse de risa? –se decía–. ¡Me están realizando mis sueños! ¡Por si no fuese bastante sufrimiento el haberlos soñado!".

Mamita y Maruxa seguían hablando mientras ella permanecía con los ojos cerrados, escuchando aquellas voces sin oírlas y sumida por completo en sus pensamientos. "A ver si recuerdo quién dijo aquello de que es utópico traer el pasado sobre el presente, por la simple razón de que estaríamos hablando del porvenir. ¡Ya sé! Ortega. Suena bien, pero… resulta que se ha realizado esa utopía, querido Ortega. ¿Lo ves? De lo que se trata ahora es… ¡que yo quiero darle la espalda al presente! y… ¿hacia donde tengo que volverme?, ¿hacia el pasado o hacia el futuro? Por mí…".

–¿Hay detenidos? –seguía preguntando Mamita.

–¡Muchos! Familias enteras. Los llevan al Castillo de San Antón.

Volvió el silencio. Cada una divagaba por su lado. Maruxa las introdujo de nuevo en la realidad:

–Me temo que os estoy comprometiendo al estar aquí escondida. Yo bien sé el peligro que encierra en estos momentos ayudar a una izquierdista, aunque sólo sea una ugetista. Me hago cargo. Si os parece, yo puedo…

–¡No! –le interrumpió Carmela, indignada–. ¡De ninguna forma! ¡Tú te quedas aquí hasta que vuelva la normalidad! Las amigas estamos para eso.

Se levantó y fue a preparar el desván para que se ocultase en él antes de que despertara Perico, pues no querían que supiese nada; era un crío y podía hablar del asunto. No correrían ese riesgo. ¡Estaba en juego la vida de Maruxa!

Una de las primeras cosas que dispuso el Ejército fue que durante cuatro días no saliese a la calle la población civil bajo ningún pretexto. Para obligarlos a obedecer, situaron pelotones de soldados en sitios estratégicos con la orden de disparar a todo lo que se moviese. Pasado el plazo, se reanudó la aparente normalidad de la vida ciudadana. Reapareció la prensa, pero totalmente depurada. La gente fue incorporándose a la vida y al trabajo con precaución y temor; sin embargo, pocas personas se atrevían a pasear, porque resultaba desconcertante y duro tropezarse con las milicias y los fascistas armados hasta los dientes, desafiantes. El terror continuaba.

La vida de los coruñeses giraba en torno a las emisoras extranjeras de radio, porque la local seguía censurada. Carmela intentaba, todas las noches, sintonizar con la España Republicana, y, a pesar de los continuos silbidos metálicos que hacían las interferencias, con mucha paciencia conseguía localizarla por breves momentos, pues la onda desaparecía constantemente. Estaba prohibida, por eso procuraban ponerla con el mínimo volumen para ser sólo escuchada con las orejas pegadas al altavoz.

Mamita compraba el periódico *La Voz de Galicia*, que no se parecía en nada a aquel en el que, hasta hacía unos días, escribía Luis; pero se acostumbraron a leer entre líneas y también se adaptaron a todo lo que exigían las circunstancias. Consiguieron no sobresaltarse cuando escuchaban un ruido deshabitual y fueron asumiendo su nuevo rol.

Supieron por la prensa que la autoridad militar daba un plazo de veinticuatro horas para que los obreros se reintegrasen al trabajo, amenazando a los que no obedeciesen con graves sanciones. Maruxa tuvo que decidirse. Se reunieron para deliberar sobre los pros y contras de asistir al trabajo y llegaron al acuerdo de que no debía de ir. A pesar de las amenazas, tenía que quedarse hasta que cicatrizase totalmente la herida. Era lo más prudente y se quedó, aun a riesgo de perder el empleo.

Aquel domingo para Mamita Carmen, fue una repetición de los anteriores. Procuró hacer lo de siempre sin tener en cuenta los acontecimientos políticos. Fue a misa a la Parroquia de Santiago, muy temprano como era su costumbre, y al salir se entretuvo con las comadres en el atrio. Era allí donde comentaban siempre las novedades vecinales, y seguían haciéndolo. Le contaron que había una milicia civil colaboradora de los militares, que denunciaba a todos los que consideraba elementos subversivos, y que se movían por rencores y envidias. Mencionaron casos muy tristes, que dolían nada más oírlos, y otros menos tristes, pero más indignantes, capaces de servir de argumento a las más alucinantes historias de terror. Mamita escuchaba tensa, con las mandíbulas apretadas para impedir que saliese el más mínimo comentario de su boca, pero de vez en cuando el asombro asomaba a sus ojos a propósito, porque realmente ya era muy vieja para asombrarse de nada, con el objeto de que no comentasen luego que estaba al tanto de semejantes atrocidades. Nombraron casos de personas, que ella sabía dignas y honradas, detenidas y ejecutadas cerca del cementerio y de la Torre de Hércules.

–¡Es todo tan triste! –decían a corro.

Pero entre los lamentos, y a voz en grito, seguían dando nombres y acusando los "pecadillos" de ciertas personas, algunas incluso familiares de aquellas que hablaban, con lo que demostraban que toda aquella aflicción era pura apariencia, ya que lo que parecía era que estaban deseando que alguien las oyese y tomase buena nota. "¡Las muy bribonas con sus dos caras!", pensaba Mamita sintiendo que la sangre se le terciaba y que, al mismo tiempo, estaba obligada a "bailar en el filo de la espada" delante de aquellas arpías. Conocedora del personal, se dio maña para disimular la ira que comenzaba a invadirla y, adoptando un talante compasivo, con gran valor se atrevió a decirles que los que así obraban debían tener indudablemente sus motivos. Esta doblez, a la que no estaba acostumbrada, la hizo sentirse hipócrita, pero fue la única forma de convencerlas de que era sólo una espectadora más, y así seguir escuchando.

Con el periódico del día en la mano, entró en casa y fue al encuentro de Carmela para contarle todo lo que habían soportado sus oídos. Estaba furiosa, y se tenía que desahogar. La nieta sabía que tenía que escucharla paciente y en silencio, para que la abuela, entre monólogos, se aplacase. Al finalizarlos, ya estaba todo dicho, así que se puso a leer el periódico, que era un suma y sigue de todos los días: listas de víctimas, detenciones…

–Mamita… ¡Escucha! Detuvieron en Guitiriz a los hermanos de "La Lejía". Maruxa se va a disgustar. ¿Se lo decimos?

–No, de momento se lo ocultamos.

Eran unos socialistas muy conocidos por Luis, y Carmela terminó pensando en su marido y preguntándose qué sería de él. Había llegado ya hacía tiempo a la conclusión de que no era digno de robarle el sueño ni una hora más, pero… tenía que reconocer la preocupación que sentía. No era que tuviese malos presentimientos, al contrario. Estaba segura de que su vida no estaba amenazada por la política, pero sí presentía que estaba enfermo de verdad, no como cuando lo puso como pretexto para no venir al bautizo de Carmiña. Tampoco tenía demasiada importancia. "Sólo por eso de saber si soy viuda de un vivo o de un muerto. ¡Sólo por eso!". Pensaba con morbo.

En la prensa leyó una lista de personas que daban generosos donativos al Ejército, y pensó que quizás les conviniese hacerlo para que las considerasen patriotas. "Entregan de todo, joyas, dinero, víveres... ¿Qué nos convendría darles?". Trató de imaginar lo que podrían pensar de ella. Que se trataba de una persona de buena voluntad, abandonada por su marido socialista, con cargas familiares a su costa y que trabajaba para vivir dignamente. Por lo menos eso era lo que había escuchado decir a sus espaldas en la oficina, en una ocasión en que un señor con un bonito bigote preguntara quién era aquella joven tan guapa. "¿Joven? –Se había extrañado Carmela para sus adentros–. ¿Es que no tiene ojos en la cara?". Pero las miradas que le echaba decían que los tenía buenos y bien atrevidos. Aquel caballero fue asiduo de su oficina, sin que ella le hiciese el mínimo caso, hasta que un día no volvió. A Carmela no le había importado. Se consideraba por encima de tales tonterías.

–Mamita... ¿Qué te parece si donamos algo al Ejército? El periódico cuenta que son muchas las personas que lo hacen. A mí me parece que nos convendría. ¿Tú qué piensas?

–¿Pero qué *caraho* estoy oyendo? ¿Has perdido el juicio? ¡Conmigo no se te ocurra contar! ¿Está claro? ¡Allá tú y tu conciencia! ¿Está suficientemente claro?

Carmela cayó en la cuenta de lo fácil que resultaba pasarse al enemigo, y comprendió el enfado de Mamita.

Por la noche, después de acostar a los niños, se reunieron con Maruxa. Consiguieron sintonizar con una emisora de Madrid y pudieron enterarse que todo seguía igual, hasta que unos ruidos y pitidos se comieron el sonido de la emisora. Como no estaban cansadas, tuvieron tiempo para comentar las noticias de la prensa y lo que decía la gente. Maruxa estaba muy mejorada y llegó a bromear sobre lo que estaba pasando en el país. Mamita se lo reprochó.

–Pero, Mamita… ¿no es mejor reír que llorar?

–¡Yo no vuelvo a llorar en toda mi vida! Siempre que pueda evitarlo, claro. ¡Y voy a hacer lo imposible por conseguirlo! –aseguró Carmela.

–¡Eh! Escuchar… –dijo la abuela.

Quedaron en silencio, pero no oyeron nada, y cuando se disponían a reanudar la charla, sintieron unos golpes suaves en la puerta de la calle. Sobresaltadas se interrogaron con la mirada, e inmediatamente Maruxa, sin mediar palabra, se fue al desván. Con rapidez, Mamita encendió uno de sus puros y se sentó en la mecedora a oscuras, simulando mirar por los visillos la Plaza, y Carmela tuvo tiempo de ponerse un camisón y una bata. La llamada se repitió. Simulando estar desvelada, con un libro en la mano, Carmela abrió la puerta sin molestarse en preguntar quién era. Con la sorpresa, le cayó el libro de las manos y no pudo articular palabra. Entonces apareció Mamita y, sin darle ninguna importancia, como si todo estuviese previsto, dijo:

–Pasa.

Separó a la inmóvil Carmela hacia un lado, agarró por un brazo aquella piltrafa humana que tenía delante, la llevó hasta la cocina y la obligó a sentarse. Carmela tardó en reaccionar: "Pero… ¿qué puede haberle ocurrido? ¡Nada bueno! Seguro que lo persiguen". De todos los hermanos de Luis, el más insoportable para ella era este, aunque reconocía que Angustias no se quedaba corta. Tenía delante a Tomás… y aun cuando su aspecto deplorable sólo debía despertar en ella lástima, pensaba en su interior: "¡Jesús! ¡Qué familia política me tocó!". Haciendo un esfuerzo pudo sonreírle, lo que visiblemente animó a Tomás, que, conociéndola, no las tenía todas consigo. Mamita le preparó un plato con lonchas de jamón que devoró en un instante. También le dieron a beber unos vasos de vino. Con ello se armó de valor y se atrevió a preguntarles, dirigiéndose a Carmela, si podían esconderlo una temporada. Fue Mamita la que le contestó:

–Puedes estar el tiempo que quieras. No te preocupes. Te instalaremos en el desván. Aunque tendrás que compartirlo con Maruxa.

–¿Maruxa? –preguntó, sorprendido.

La abuela lo puso al corriente, luego llamaron a Maruxa para aquella imprevista reunión. Viéndolos juntos, Carmela pensó en el desván: "No dejan de ser un hombre y una mujer. ¡Puede pasar de todo!, pero cualquiera le dice nada a la abuela. Además, ya son mayorcitos…". En aquel momento Tomás se estaba explicando:

–Y me buscan los falangistas para detenerme y hacerme uno de sus juicios. Todo por ser republicano y haber ejercido un cargo en el Ayuntamiento. Bueno, como es lógico, también tomé parte en la lucha contra los sublevados. ¡Cómo tenía que ser! Me parece a mí, digo yo.

Se levantó y con las manos en los bolsillos del pantalón se puso frente a Carmela, como si fuese la única persona que le importase. La miró durante un momento, lo que la puso nerviosa, incómoda y en guardia.

–También dicen que soy masón. ¡Sólo porque tengo este anillo! –Lo sacó del bolsillo para mostrarlo y lo volvió a guardar–. Un buen amigo me avisó que me buscaban, y me escapé al monte. Luego me acorde que tú… –señaló a Carmela con un movimiento de cabeza– estás relacionada con personas muy influyentes de la Falange, y pensé que vuestra casa era un sitio seguro. Además, está Gumersindo…

Carmela se puso furiosa. Se le nubló la vista y sintió que se estaba mareando. Pero sacó fuerzas de flaqueza para enfrentarse a Tomás, que estaba usando un tono totalmente inapropiado y reticente que no tenía por qué aguantarle. Respiró profundo. Contuvo la furia y, con las mejillas al rojo vivo, le dijo:

–Perdón... Se te olvida que mi marido es socialista, ¿verdad?

–Pero tú no lo eres.

–¡Y tú qué sabes! ¡De mi tú no sabes nada!

–De ti sé... lo que sabe todo el mundo.

–¿Ah, sí? ¿Y qué sabe todo el mundo?

–Eso... que Luis y tú estáis separados, pero que preferís guardar las formas...

No le fue posible escuchar aquello sin alterarse. Le comenzó a bullir la sangre. Intentaba serenarse, pero no podía. Su cuñado estaba diciendo públicamente algo tan íntimo, y dándolo por hecho. Y afirmando que era del dominio público, que lo sabía todo el mundo... "¿De qué mundo habla?". Levantó la barbilla, se alzó muy estirada, y se le enfrentó:

–¡Cerdo ignorante! ¡Cerdo! ¿Cómo te atreves a venir pidiendo que nos comprometamos todos por ti e insultarme? ¿Cómo? ¿Eh? ¿Cómo? ¡Pero si me estás insultando, cerdo! ¡Mereces...!

–No es mía la culpa. Una mujer debe saber cómo se atrae a un hombre. Me parece a mí, digo yo.

–¿Qué...? ¡Mereces...!

–¡Dilo, venga! ¿Me vas a denunciar? –dijo con cinismo–. No tienes más que decirme que me vaya y me voy...

Carmela dio un rebote en el suelo y señalando la puerta con el dedo, le gritó:

–¡Allí está la salida! Si fueses un hombre, te irías ahora mismo, antes de comprometernos más. –Estaba jadeando y le temblaban las rodillas. Tomó asiento y continuó–: Pero... antes me explicas qué es eso de que Luis y yo estamos separados.

Se le nublaron los ojos, pero se contuvo y no lloró. Nadie hablaba y se fue calmando. Después se encontró dando explicaciones sin saber a quién ni de qué:

–Luis tiene su trabajo lejos y yo estoy aquí. Eso es todo, no hay más. Lo que la gente piense, me tiene sin cuidado.

Era tan palpable su dolor en aquel momento, que Tomás bajó la mirada. Humilde y temeroso, se le acercó rogándole:

–Carmela... Perdón si te he molestado. Estoy en tus manos... ¡Ten piedad de mí!

Aquella inesperada sumisión la desarmó. No tuvo el valor necesario para dejarlo a su suerte. A sabiendas del riesgo, y consciente de la clase de hombre que era, tomó la decisión de ayudarlo, aun sabiendo que de él no podía esperar ni el agradecimiento.

Mamita y Maruxa habían permanecido al margen de la discusión; consideraban que aquel incidente tenían que resolverlo los dos. Pero su silencio no significaba que no la comprendieran, y estuvieron a la espera de que resolviese la situación. Carmela, ya más tranquila, dijo:

–Voy al desván a preparar una cama. Maruxa, ¿vienes a ayudarme?

Marcharon y Mamita aprovechó la ocasión para hablar con Tomás y aconsejarle sobre la convivencia con Maruxa, y con el fin de que no los descubriesen, rogándole que se portase como un caballero. Tomás asintió con la cabeza, porque carecía de fuerzas para hablar y se sentía avergonzado por su anterior comportamiento.

–Eres casado, y debes respetar a Maruxa –insistió una vez más la abuela–. Cuando todo esté tranquilo, te conseguiré una documentación y un pasaje para América, porque no hay que hacerse ilusiones, que este país no tiene arreglo.

Tomás también estuvo de acuerdo. Se le veía tan cansado, que Mamita, sin esperar más, lo llevó al desván.

Maruxa, ya recuperada, se marchó a su casa de El Carballo. Se le notaba un gran disgusto y Mamita sospechó que entre ella y Tomás había sucedido algo. Ella recalcaba, una y otra vez, que habían intimado mucho. "Y mucho más que eso", había pensado Mamita.

Aquellos días del desván Maruxa no los iba a olvidar jamás. En ellos pensaba cuando se dirigía a su casa sentada en el tranvía. "¡Pero qué cosas, Señor! ¡Si Tomás nunca fue de mi agrado! Más bien todo lo contrario… ¡Ni siquiera es mi tipo! A mí siempre me gustaron los hombres muy bestias, de los que primero agarran todo lo que pueden y luego piden permiso, si hay que pedirlo… Siempre encontré a Tomás demasiado remilgado y hasta un poco afeminado. ¡Ya, ya! ¡Resultó un buen macho! ¡Joder el tío!".

Los primeros días había pensado que se estaba haciendo el interesante, danzando a su alrededor. Iba y venía mirándola sin hablarle. Resultó que todo era una especie de ritual… "¡*Carallo*! ¡Se trataba de una danza nupcial, como la del abejorro…". Y le terminó gustando. Sobre todo en las noches. En las largas noches oscuras, el abejorro se convertía en un cocuyo y ella en una alúa. Se envolvían juntos, como una santateresa con su amante, en lucha por devorarse mutuamente. Estaba convencida de que habían sido los amantes más voraces de sexo de la historia. Se envolvían en aquella luz azulada que despedían sus cuerpos y se entregaban al juego del amor una y otra vez… hasta saciarse. Cuando pensaba en él, sólo podía verlo desnudo y jodiéndola, disfrutando cada día como si fuera el último de sus vidas. "¿Cómo se puede olvidar eso? ¡Imposible!". Tomás era la encarnación del deseo.

La noche en que se despidieron, lloraba como un niño que tuviese miedo a quedar solo. Con desconsuelo, repetía una y otra vez:

–No me olvides nunca…

"¡Como si fuese posible! ¡No te olvidaré jamás!".

Llegó a su casa y al día siguiente se incorporó al trabajo con la disculpa de haber estado enferma con gripe. Nadie se lo creyó, pero no le hicieron ningún reproche.

El cadáver del suegro de Laura había aparecido en un descampado de Pastoriza, horriblemente mutilado. Le habían cortado los testículos, los pies y las manos. Las noticias que tuvo la familia eran de que unos falangistas lo habían cogido por la calle y llevado a la antigua Casa del Pueblo en Juana de Vega, que ahora era su sede, y sin pruebas de ninguna clase, sin haber cometido delito alguno, fue una víctima más del rencor y el odio. También se dijo que lo había asesinado una caterva de forajidos, que se dedicaban a sembrar el pánico por la ciudad vestidos con camisas azules. Pero había algo más: el reloj de bolsillo que llevaba la víctima, un Constantín Vacherón de oro macizo con el nombre grabado, muy valioso, no apareció por ninguna parte.

Carmela no pudo contenerse cuando se lo contó Mamita, y, convulsionada por el llanto, le explicó que se debía a que sus premoniciones se estaban cumpliendo:

–Sí, sí… ¡Dios mío! ¡Dios mío! Al suegro de Laura lo vi con toda claridad en mi sueño la noche del Carmen. ¡Casi lo piso! ¡Dios mío! ¿Cuándo va a terminarse esta pesadilla?

Mamita dejó que se desahogara antes de salir a casa de Laura, para acompañarla en aquellos dolorosos momentos con el ánimo tranquilo.

Después de las exequias, estuvo con Tere intentando consolar a la amiga y tratando de no hablar del difunto, pero Laura no podía apartar de su mente todos aquellos horrores. Entre suspiros, expresaba su incredulidad; le resultaba imposible entender aquel crimen.

–¿Por qué, Dios mío, por qué? –se preguntaba, tapándose los ojos con las manos–. ¡Qué horror! ¡Qué horror!

No sabían qué decirle e intercambiaban las miradas. El silencio era lo mejor en aquellos momentos.

–¡Si viviese Pepe! Cuánto lo necesitamos… –de repente se volvió hacia Carmela y le preguntó–: ¿Sería de esto de lo que nos avisaba en aquella sesión de espiritismo?

–Sí. Tengo la seguridad.

–Pero… ¿qué podía hacer yo?

–Nada. Lo que tiene que pasar, pasa.

–Entonces, ¿para qué sirve que nos avisen?

Carmela, consciente de ir en contra de la doctrina de la Iglesia Católica sobre el libre albedrío, le contestó:

–Para nada. Lo único, para que nos vayamos preparando y aceptemos cristianamente los designios de Dios.

–Entonces es preferible no saber nada –afirmó Tere.

No le contestaron, pero a Carmela le vino a la memoria la escena en la pensión de Luis, cuando la doncella le había dado la noticia. "¿Hubiera sido mejor no conocerlo? ¿Sería más feliz en la ignorancia? ¡Seguro que no!, porque tarde o temprano me enteraría, y sería horrible pensar que, siendo una imbécil crédula, había bailado en las manos de un sinvergüenza. Yo lo tengo muy claro: no quiero ignorar nada, por doloroso que resulte…". Como si entre ellas se trasladasen telepáticamente los pensamientos, Laura le preguntó si sabía algo de Luis.

–Está muy enfermo.

–¿De qué?

–De tuberculosis.

–¿Cómo lo sabes? Creía que no tenías noticias de él –preguntó Tere, interesada.

–De él no tengo ninguna noticia. Pero, bueno… ¡Ya sabéis! De vez en cuando le pregunto a las cartas. Y son muy claras.

–Carmela… –le dijo Tere, muy seria–. Si alguna vez necesitas que Gumersindo te ayude y le eche una mano a Luis,

¡cuenta con ello! –Se dirigió a Laura al añadir–: Los militares no son asesinos. Luchan de frente, dando la cara noblemente… y están dispuestos a morir. ¡Defienden la Patria!

–Nadie lo pone en duda –contestó Carmela.

Laura las miraba ausente. Volvía a acordarse del finado y de toda la tragedia.

–¡Ay! –exclamó, suspirando.

–¿Qué? –preguntaron.

–Pensaba… ¡Esos asesinos! Para mí, al robarle el reloj se convirtieron en vulgares sicarios. Nos dijeron que habían sido unos camisas azules, pero… ¡qué más da! El pobre pasó a mejor vida. ¡Asesinado!, por un reloj…

Parecía verdad, porque no se encontraba otro motivo posible.

–¡No merece la pena vivir en semejante mundo! ¡Dios mío! ¡Qué horror! –repetía Laura, incansable.

Cuando Mamita fue a darle el biberón a Carmiña, la encontró mojada y se preparó para cambiarle los pañales. Puso el biberón sobre la mesilla, pero la niña protestaba mirándolo fijamente. Entonces sucedió… El tarrito, sin tocarlo nadie, se levantó en el aire y fue lento hasta llegar a los dedos ansiosos de Carmiña, que lo agarró fuerte con una sonrisa de satisfacción, lo metió en la boca y comenzó a succionar con verdadero deleite. Mamita la miraba pasmada. Finalmente, su rostro se iluminó de satisfacción: "¡La niña comienza a mostrar sus poderes! ¡Sí, señor! ¡Esta es mi niña!". Muy satisfecha, cuando llegó Carmela le contó lo que había ocurrido:

–¡Ay, qué *caraho*! Lo estaba viendo… ¡y no podía creerlo! ¿Te lo puedes imaginar? ¡Es verdaderamente increíble!

Carmela estaba de buen humor y rió con fuertes carcajadas, como hacía tiempo que no recordaba. Entre bromas dijo que, ya que la niña podía coger el biberón, lo mejor sería dejarle el tarrito dispuesto en la mesita de noche, al lado de la cuna, para que lo tomase cuando tuviese hambre. La abuela tomó esta ocurrencia al pie de la letra, con intención de averiguar lo que pasaría.

A partir de entonces, Carmiña, al margen de su protagonismo, y como la cosa más natural, dispuso a su antojo de los biberones. Con sólo mirarlos y desearlos con fuerza, ya los tenía en sus manos. Resultaba de lo más divertido para todos. Sobre todo al principio, porque muy pronto comenzaron a preguntarse lo que podría pasar cuando la niña quisiera coger cosas peligrosas. Aquello era demasiado preocupante, e intentaron dar con una solución. Mamita creyó haberla encontrado:

–¡Hay que educar su voluntad! –dijo–. Y tenemos que hacerlo con mucha firmeza, sin vacilaciones.

–Sí, sí… ¿Pero… cómo?

–Pues no queda más remedio que ser muy severos. No va a ser fácil, pero tampoco demasiado difícil. Creo que la clave está en que adquiera una buena estabilidad emocional, y lo conseguiremos si se siente muy querida por todos.

–¿Más todavía? ¡Corremos el riesgo de consentirla y mimarla demasiado!

–¿Consentirla? ¡De ninguna forma! Mira, Carmela, hay que enseñarle a distinguir lo que es capricho de lo que no es. ¿Me entiendes?

–¡No!

–Simplemente, lo que es antojo no tiene fundamento razonable. Entonces, en lo que haga, tiene que mostrar su intención de hacerlo o no hacerlo. ¡Tiene que saber dominar sus impulsos razonando!

–¡Ay, Mamita! Demasiado abstracto. Claro que, tal como lo dices, produce la sensación de ser muy sencillo. Pero sigo pensando que esto nos va a complicar la vida.

–No te preocupes. Déjame a mí.

Mamita Carmen se marchó dejando a Carmela pensativa. Por su mente desfilaron una serie de barbaridades, todas posibles para su hija, unas graciosas, otras terribles… y se le levantó un fuerte dolor de cabeza. Fue en busca de un analgésico. Después de tomarlo, se tumbó en el sofá, rodeada de penumbra. Hizo un esfuerzo y consiguió que sus pensamientos negativos cambiasen. Se quedó dormida.

"¿Pero de qué tienes miedo? Vamos a ver… ¿Temes que yo te haga sufrir, o que yo sufra? ¡Claro! Pues no pensarías que eres distinta a las otras madres del mundo. Mira, eres corrientita, yo diría que más bien eres vulgar, muy vulgar. Algún día tendrás que reconocerlo. ¡Dime! ¿A dónde pensabas llegar con tus aires de grandeza? No llegarás a ningún sitio de los que tú quieres. ¡Oye! Todavía no sabes nada de nada. ¿Te parece que has pasado por todo y que no se puede pasar por más? ¿Pero… cómo eres tan estúpida? ¡Entérate bien! ¡Lo que puede soportar el cuerpo es ilimitado! ¡Sí! El sufrimiento es ilimitado. Así que prepárate, que vas a sufrir, y no sólo por mi culpa, no. La verdad es que tendrá mucho que ver con tu egoísmo. Te estás preguntando cómo podemos ser tan diferentes las dos. Tienes razón en que somos distintas. Yo empiezo donde tú quedaste, y para verte tendré que mirar para abajo, para muy abajo… para más abajo todavía; tendré que introducirme hasta el abismo del infierno. ¡Y no mereces la pena! ¡Cállate! ¿No te diste cuenta todavía de que yo leo tus pensamientos? Pero… ¿cómo se te ocurre pensar eso? Te voy a responder: yo no voy a sufrir, porque no me da la gana. Ya te lo dije, ¡somos diferentes! Es mejor que te lo creas. ¡Ah, Mami…! Un consejo, una orden o una sugerencia, como prefieras: ¡busca a mi padre! Es necesario que yo lo conozca. ¡En esta casa sólo hay mujeres, niños y perros! Con mi padre aquí, yo puedo averiguar tu verdad, para purificarte en este mundo, antes de que te mueras. Sólo las personas que llegan al límite de sus sufrimientos alcanzan la paz eterna. Pero tienen que gritar muy fuerte que ya no pueden más. Mami, ¿tú quieres la paz eterna? Cuando sea mayor te ayudaré a conseguirla. A partir de ahora mis pensamientos se mezclarán con los tuyos. ¡Qué difícil lo tienes! No pierdas el tiempo maquinando, porque ocurrirá. ¡Oh, sí! Por supuesto, tendrás voluntad y la capacidad de hacer o no, pero yo te daré consejos o sugerencias, y no podrás evitar nada. La primera ya te la di y habrá muchas más. ¡Mami!, no te preocupes por mí, que yo no voy a sufrir. ¡No me importa la paz eterna! Me importa la terrenal. ¿Puedes entenderlo? Pero, Mami, yo te quiero mucho… ¡Lo mismo que tú a mí!".

Mamita entró en el salón y la despertó para decirle que tenían en casa los documentos para el embarque de Tomás. Se incorporó con sensación de lucidez, dándole la impresión de que no había dormido. Recordaba las palabras de su hija como si se las hubiese dicho realmente, y se preguntó hasta qué punto había sido un sueño. Mamita se lo volvió a repetir, y Carmela reaccionó:

–Me alegro, Mamita. Ojalá que todo salga bien.

–¿Qué dices? –preguntó la abuela, distraída con los papeles.

–Nada.

Por la noche se reunieron con Tomás. Mamita Carmen le entregó los documentos, diciéndole que embarcaría dentro de unos días para la Argentina. Tomás se puso nervioso y se esforzó en permanecer impasible. Guardó silencio, pero la palidez de su rostro se hizo intensa y su delgadez más enjuta, como si lo postergase una mala sombra de la que no pudiera desprenderse. A Carmela le pareció la representación de un ave de mal agüero y se alegró de que al fin se marchase. Él continuaba en silencio y estaba como paralizado. Carmela pensó que aquella actitud era producto del miedo, por tratarse de un cobarde, y Mamita intentó hacerlo reaccionar tranquilizándolo:

–Todo va a salir bien…

Sacó del bolsillo de la falda un fajo de billetes sujeto por una goma, los puso encima de los documentos que permanecían en la mesa sin que Tomás se hubiese atrevido a cogerlos, y le dijo:

–Este dinero es para tus primeras necesidades. Mira. Aquí te va la dirección de mis parientes en La Habana, para que sigas en contacto con nosotros por medio de ellos. Eso, de momento, mientras que aquí no se aclaren las cosas… si se aclaran… ¡Ojalá puedas regresar pronto!

Tomás seguía sin moverse, y comenzaron a preocuparse. Se miraron. Mamita, haciéndole un gesto a Carmela para que lo dejase tranquilo, le preguntó:

–¿Te ocurre algo?

No contestó. Ellas, cogiéndose del brazo, salieron de la cocina, dejándolo solo. Sentada en su mecedora, Mamita encendió un puro. Carmela, en la galería, miraba la Plaza. Estaban entristecidas. Les llegó el ruido de un sollozo reprimido, que cada vez se hacía más fuerte. Lo vieron pasar llorando cerca de ellas y subir al desván.

–¡Que hombre más extraño! –comentó Carmela.

El día de su marcha les entregó tres sobres cerrados: uno para su mujer, otro para su hija, y el más abultado para Maruxa. Aquella noche no se acostaron; le prepararon una cena de despedida y charlaron con él hasta la hora de partir. Habían convenido con la Consignataria que uno de sus empleados lo esperaría en el Obelisco para acompañarlo personalmente hasta el barco. Se despidieron muy emocionados. Cuando salió de casa, aún no había amanecido. Lo vieron desde la galería. Tomás bajaba la cuesta de la calle de Santiago hacia Puerta Real sin llevar nada, sólo un periódico doblado bajo el brazo y las manos en los bolsillos del pantalón. "Caballero de triste figura… ¡Te olvidaste de dar las gracias!", pensó Carmela. Cuando desapareció de su vista, se retiraron en silencio a descansar el poco tiempo que les quedaba.

Al día siguiente, Carmela envió a Betanzos por correo certificado las cartas que le entregara Tomás para su mujer y su hija. La de Maruxa decidió dársela personalmente, y aquel mismo día le mandó recado por la lechera para que viniese a pasar la tarde con ella, alegando que ya hacía mucho que no se veían.

A Mamita le andaba en la cabeza lo de los biberones de Carmiña. Supo que tenía que tomar medidas rápidamente, y después de mucho recapacitar decidió que en adelante tomaría el biberón cuando ella se lo diese y, por supuesto, cuando le tocase. Eran medidas drásticas, pero aseguraba a Carmela que resultarían efectivas.

–¡Sí, señor! ¡Aprenderás!

Ponía el tarro de leche a la vista de la bebé, lo sujetaba fuerte para que no se le fuese de las manos, y a pesar de que la niña protestaba furiosa mirándolo, por lo mucho que deseaba tenerlo, y que se revolvía estirando sus brazos, el biberón estaba bien sujeto por la bisabuela y no se movía. La fuerza mental de Carmiña no era lo suficientemente fuerte como para poder con la fuerza física de Mamita Carmen. Las dos eran personas tercas, pero la criatura tenía mucho que crecer. Y así comenzó el aprendizaje, lento, pero efectivo.

–¡Sí, señor!

Exclamaba Mamita al final de cada una de las batallas ganadas.

-5-

Hasta dos meses después de la marcha de Tomás, Maruxa no fue a visitarlas, pensando que hacerlo antes hubiese sido una imprudencia. Tenía muy buen aspecto y parecía un poco más gruesa. La alegría le asomaba por los ojos y los hoyuelos le resaltaban profundos en las mejillas redondeadas. Carmela calculó que habría engordado un par de kilos. Para que pudiesen hablar tranquilas, Mamita Carmen llevó los niños a la Plaza de Azcárraga, con Perro incluido. Al quedar solas, Maruxa se apresuró en preguntarle por Tomás:

–Mamita le consiguió una documentación y un pasaje para la Argentina. Mira... –le extendió el sobre–. Esta carta me la dejó para ti. Tardaste tanto en venir que... ¡casi la pierdo!

En un arrebato, le arrancó de la mano el sobre y se puso a leer mientras que, lentamente, iba sentándose en la silla de siempre. "Maruxa está en pleno viaje astral... Y yo estoy aquí de más". Carmela decidió dejarla sola durante un rato. Comenzó a preparar la mesa para tomar chocolate, acompañado de unas pastas que había comprado aquel mediodía al volver del trabajo en la Confitería de Clotilde. Reconocía que le gustaba mucho el dulce, y que a veces no podía resistir la tentación de darse un *enchente*. Las había venido oliendo desde El Obelisco por toda la calle Real y decidió que serían lo mejor para merendar aquella tarde. Hizo el tiempo dando vueltas por la cocina y el comedor en busca del mantel con encaje de Camariñas palillado por Mamita, que era el preferido por la amiga, y cuando lo encontró preparó la mesa; pero Maruxa continuaba leyendo y Carmela mirándola pensó "¡Qué horror! ¿Qué es eso? ¿Una carta o un testamento? No sé qué hacer. ¡Ya va siendo hora de que termine! Se va a enfriar el chocolate". Miró el reloj de la pared y comprobó que había pasado una hora. Tomó asiento resignada, dedicándose a observarla. Al fin, la vio peleando por doblar las cuartillas revueltas, que parecían haber aumentado en cantidad, para meterlas en el sobre. Pero aquel menester no era nada fácil. El sobre reventó y terminó guardándolas todas desordenadas dentro del bolso. Permanecía en silencio, atacando los nervios de Carmela, que se moría de ganas por saber y que decidió interrumpir su éxtasis preguntándole si todo estaba bien. La miró como si viese un fantasma, totalmente ida y Carmela se sintió incómoda. "Algo pasa… pero ¿qué? ¡También Maruxa…! Parece mentira que sea tan desconsiderada". Repitió la pregunta en un tono de voz más fuerte:

–¿Todo bien?

–¡Oh, sí! –respondió guiñándole un ojo con complicidad, lo que la puso en guardia.

–¡Dime de una vez qué pasa! No te hagas la tonta. ¡Venga!

Maruxa volvió a guiñarle el ojo. "Dichoso ojo… ¿Tendrá un *lixo*?".

–Nada, mujer. Para que te hagas una idea de lo feliz que me siento, te diré una cosa: ¡Estoy embarazada!

Se puso a reír con fuertes carcajadas y contagió a Carmela, que la acompañó primero con timidez y luego abiertamente, preguntándose de qué se reían, porque no veía la gracia por ningún lado. Estaban nerviosas y al borde de la histeria. Le preguntó:

–¿De Tomás?

–¡Claro! ¿No es maravilloso?

–Yo… ¿Qué quieres que te diga? –A Carmela se le antojaba que la risa anterior había sido estúpida–. Y… ¿qué vas hacer?

"Risa estúpida. Pregunta estúpida de una mujer estúpida ante una situación estúpida. Demasiada estupidez junta".

–¡Tenerlo! Y ojalá fuesen dos o tres juntos. Todo es posible. José tiene gemelos, así que existe la posibilidad genética...

–¡Venga ya! Sin pasarte, ¿eh? –Carmela estaba viendo a la amiga como si fuese el prototipo del necio, es decir, como la que asó la manteca–. ¡Oye! ¿Y si no vuelves a saber nada de él? ¡Desde luego fue bien canalla!

–Tranquila, Carmela. Los dos somos mayores, y los dos consentimos, así que la culpa, a medias. ¡Es todo tan relativo! Míralo de este modo: gracias a él me sentí viva cuando estaba aterrorizada. Volví a ser plenamente mujer. ¡Eso se lo debo! Claro que me hace ilusión ser madre de nuevo, porque desde que Xan se fue me encuentro muy sola. ¿No es chocante que los dos se marchasen para la Argentina? Se me está ocurriendo que hasta pueden llegar a conocerse.

–No lo pienses. Argentina es un país muy grande.

–¿Por qué no? ¡No seas aguafiestas! Que la ilusión se necesita para vivir. Ahora fíjate en otra cosa más chocante... Mi hijo se fue y me dejó la nieta; Tomás se fue y me dejo preñada... y los dos para la Argentina. ¿Que tendrá esa Argentina contra mí?

–Pura coincidencia.

La conversación se desvió hacia Xan, contándole Maruxa que trabajaba con una familia gallega propietaria de una cadena de restaurantes en Buenos Aires. Se había convertido en la persona de confianza, y le habían dado un puesto de gran responsabilidad en el negocio. Maruxa incluso suponía que querían casarlo con la única hija que tenían, pero no le importaba, porque la madre de su nieta estaba enredada con un marinero de Ferrol que conoció en La Coruña cuando el Alzamiento.

–Es normal –reconoció Carmela–, porque tuvo a Xana muy joven. Además, el error fue que no se hubiesen casado entonces, antes de marcharse.

Hablaron del asesinato del suegro de Laura y de otros muchos conocidos. Maruxa le contó que los masones de la Logia Pensamiento y Acción de La Coruña estaban detenidos, que el local que tenían en la calle de la Torre había sido saqueado y quemado. Dijo saberlo muy bien por un conocido de la Fábrica, masón de los llamados durmientes, unos días antes de que lo detuviesen.

–También me contó algo sobre tu jefe, don Ignacio.

–¿Qué?

–Que es masón. A mí me cuesta creerlo, pero…

–A mí también.

Se refirió a la U.G.T., que había quemado sus archivos por razones de seguridad, y a que con ella, por ahora, nadie se había metido, pero que llegado el caso estaba preparada para irse. Carmela no quiso oír sus planes, para ni siquiera involuntariamente traicionar sus confidencias.

Se acercaron a la galería y Carmela mirando pensativa a través de los visillos, dijo:

–Ayer mismo le cambiaron el nombre a la Plaza.

–¿A cuál de ellas?

–A la Plaza de la Constitución. Desde ayer se llama Plaza del General Franco. Lo vi desde esta misma ventana. Presiento…

–¿Qué…? –A Maruxa los presentimientos de Carmela le imponían mucho respeto. Sintió un escalofrío.

–Presiento que algún día volveré a ver colocado el viejo rótulo, símbolo de la libertad, desde esta ventana. Sí, algún día lo volveré a ver.

–¡Ojalá que sea pronto! No respetan nada –Maruxa terminó dando un profundo suspiro–. Me acuerdo mucho de Luis. Me pregunto cómo estará.

A Carmela se le puso un nudo en la garganta que le impidió hablar. Notaba las lágrimas asomándole a los ojos, pero estaba dispuesta a no soltarlas. Aguantaba el tipo y Maruxa se dio cuenta:

–¡Soy una mala bestia! ¿Por qué tengo que hablar de algo tan doloroso para ti?

Pudo contestarle:

–Maruxa... no importa. ¡También yo me acuerdo mucho de él!

Le fue inevitable desahogarse y terminó contándole el funesto viaje que había hecho a Madrid después de nacer Carmiña, lo ocurrido en la pensión y lo mucho que había sufrido con aquel desengaño. Maruxa, sólo con escucharla la estaba consolando, porque realmente ¿qué podría decirle? ¿Que la guerra terminaría pronto y que Luis volvería a sus brazos como un héroe de tebeo? Sería necio. Tenía que callarse y escuchar. Cuando terminó de lamentarse, le preguntó:

–¿Lo habéis hablado?

–¿Qué dices? ¡Imposible! Ya me conoces: opté por no darme por enterada. ¡Que me lo cuente él, si quiere... y cuando quiera!

–¡Un momento...! ¡Un momento, Carmela! Vamos a recapacitar con ese sentido que se llama común, y que es el menos común de todos. Es indudable que esa situación os está distanciando cada vez más. De acuerdo que es muy grave... Pero puede llegar a hacerse insostenible. Mira, yo pienso que tienes que echarle valor y encarar el asunto con Luis, porque tiene derecho a defenderse. ¿No dices que los asesinatos políticos son terribles precisamente por eso de que no les dan la oportunidad de defenderse? ¡Joder! Pues aplícate el cuento.

–No sé, Luis tuvo oportunidades de contármelo, pero no lo hizo. Ahora que está enfermo, todo es diferente.

–¿Enfermo? ¿De qué?

–De tuberculosis. Lo sé porque consulté las cartas, no por él.

–No tenía idea... ¡Pobre! ¿Piensas que está muy mal?

–No es preocupante.

–Pues sigo pensado que por lo menos debes de pedirle una explicación.

Carmela, perdiendo los estribos, le contestó indignada:

–¿Una explicación de qué? ¿Que me diga cómo es posible que un hombre llegue a engañar a su mujer de forma tan canallesca, haciéndolo públicamente? Y todavía hay más... ¿Por qué dejó de mandar dinero a casa? –Maruxa la miró sorprendida–. Sí, sí... ¿Por qué piensas que me puse a trabajar? ¿Eh? Simplemente, porque no estoy acostumbrada a depender de la abuela, y aunque siempre me puso dinero en las manos, yo tengo mi orgullo.

–Estoy apabullada... ¿Qué puedo decirte?

–No tienes nada que decir. Lo entiendo. Mira, Luis vendrá a casa enfermo y como sea... ten la seguridad de que lo cuidaré lo mejor posible. Es el padre de mis hijos y tienen derecho a disfrutar de él. –Se estaba cansando del tema–. ¡Para mí ya pasó!, como dicen en Andalucía.

–¡*Porca miseria*!, como dicen en Italia.

Oyeron subir a los niños con Mamita y a Perro rascando con las patas la puerta. Maruxa miró el reloj:

–Es muy tarde... Pero no me voy sin estar un poco con mi ahijado. ¿Es cierto que Carmiña hace cosas extraordinarias?

Entró Perico y se colgó de su cuello:

–¡Madrina! ¿Qué me trajiste?

Lo bajó para poder revolver en el bolso. Realmente no sabía qué podría aparecer, pero esperaba que hubiese alguna golosina para darle. Encontró algo. Se lo enseñó:

–¿Qué es esto?

–¡Un pirulí de La Habana que se come sin gana! ¡Dámelo! –exigió Perico y saltó para alcanzarlo. Lo cogió.

Maruxa se volvió hacia Carmiña, que estaba en brazos de Mamita Carmen, le hizo unas fiestas y la niña la premió con la mejor de sus sonrisas. La miraba y la volvía a mirar. Interrogó a Carmela:

–¿Qué le pasa en los ojos?

–Que tiene uno de cada color. El izquierdo es azul y el derecho verde.

–¡Qué cosas! –Volvió a mirarla y le pidió a Mamita que se la dejase tener un poco. Cuando la tuvo en brazos, aumentó su asombro.

–Si me diesen a escoger uno de los dos ojos, no sabría cual es el más bonito –comentó Carmela, orgullosa.

–¡Pero esta niña es toda una belleza!

–Yo pienso que sí, pero ya se verá. Lo que es cierto es que nos va a dar mucha lata con la telequinesia.

–¿Tele… qué?

–Telequinesia. Es como se llama el mover las cosas sólo con la voluntad y a distancia –le aclaró.

–¡Joder, Carmela! Tengo que verlo para creerlo.

–Pues puede suceder en cualquier momento, cuando menos lo esperes. ¡No vayas a asustarte!

–Ten cuidado con los curas, que no la vean. ¡Podrían creer que es *bruxa*!

–No serán tan ignorantes. Todo el mundo sabe que existe la telequinesia y que no tiene nada que ver con la brujería. ¡Todo el mundo menos tú, claro!

–¡Pues claro! –contestó, sin darle importancia.

Perico protestaba porque su madrina tenía en brazos a la niña y se sentía celoso. Mamita, dándose cuenta, la cogió, y Maruxa aprovechó para despedirse; quedó en volver por Navidad, y de nuevo le guiñó el ojo a Carmela, que no comprendía esa nueva manía. Perico le dio un beso, dejándole pringada la cara. Carmela la acompañó hasta el portal y le ayudó a limpiar la marca del beso de Perico:

–No vayas a perder una conquista por llevar la cara sucia. ¡Y no te olvides de mirar el nuevo rótulo de la Plaza!

–No me olvidaré, no... ¡Señor...! Ver para creer... –desapareció por la esquina muy cabreada.

Carmela subió las escaleras muy lentamente, sin prisa, sintiéndose contenta. Maruxa siempre conseguía relajarla.

Pensaba que su situación personal provocaba lástima entre sus conocidos, y eso la disgustaba. Le parecía que todos la miraban de soslayo compadeciéndose: "Es verdad. No son imaginaciones, no". Miraba para sus hijos y se desesperaba porque estaban creciendo sin padre, y se daba cuenta que Perico lo estaba olvidando. Un día lo encontró hablándole a la hermanita e intentando explicarle que ellos no tenían papá porque se había muerto en la guerra, y que los estaban engañando al decirles que estaba en Madrid. Carmiña, como si entendiese, repetía una y otra vez "pa-pa-pa... pa-pa-pa", mientras chupaba el pulgar del pie derecho sin quitar la vista de Perico. A la madre se le rompió el corazón al oírle decir:

–Yo seré tu papá y te cuidaré. No te preocupes, Carmiña.

Deseaba que terminase de una vez la guerra para buscar a Luis y traerlo a casa, pero Madrid, incomprensiblemente para todo el mundo, resistía; cada vez se alababa más el coraje y la valentía de los madrileños, aun reconociendo que tenían las de perder. Las ciudades se iban rindiendo, pero Madrid no. Por las noches seguía escuchando Radio Pirenaica y así obtenía alguna que otra información, que ya no se molestaba en comentar ni con Mamita, porque el tiempo pasaba y cada vez estaba más desengañada esperando el trágico final. Tenía el convencimiento de que, a pesar de los cambios que se avecinaban, encontraría a Luis.

Al salir por las mañanas para el trabajo, con gran esfuerzo y armándose de valor, trataba de levantar el ánimo y llegaba a la oficina sonriente, sin dejar entrever su tragedia y dando la impresión de que para ella todo estaba bien. Mostraba mucha prudencia y jamás opinaba sobre temas que pudiesen comprometerla, políticos o religiosos, y esto le valía la estima de sus compañeros de trabajo. Recordaba que en una ocasión un cliente se había metido con ella y don Ignacio en persona la defendió diciendo que aquella era una señora casada muy respetable. No pudo dejar de darle las gracias. Bendecía aquel trabajo con el que conseguía distraerse entregándose por completo a sus tareas para no pensar en Luis ni en sus hijos y, por supuesto, tampoco en la guerra. Allí no pensaba. Sólo hacía cosas.

A finales de noviembre, Mamita Carmen recibió una carta de sus parientes cubanos, con dos sobres de Tomás dentro: uno grueso para Maruxa, y otro más delgado para su mujer, además de unas cuartillas sueltas que encabezaba "Para Mamita Carmen". Sentada en la mecedora, primero leyó la carta de sus parientes, que la llenó de nostalgia. Siguió con la de Tomás. La leyó dos veces seguidas, y después se la pasó a Carmela, que estaba esperándola mordiéndose las uñas. Decía que en Buenos Aires le presentaron a unos exiliados ilustres en una reunión del Centro Gallego, y que también allí había conocido al hijo de Maruxa, Xan. Carmela levantó la mirada sorprendida hacia Mamita, que afirmó con la cabeza y continuó con la lectura; añadía que habían congeniado y que le había ofrecido un puesto de trabajo en la empresa hostelera que regentaba. Al final hablaba de la preocupación que sentía por Luis, y de que la prensa argentina comentaba que la República Española ya no tenía nada que hacer. Mandaba recuerdos para Carmela y su dirección.

Cuando acabó de leer, le dijo Mamita:

–Niña, el mundo es un pañuelo. Avisa a Maruxa para que venga a recoger su carta y vete a Betanzos a llevarle a Esther la suya.

–Pero... Mamita, yo... ¡prefiero mandársela por correo! –dijo, fastidiada por el encargo. No tenía ninguna gana de llevar aquel sobre a su cuñada, porque olía malas noticias.

–¡Ay, qué *caraho*! Tienes que llevarla en persona, es lo correcto. No te queda más remedio que cumplir.

Ir a Betanzos le costaba más trabajo de lo que pensaba. Primero se ocupó de Maruxa. Le mandó recado al día siguiente y se presentó de inmediato muy contenta, porque suponía de qué se trataba. Carmela quedó sorprendida por lo mucho que le favorecía el embarazo. "¡Qué envidia, Señor! Yo siempre me puse birriosa. ¿Por qué será?". Se dio cuenta del absurdo de su pregunta, porque a la vista estaba la respuesta, en la alegría que despedían aquellos ojos.

–¿Es lo que pienso? –preguntó al entrar.

–¡Claro!

Le dio el sobre, casi tan grueso como el anterior. Esta vez Maruxa cayó sentada en la silla denominada por Perico "la de la madrina". Leía, se reía... y de vez en cuando exclamaba "¿qué?" sin levantar la vista. Esta vez Carmela no se movió de su lado, y tan pronto terminó, la apremió:

–¡Venga! ¡Cuéntame!

–Un momento... ¡Es que no sé por dónde empezar! ¡No te lo vas a creer! Resulta que se conocieron... ¿No te dije?, Xan y Tomás... ¡El mundo es un pañuelo! Van a trabajar juntos. Después vienen las típicas promesas de amor. ¡Ya me dirás! Lejos de la vista, lejos del corazón...

–¡Es un pañuelo! También lo dijo Mamita cuando leyó su carta. ¡Le escribirás y le darás la noticia!

–Pues claro... ¿Y luego? No pensarías que me lo iba a callar.

"Menuda perogrullada la mía. De un tiempo a esta parte sólo digo tonterías. ¡Tengo que pensar menos para pensar mejor! Yo bien me entiendo", caviló Carmela.

Maruxa continuó hablando de la carta:

–Parece informado de lo que pasa aquí. Habla del bombardeo de Guernica.

–El mundo entero habla del horror de Guernica.

–Y dice que cuando los Nacionales tomen Madrid, se acaba todo.

–Les costará. Tienen que acabar con Madrid y Cataluña. Eso oigo en el trabajo… ¡y muchas cosas más! ¡No veas cómo se pusieron los de Falange cuando fusilaron a José Antonio! Ahora hay bofetadas para ocupar el puesto vacante. Están en crisis.

–¡Ya! Si los fascistas rompen la unión con los Nacionales, pueden ocurrir muchas cosas.

–Hay demasiados intereses por medio para eso. Ni lo pienses.

–¡Ya! –Cambió de tema–. ¿Y los niños?

–Bajaron a jugar a la Plaza con Mamita.

–Pues tengo que irme. Pero antes voy a darles un abrazo. ¿Bajas conmigo?

–Vamos.

Desde el mismo portal vieron a Perico muy entretenido en la Plaza de Azcárraga, tirando piedras a la fuente del Deseo y observando cómo caían en el agua. Carmiña daba brincos intentando saltar de la silla donde Mamita la sujetaba para que no cayese. Perro ladraba muy enfadado. Perico las vio y corrió a abrazar a su madrina:

–¡Madrinita! ¿Qué me traes?

Maruxa buscó en el bolso, pero no encontró nada y lamentó no haberlo previsto. Pero del monedero sacó una peseta de plata y se la enseñó.

–Perico, mira esta peseta… ¡Es mucho dinero! No lo gastes, ¡guárdala!, porque es la moneda de la suerte. Verás, tiene una bonita fecha de acuñación, el año mil novecientos, ¿eh? El primer año de este siglo, el año que nació tu mamá. –Perico escuchaba muy atento–. Aquí tienes a Alfonso Trece, Rey de España, todavía niño. –Se la puso en la mano y le cerró el puño.

Perico corrió hacia Mamita y Carmiña para enseñarles la moneda y tuvo que pelearse con Perro, que saltaba para cogérsela con la boca.

–Mamita… ¿si te doy esta moneda para tu colección seremos… socios? ¡Y me tienes que enseñar qué tengo que hacer!

–¡Claro que sí, hermosote! ¡Esta misma noche!

Después de marcharse Maruxa, Perico convenció a Mamita para que le enseñase su colección de monedas. Subieron al desván y la bisabuela abrió el arcón de caoba en donde guardaba sus álbumes de numismática. Estaba contenta por compartir su afición con Perico. Lo sentó en una mesa, encendió la lámpara que había sobre ella, bajándola hasta la altura de Perico, y le dio una lupa grande y un saco de monedas. Le dijo:

–Míralas los dos lados bien y pon montoncitos con las iguales. Después ya te enseñaré a limpiarlas y a guardarlas.

El niño estaba muy entretenido mientras ella hojeaba los álbumes, que eran diez, cinco con monedas de oro españolas. Repasó el que tenía los doblones; hoja por hoja y uno por uno, los fue limpiando y brillando hasta que quedaron como una patena. Orgullosa se los mostró a Perico:

–¡Caray! ¡Cómo brillan! ¿Son de oro de verdad?

–Sí, claro. Las cuidaremos muy bien para que no se estropeen. Y cuando seas muy mayor, después de que yo me vaya con el bisabuelo Pedro, serán para ti solo.

–¡Qué bien! ¡Voy a ser rico! ¿Verdad?

–Eso espero, pero aunque seas pobre tendrás las monedas. Son de la familia y siempre deben de serlo. ¡Ya lo entenderás!

–Sí, sí, Mamita, ya lo entenderé. ¡Qué bien! ¡Voy a ser rico! –repetía una y otra vez dando palmadas en el aire.

Después de acostar a Perico, planearon el viaje. Entregar la carta a Esther no le resultaba nada grato. “Resulta indignante. Mamita no se da cuenta del papelón que me obliga a hacer”, pensaba, sin atreverse a protestar en voz alta.

–No te hagas la remolona. Mañana temprano coges el coche de línea y vas. Los malos tragos, rápidos y cuanto antes mejor; créeme, Carmela.

Quedó decidido.

Tuvo mala suerte. Era día de feria en Betanzos y el coche de línea paraba constantemente para recoger gente, alguna con cestos. Llegaría muy tarde… y pacientemente se dedicó a mirar el paisaje por la ventanilla. Desde lo alto de las Angustias vio el pueblo en la hondonada, arropado por las colinas que lo rodean. Aquella vista tan pintoresca le recordó lo que le había dicho Luis, que Betanzos era conocida como la "Ciudad Vergel" por sus bien cultivados prados, sus magníficos viñedos y sus frescos campos. Mirando la campiña y el río, desparramado y apacible, también vino a su memoria cuánto había disfrutado en su primera gira a los Caneiros. "¡Qué tiempos! ¡Parecen tan lejanos! Desgraciadamente no volverán nunca". Entrando en Betanzos vio de frente aquella puerta de la ciudad que da a la llamada *rúa dos Ferreiros*, tan estrecha y con tanta pendiente, a la que Luis había llamado "la antesala". "¿Antesala de qué?", le había preguntado ella. "Antesala del arte de este pueblo", le contestó. "Fíjate bien en el enlosado… ¡cantería y cantos rodados! Carmela… ¡eso es arte!". Lo estaba mirando y reconocía que era precioso.

El coche paró en la Plaza del Campo, centro de la feria y centro de la ciudad, y se apearon. Carmela fue a beber de uno de los caños de la fuente de Diana, en medio de la Plaza; Luis le había dicho que aquello era lo primero que tenía que hacerse si se quería volver. Aunque carecía de todo interés en ello, más bien deseaba marcharse cuanto antes, tenía mucha sed. Apoyada en la pilastra, cruzó los brazos y observó el movimiento del agua cayendo del caño. Le costaba mucho trabajo marcharse, porque estaba retrasando hacer el encargo. "Estoy en la misma postura que la primera vez que vine con Luis. ¡No paraba de hablarme y contarme cosas de aquí! Y yo escuchaba atenta, no a lo que me decía, sino a sus gestos, a sus ojos, a sus labios... ¡Bueno!, no sé qué será peor, si revivir todos estos recuerdos o enfrentarme a Esther. ¡Allá voy!".

Caminó hacia los soportales, donde estaba la casa señorial de los Quiroga, habitada sólo por la familia: en el primero vivía Tomás, en el segundo José y Angustias en el tercero. "Nunca contaron con nosotros para nada. Luis quería construir un piso para venir a pasar alguna temporada, pero ninguno de sus hermanos quiso hablar del asunto. Nos asignaron el bajo, ocupado por un café... ¡como la gran cosa!". La guerra no la había dañado. Miró la fachada buscando señales de vida en sus ventanas. En los soportales se amontonaba la muchedumbre. El portalón estaba cerrado; llamó al primer piso y no contestaron, lo mismo que en los otros. Preguntó en el café, y le dijeron que doña Esther y su hija estaban en la feria. Decidió esperar un tiempo prudencial.

Atravesó la Plaza y fue a visitar la Iglesia de Santo Domingo, donde se venera la Virgen de los Dolores. "Mira que hay iglesias bonitas, pero yo siempre visito esta. Debe ser porque aquí elevan el globo del patrón. Luis nunca comprendió que me gustase más que San Francisco o Santa María do Azougue. La verdad es que Luis no me comprende". Estuvo rezando un poco y al salir volvió decidida a casa de Tomás. Ya habían llegado. Le abrió la puerta Esthercita:

–¡Tía Carmela!... ¡Mamá!... Pasa.

Se dieron un beso y fueron a la cocina, donde estaba la madre guardando un cesto de comida. Cuando la vio se asustó y por poco se le cae de la mano. Se abrazaron.

Prepararon un café y fueron a tomarlo a la sala; Esther mandó a su hija a pasear por la feria mientras ellas dos hablaban, pero al quedar solas ninguna se atrevió a tomar la iniciativa y guardaron silencio; Carmela, desesperada, no tuvo más remedio que iniciar la conversación:

–No sé por dónde empezar. Lo haré por el principio. ¡Hemos recibido una carta de Tomás para ti! –La sacó del bolso y se la dio.

Esther se ruborizó, sentía vergüenza y no sabía qué hacer con el sobre. Después de dudarlo, lo abrió y leyó la carta. La vida obligaba a Carmela a ser espectadora silenciosa. Vio a Esther sollozando y gimiendo. Prefería a Maruxa, era mucho más divertida. "Claro que a esta se lo pone Tomás mucho más difícil, por lo que veo". Su papel se le hacía a cada minuto más desagradable.

–Cuéntame de Maruxa, por favor.

"¡Pero qué dice esta desgraciada! ¿No pretenderá que yo…?".

–¿Qué? ¿Yo? Mira, eso… ¡que te lo cuente Tomás!

–Ya me dice algo en la carta, pero para mí no es suficiente, quiero saber más.

–¿Ah, sí? ¿Y se puede saber qué te dice de Maruxa?

–Dice que mientras estuvo apiolado en el desván de tu casa, le metisteis a Maruxa…

–¿Qué? ¿Qué, qué…? ¿He oído "apiolado" y "le metisteis a Maruxa"?

–Sí, claro. Eso es lo que dice.

–Mira… No quiero enfadarme. ¿Acaso no sabes que fue a nuestra casa por su propia voluntad, cuando lo perseguían para matarlo?

–Si tú lo dices… supongo que sería así. A mí no me consta.

–¡A mí sí! ¡Suplicó de rodillas para que lo escondiésemos! Maruxa llegó a casa antes que él. Y Mamita se ocupó de Tomás como si fuese su propio hijo. ¿Así se lo paga? ¿Diciendo disparates? ¿O no? ¡Déjame leer esa carta!

Esther la guardó dentro del sostén y contestó:

–Te la dejaría si no fuese tan íntimo todo lo que dice.

Carmela sabía que se estaba metiendo en un berenjenal, pero como ya estaba harta, se dirigió a Esther con dureza e insolencia:

–¡Y aprovechándose de que estaban juntos, el cabrón de Tomás sedujo a Maruxa y ahora ella va a tener un hijo!

Esther se puso tensa.

–¡No! No te creo. Eres una grosera y… ¡una malvada!

–¡Es cierto! ¿Y dices conocer a Tomás?

Rompió a llorar y Carmela sintió lástima. Cambió el tono:

–Dime la verdad. ¿Qué te cuenta tu marido en la carta? Siempre fuimos amigas. Sé sincera, por favor.

Esther, confusa, terminó confesando que el marido le decía lo enamorado que estaba de Maruxa y le pedía su comprensión, porque tenía intención de rehacer su vida en la Argentina. Lo que la sorprendió fue el embarazo de Maruxa. Eso no lo esperaba. Al cesar su llanto, le contó:

–Tomás no me quiso nunca. Lo nuestro fue un arreglo de familias, por dinero… pero yo llegué a enamorarme de él y estoy dispuesta a esperarlo hasta la muerte. ¡Quizás algún día vuelva con nosotras!

–La verdad es que nunca se sabe. Pero no te hagas ilusiones y acepta la realidad. Los hombres son muy ingratos, y si te he visto no me acuerdo. ¿Entiendes? Si puedo hacer algo por vosotras, no dudes en pedírmelo.

–No te preocupes. Tú ya tienes bastante con lo tuyo.

Carmela pudo controlarse y no darle el bofetón que le hubiese gustado. Se levantó con mucha prisa y, sin decir una sola palabra, se marchó jurando no volver por Betanzos. "¡Señor, señor! ¡Qué familia política me ha tocado!", fue repitiendo durante todo el viaje de vuelta.

Cuando se lo contó a Mamita, todavía tuvo que oír como la abuela le echaba en cara que siempre había tenido manía a la familia de Luis, culpándolos de lo que le pasaba con el marido, y que deseaba vengarse.

–¡Qué disparate! –protestó Carmela–. Aunque en el fondo algo tienen en común Luis y sus hermanos, aparte del apellido. ¡Pero hay que reconocer que todavía existen clases entre los Quiroga!

Afirmó que nunca volvería a hacer de recadera. Aquella había sido la tarea más ingrata de toda su vida.

Supieron por la lechera que Maruxa había dado a luz gemelas. Ocurrió después del primer cumpleaños de Carmiña, al que ya no pudo asistir por encontrarse mal.

–¡Mamita! ¡Nada menos que dos hermosas niñas! ¡Gemelas!, tal como quería.

–¿Irás a verlas pronto?

–Sí, claro, tan pronto me sea posible.

Se fue a El Carballo a conocer los nuevos vástagos, dejando a sus hijos con Mamita.

Al llegar a la aldea volvió a sorprenderse como siempre. Era incapaz de recordar, de una vez para otra, las maravillas que encontraba; "¿O será que cada vez son más hermosas las cosas? No, no. Eso es imposible. ¡Esto es otro mundo!". Se le ocurrió la posibilidad de que Maruxa se fuese a Buenos Aires con Tomás y las gemelas. "¿Sería capaz de cambiar este paraíso por algo tan… lejano e incierto? ¡No lo creo!". Pero no tenía la seguridad y se decía que las personas, a veces, dan sorpresas. "Sí, creo que se marcharía, siempre que el imbécil de Tomás se lo pida, que esa es otra".

Encontró a Maruxa levantada y trabajando en casa; pensaba encontrarla todavía en cama tomando chocolate para recuperarse. Se abrazaron contentas y fueron inmediatamente a ver las gemelas. "¡Son preciosas!", comentó Carmela. Estaban juntas, acurrucadas, durmiendo, y salieron de la habitación de puntillas para no despertarlas.

–Cuéntame…

–Fue una hermosura. Primero salió María José... ¡de estampida!, la morocha esa. ¿Puedes imaginártelo? Luego, ante la sorpresa de la comadrona, apareció la rubicunda María Jesús, como si tuviese prisa para algo, ¡chica! Fue como cuando se descorcha una botella de champán: fisss... –Maruxa hizo un significativo movimiento con los dedos de sus manos.

–Así que... ¿María José y María Jesús?

–Sí... ¡bueno! Pero las llamaré Marisé y Marisú... ¿eh? –Y se rió con fuertes carcajadas.

–¡Marisé y Marisú! ¡Qué ocurrencia! –Y también se rió.

–¡Hay que echarle sal a la vida, chica!

Siguieron con las risas, cada vez más fuertes porque estaban nerviosas, aunque no eran conscientes de ello y llegaron a la hilaridad, riendo sin temor a despertar a las gemelas. Se desahogaban sin freno, hasta desternillarse y caer al suelo donde se revolcaron una y otra vez. Fueron tranquilizándose. Se limpiaron las lágrimas resultado de su histeria, y, ya sentadas, Carmela dijo:

–Tengo que venir por El Carballo con más frecuencia. ¡Es el único sitio donde río a mis anchas! ¡En serio!

–¡Siempre dices lo mismo! Si no vienes es porque no quieres.

Sacó del bolso regalos para las gemelas y para su ahijada Xana. Tres cadenas de oro con la medalla de la Virgen del Carmen.

–Vienen sin grabar, pero ya te encargas tú de hacerlo. No sabía sus nombres. ¿Vamos a ver a Xana?

Salieron cogidas por la cintura y llenas de alegría. La encontraron delante de la casa con su madre. Estaba más alta que Carmiña y tenía los hoyuelos de la abuela. A Carmela le intrigaba la clase de parentesco que unía a Xana con las gemelas. Según sus cálculos, esta era la sobrina de aquellas. Sonrió pensando que en las aldeas era corriente este desfase, e incluso los conocía mucho peores.

Estuvieron poco tiempo, debido a la preocupación de Maruxa por sus hijas. Por la noche, después de cenar, hablaron de Tomás y Esther.

–Yo no sé nada de ellos. A Esther no la volví a ver desde noviembre, que fui a Betanzos a llevarle la carta de su marido. Y él ya no volvió a escribirnos, ¡gracias a Dios! Ahora eres tú la que recibes su correspondencia… y la que me tienes que contar.

–¡Claro! Cuenta que recibió una carta de la mujer, que no se da por vencida y emplea todas las argucias posibles para convencerlo de que no la deje.

–No me sorprende. Es una mujer testaruda que no acepta lo que no le conviene, y muy peligrosa. Acuérdate de lo que te digo: es capaz de cualquier cosa para fastidiaros. ¡De cualquier cosa!

Quedaron pensativas. De pronto, Maruxa preguntó:

–¿Trajiste las cartas del Tarot?

–¡Por supuesto que sí!, pensando en las gemelas.

–Pues prefiero que me las eches a mí…

–A ellas primero.

Con las gemelas, las cartas fueron precisas. Aparecían muy distintas física y mentalmente; lo que les pasaría a través de sus vidas serían siempre cosas contrarias: feliz, desgraciada, casada, soltera… No resultaron interesantes.

Cuando le tocó el turno a Maruxa, manifestó que se sentía muy feliz y que no la afectaría nada que pudiesen decir las cartas. Carmela hizo la extensión y guardó silencio hasta impacientarla, y, a pesar de su comentario anterior, comenzó a preocuparse.

–Dicen tres cosas. Una mujer relacionada contigo, muere en accidente…

–¿Quién?

–No me interrumpas. ¡También darás la vuelta al mundo!, en un gran viaje. Finalmente, te veo señora del campo en compañía de tres jóvenes casi de la misma edad. –Recogió la baraja y, casi sin darle importancia, añadió–: Te han echado el mal de ojo, pero no te afectará.

–¡Bueno! ¡Lo que faltaba! ¿Y yo que pensaba que no me iba a suceder nada? ¿Es que podría pasarme algo más?

–Podría, pero por ahora vas servida. Se me ocurre… ¿Por qué no traes aquel aguardiente de orujo, tan bueno y que guardas tan celosamente, y hacemos una *queimada*?

–¡Sí! Nunca mejor ocasión.

Prepararon los ingredientes, los pusieron en una cazuela de barro, prendieron fuego y removieron con el cucharón, levantándolo una y otra vez. En el momento en que las llamas azules emergían del cuenco, las dos mujeres contemplaron el fuego purificador con el rostro iluminado por las llamas y los ojos brillantes. ¡Allí se estaban quemando las brujas, meigas y trasnos! Se miraron y comenzaron la *conxura do mal de ollo* al unísono, formando un dúo perfecto.

Mouchos, coruxas, sapos e bruxas.
Demos, trasgos e diaños, espritos das nevoadas
veigas. Corvos, pintigas e meigas,
feitizos das manciñeiras.
Podres cañotas furadas...
Pecadora lingua de mala muller
casada con home vello...

Continuaron meneando el aguardiente; las llamas resplandecían, cada vez más azuladas, alumbrando la oscura cocina en donde habían cerrado las contras para mayor intimidad. Con las manos unidas agarraban el cucharón. La magia, que se había adueñado de ellas, resplandecía en sus rostros. Continuaron con el *conxuro*:

...Forzas do ar, terra, mar e lume, a vos fago
esta chamada: si e verdade que tendes mais

poder que a humana xente, eiqui e agora,
facede cos espritos dos amigos que están fora,
participen con nos desta queimada.

Las llamas comenzaron a mustiarse, empequeñeciendo. Era el momento de comenzar a beber la pócima mágica. Se sirvieron una taza en silencio, luego otra y otra... El sabor de aguardiente quemado, mezclado con el ácido del limón, penetró en sus estómagos, reconfortándolos con el agradable calor surgido de la profundidad de sus espíritus. Repetían lo que generaciones anteriores les habían transmitido. Les embargaba la alegría de saberse triunfadoras sobre el mal, sobre los espíritus dañinos que pudieran perturbarlas. Al mismo tiempo, el aguardiente hacía sus efectos. Carmela repetía incansable su palabra mágica preferida: abracadabra, abracadabra... Sólo era un susurro, como la suave lluvia al caer, luego adquirió fuerza y energía. Se le unió Maruxa. Cantaron y danzaron cogidas de las manos, con alegría, sintiéndose felices, en éxtasis. Agotadas, se sentaron en el banco de la *lareira*, una a cada lado, con el fuego avivado... y se quedaron dormidas envueltas en unos mantones. Despertaron con el primer canto del gallo, ateridas de frío ante las apagadas brasas. Carmela había soñado con Luis y Maruxa con Tomás. Los amados se les habían hecho presentes aquella noche ante sus llamadas, y se trataba de una buena premonición.

Después de atender a las gemelas, que reclamaban su alimento, sintieron la necesidad de purificarse en las aguas frescas del río. Eran las cinco de la mañana y la hierba estaba húmeda por las gotas gruesas del rocío. Se descalzaron en la orilla, se quitaron la falda, la chambra, la camisa y el sostén y se introdujeron en las heladas aguas. El frío les cortó la respiración. Sus dientes castañeteaban. Apretaron la nariz fuerte con los dedos y se sumergieron en la profundidad, en la negrura de las aguas, por tres veces. Salieron tiritando. Se cubrieron el pecho con la ropa y corrieron hasta llegar a la casa. Después de mudarse, se encontraron en la cocina para desayunar. Se sentían almas gemelas. Lo que había entre ellas era mucho más que amistad.

Carmela llegó a la Coruña de muy buen humor, bromeando con todos, hasta con Perro, que se ponía en guardia y le gruñía como si no la reconociese. La más sorprendida era Mamita.

–¿Quién se te apareció en El Carballo para venir tan feliz?

–Luis –contestó sin titubeos. Mamita comprendió.

De nuevo le apeteció tocar el piano y se empeñó en darle lecciones a Perico que, resignado, no se atrevía a contrariarla, pensando que estaba rara porque se iba a morir. Deseaba aprender, pero ni el piano ni el solfeo eran para él y pronto se hartó de las notas, de las escalas y de todo. Perico, ayudado por la madre, llegó a odiar el piano y Carmela lo dejó por imposible. "Desde luego no salió a nosotras. ¡Carece totalmente de sensibilidad! Desgraciadamente salió a los de Betanzos".

Lo que Carmela no sabía era de la gran afición musical de Perico, que tocaba la flauta dulce desde el parvulario, y que la tocaba de oído con melodías claras, encerrado en el desván, cuando nadie lo oía.

–¡Sin solfeo! ¿Para qué quiero estudiar música si voy a ser abogado como mi papá? –razonaba Perico con Mamita.

–Díselo a tu madre.

–No quiero. ¡Y tú tampoco le digas nada! Total, siempre se niega a todo.

Carmela abandonó a Perico para dedicarse a Carmiña, que ya había cumplido dos años. La abuela, viéndole las intenciones, le llamó la atención:

–Deja tranquila a la niña. Habíamos quedado que yo me encargaría de su educación. ¡Aprende perfectamente lo que le enseño y por ahora es suficiente!

–¡Pero… Mamita! ¡Si se acerca sola al piano! ¿Ves? ¡Mírala! Mi niña es la futura pianista de la casa –dijo señalando a Carmiña, que estaba subida a una silla, peleando con el teclado.

Con sus pequeños dedos daba fuertes golpes a dos teclas, siempre las mismas. Sus gestos resultaban cómicos y su atención exagerada. Carmela miró sorprendida a Mamita, al notar que estaban sonando acordes armoniosos, precisos. Permanecieron detrás de la niña, escuchando. De pronto se volvió hacia ellas, se asustó y se cayó de la silla llorando a gritos. Mamita la levantó con cuidado y tuvieron que llevarla al médico, porque se había roto un brazo. Regresó con él enyesado.

–¿Sabes, Mamita? –dijo Carmela por la noche–. Hoy fue el día de mi cumpleaños… ¡Nadie se acordó! Ni siquiera tú.

–Lo siento. Se me pasó.

–Desde luego, no lo voy a olvidar fácilmente. Pasará a la historia como el día que Carmiña se rompió el brazo, no como mi treinta y ocho cumpleaños… ¡Menudo regalo me hizo la niña!

–Hay que dar gracias a Dios, pudo darse un golpe en la cabeza.

–Pudo, pero no se lo dio.

Carmela recordó a una amiga que hacía poco había perdido a su madre como consecuencia de una rotura de cadera que la había convertido en una inútil total. Se horrorizó ante la idea de que hubiese sido Mamita la accidentada y se consoló pensando que había sido la niña. Dijo en voz alta:

–Sí… Hay que dar gracias a Dios.

Mamita no se molestó en contestarle.

En el mes de mayo le quitaron el yeso a Carmiña y, como ya hacía calor, la llevaron a la playa del Parrote para que se recuperase jugando con la arena y el agua. Poco a poco, el brazo se le fue fortaleciendo.

-6-

En el mes de enero el general Franco formó el primer Gobierno del nuevo Régimen, lo que acarreó numerosos conflictos nacionales e internacionales. Algunos países europeos no sabían qué postura tomar ante la situación española, pero poco a poco lo fueron resolviendo según las conveniencias particulares de cada uno.

Aquella primavera fue anulado el matrimonio civil y muchas parejas se vieron obligadas a legalizar su situación contrayendo matrimonio canónico. Carmela pensó durante un tiempo en Luis con la otra mujer y en cómo vivirían juntos. Tenía la impresión de que él, como abogado, conocía las leyes y sus trampas. "¿Cómo puede haber trampa en casarse? Puede haberla. ¡Claro que sí! Sólo un necio podría negar lo evidente. Una buena medida tomaron los Nacionales. ¡Desde luego!". Interiormente los aplaudía.

Los periódicos y las emisoras de radio hablaban de la batalla del Ebro y algunos analistas políticos la catalogaban como la más importante, con ofensivas y contraofensivas en lucha sin cuartel. Decían que los republicanos vendían cara su vida.

Estaba leyendo la prensa en la galería, cuando escuchó a unas niñas que, saltando a la cuerda en la Plaza de Azcárraga, cantaban aquella triste canción del desastre de Annual. Carmela la recordaba de su juventud y se preguntó por qué se habría puesto otra vez de moda. "¿Será por la similitud de las palabras *Barranco del Lobo-Pozo del Lobo,* donde los republicanos se defienden tan heroicamente como los españoles en África?".

Su significado la estremecía de dolor. Le pareció que las niñas de la Plaza cantaban al pie de su ventana.

En el Barranco del Lobo,
hay una fuente que mana
sangre de los españoles
que murieron por la Patria...

La defensa de la línea del Ebro asombraba a todos, comentándose que era la recámara de una necrópolis, que duraba demasiado y que era inconcebible. También Madrid acaparaba la atención, y la prensa relataba que se vivía bajo las bombas y obuses como la cosa más natural. Finalmente decían que la guerra estaba fatigada y fatigando, que había discordias por todas partes, que los republicanos no se ponían de acuerdo, que Falange tenía conspiraciones que llegaban a las más altas esferas militares y que quedaba poco que no beneficiase a las tropas del general Franco. En noviembre los republicanos habían perdido la batalla del Ebro.

Mientras, y a diario, las niñas de la Plaza de Azcárraga seguían cantando a voz en grito la triste canción del *Barranco del Lobo.* Carmela seguía estremeciéndose al oírla, llorando con amargura. Parecía la conciencia de los mayores manifestada en la inocencia de las voces infantiles empeñadas en cantar las gestas de un montón de valientes.

Al terminar la batalla del Ebro, el general Franco avanzó. Tomaron Cataluña. Y en marzo del año 39 cayó Madrid. La guerra terminó, pero no la violencia. El general Franco prometió que todo aquel que no hubiese cometido crímenes de sangre, quedaría en libertad, y Carmela mantuvo su esperanza. "Aunque no sea así, es el principio para buscar y encontrar a Luis".

Se habían reunido a merendar en casa de Laura, donde la alegría brillaba por su ausencia. Masticaban en silencio y tragaban. Tere comenzó a decir algo:

–Ahora que terminó la guerra…
–Con la derrota del Gobierno de la República… –le interrumpió, irónica, Laura.
–Y la victoria de los sublevados… –se animó a añadir Carmela.
Tere, extrañada por el tono de las amigas, preguntó:
–¿A qué estáis jugando?
–Que yo sepa, a nada conocido –contestó Laura–. Pero podemos inventar un nombre… ¡Hum! ¿Qué tal… "vencedores y vencidos"?
–¡No sé! ¡Yo no digo nada! –cortó Tere, molesta.
–¿Y tú, Carmela?
–Depende… ¿Es divertido? ¿No terminaremos como el gallo de Morón?
–No lo creo. Tendremos cuidado –insistió Laura–. ¿Juegas, Tere?
–¡Uf! ¡No! ¡Déjame en paz! ¿Quieres?
–¡Vale, chica! ¡Vale! No es para ponerse así…
–Bueno, vamos a ver… ¿De qué va esto? –preguntó Carmela.
Laura la señaló con el índice:
–Tú eres la vencida y Tere…
–¿Yo? ¡Nada! Olvídame o me marcho.
Laura dio un giro hacia Carmela y dijo:
–Y yo soy la vencedora… ¿Está mejor así?
Tere la miró, incrédula.
–¡Bah! ¡Me voy! –Agarró su bolso, enfadada, y se incorporó para irse.
Carmela la sujetó por el brazo:
–Espera. Voy contigo. Laura, mejor olvídate de vencedores y vencidos, si quieres sobrevivir.
Laura reaccionó. Pidió perdón por haber estropeado la merienda y les contó que sentía un demonio en el cuerpo que la

obligaba a comportarse así, atacando a todos. Aquello estaba haciéndose frecuente en las personas, afirmándose que formaba parte de la herencia de la guerra, por eso lo entendieron. Además no estaban dispuestas a que se malograse la amistad que las unía. Tere la tranquilizó:

–No te preocupes más, Laura. Antes de irnos a Madrid te vendremos a ver, por si quieres algo. Y espero que estés de otro humor.

–¿Os vais a Madrid? ¿Quiénes?

–Queríamos decírtelo, pero no nos dejaste. Carmela y yo.

–¿A qué?

–Yo voy al Desfile de la Victoria, ¡ya sabes! Gumersindo tiene que asistir y yo lo acompaño. Carmela va a buscar a Luis e iremos juntas en el tren.

–¡Esperar un momento! ¿Me estáis diciendo que Luis está vivo?

–Como lo oyes. ¡Vivito y coleando! Por lo menos eso dice Carmela, que con sus poderes debe saberlo.

Carmela aclaró:

–Está vivo, pero no coleando. Yo aseguraría que la "colita" la tiene inservible –les guiñó el ojo con picardía, imitando a Maruxa aquella vez que tanto la desesperara–. Bueno... Luis se encuentra enfermo... y no tengo ni idea de dónde puede estar. Como hay que comenzar por algún sitio, empiezo por Madrid. ¡Lo encontraré aunque tenga que remover Roma con Santiago! Para eso tengo muchas y muy buenas amigas –agarró a Tere por el brazo, cariñosamente, y volvió a los socorridos guiños.

–¿Cuándo os vais?

–Dentro de dos días... ¿Quieres venir? –preguntó Tere.

–Me gustaría... ¡pero de ninguna forma iría al fastidioso desfile!

–Únete a mí, que yo tampoco voy a esa historia de falangistas y militares.

–¿Lo puedo pensar hasta mañana?

–¡Claro! Mañana lo dices para sacar el billete.

Ya en la calle, Carmela le dijo a Tere:

–Saca tres billetes, que Laura viene… ¡No me deja sola por Madrid!

–Me alegro, porque no me gustaba nada la idea. Por otro lado, no me queda más remedio que asistir al jolgorio de mi marido y me estabas preocupando. Con Laura es diferente. Quedo tranquila.

–Yo también. ¿Ves, Tere? A nosotras la guerra nos une más y más.

–Dirás que nos ha unido… ¡La pesadilla ya terminó, gracias a Dios!

Caminaron sin prisa. Suspiraron al mismo tiempo, como si se hubiesen puesto de acuerdo. Iban calladas. Existían otras preocupaciones. Europa se tambaleaba entre las democracias y las dictaduras totalitarias, y podían estar en el preludio de otra guerra. Se sentían como si fuesen un grano de arena perdido en la inmensidad del Océano, en lucha por sobrevivir. La sangre seguía corriendo en las pesadillas de Carmela, pero guardaba el secreto. No lo compartía con nadie, ni siquiera con Mamita Carmen.

Tumbada en la cama, con *El Espectador* en la mano inerte y la mirada perdida en el techo de su habitación, aparentemente descansando, Carmela trataba de casar sus pensamientos con los de su filósofo preferido. Estaba triste. Sentía el alma retirada en el último rincón de su cuerpo por falta de alegría. "Estoy en lo que Ortega llama el *cubil…*".

Hacía tiempo que había descubierto su soledad interior, pero ahora, en estos días, era mucho peor, porque estaba descubriendo la soledad de cada cosa. Se encontraba en la línea negra que limita al ser para encerrarlo dentro de sí, sin ventanas hacia fuera, sin infinito interior… sin nada. Ortega conocía bien su problema. Lo exponía claramente diciendo que el amor es uno de los peores instrumentos de castigo. "¡Para mí es evidente!, pero… ¿qué puedo hacer? Si pudiese arrancar del corazón a Luis, ya no sufriría". Volvió a buscar consuelo en *El Espectador*. En su mano estaba todo. Trató de ordenar sus pensamientos: "Ortega dice que separemos lo real de lo imaginario y que conservemos ambos mundos en su sitio. Vamos a ver… Si no se hace así, ¿qué ocurre? ¡Viviremos en desacuerdo con nosotros mismos!, y seremos víctimas de todas las crueldades del amor". Ella lo había intentado, pero le resultaba muy difícil. Divagó sobre lo real y lo imaginario, y no pudo distinguir claramente los conceptos. Ya cansada, pensó: "Lo real es Luis y yo misma, el amor y el desamor. Lo imaginario es la otra, que es la circunstancia limitada. ¡Claro! ¡Y no me queda más remedio que ponerla en su sitio! Pero… ¿cuál es su sitio? Tiene que ser fuera de la sociedad, de la hipócrita sociedad que es la que obliga al que jura amor eterno a cumplir su palabra, convirtiéndolo en resentido que no se estima ni a sí mismo. ¡Qué gran filósofo es Ortega! ¡Cómo profundiza en mí! ¿O acaso mi problema es tan común como para generalizarlo? Desde luego, por desgracia, todo el mundo sufre o ha sufrido alguna vez de amor". Ella creía que si Luis le hubiese hablado del problema y pedido el divorcio, hubiese sido más justo. Pero, al no hacerlo, significaba que él aceptaba las reglas de la sociedad. "¿En nombre de qué se permite la sociedad dirigir mi vida? ¡Menuda basura la tal sociedad! ¿Y dónde está la ética de mi marido? ¿Aquella de que tantas veces presumía?". Recordaba un tiempo en el que habían hablado mucho de temas trascendentes, y aunque no habían conseguido unir sus criterios, por dispares, por lo menos los discutían. Luis le había dicho que para comprenderlo a él tendría que comprender a Marx y Engels, o como mínimo leerlos atentamente; pero a Carmela las alienaciones con las que el marxismo critica el valor moral y la verdad eterna, no le casaban con sus ideas religiosas, a pesar de tenerse por persona abierta a las innovaciones y sin prejuicios. No podía admitir lo que sostenía Luis de los cristianos, diciendo que eran marxistas por pedir una mejor distribución de los bienes materiales. Ella, a la vez, sustentaba que la parte judía de Marx se advertía cuando hablaba de las promesas de redención mesiánicas a la masa proletaria. Con eso conseguía enfadarlo, y terminaba la polémica diciéndole: "No confundas, mujer". Para Carmela los judíos estaban de moda y los cristianos no, lo que la llevaba a cuestionar la autenticidad de aquella ética. Además, su marido no renunciaba a nada. Quería ser el amantísimo padre respetado por todos en su ambiente coruñés, pero cambiaba de ambiente y en Madrid representaba un nuevo papel. "¡Eso es libertinaje!, ni marxismo ni porras". Terminó cuestionándose si a Luis y a la otra mujer les uniría la afinidad de sus ideas. En una ocasión se lo había preguntado a Mamita Carmen y su respuesta le dio mucho que pensar:

–¡La vida! No les une nada más. Si tú vives, sólo eres comprendida por los que viven… ¡Ay, qué *caraho*! Si os molestaseis en hablar, os comprenderíais.

"Igual es así de fácil! ¡Quién lo supiese con certeza!".

-7-

Lo que estaban viendo parecía una alucinación. Era algo dantesco. Desde la ventanilla del taxi que las conducía hacía la castiza calle Luna, en donde vivían los parientes de Mamita Carmen, podían observar lo que quedaba del Madrid que a ellas siempre había ilusionado. Asombradas se cruzaron muecas de horror. Ante los despojos, miserias, ruinas y cenizas, se les nubló la vista como protesta por tanta atrocidad. A lo largo de las calles habían puesto los Nacionales grandes paneles para impedir que se pudiese ver más allá, e infinidad de carteles y letreros señalando las posiciones defendidas días atrás con vidas y sangre, mostrándolas ahora como curiosidad al visitante.

–¡Que trágico, Dios mío! –exclamó Laura, horrorizada.

Carmela bajó el cristal de la ventanilla para poder leer la propaganda de los vencedores. "¡Sería cómico si no fuese tan… triste!". Gallardos soldados sonrientes, con el yugo y las flechas, y unas enormes letras que decían "nosotros", contrastando con las calaveras de casco y guadaña, donde unas letras decían "ellos". Se miraron haciendo grandes esfuerzos para contener las lágrimas, con infinita rabia, sin articular palabra y diciéndolo todo con los ojos. Ante las tiendas de alimentación había grandes colas de ciudadanos madrileños que semejaban muertos vivientes, en los que podía reconocerse el orgullo de un pueblo que había sabido mostrar su bravura, coraje y valentía. También lo tenían delante los visitantes. "¡Ojalá supieran verlo!", comentaron en voz baja. Aquellos eran los que habían defendido su resto de vida con fuerza inusitada y los que, al perder su libertad, dejaron de considerarse hombres convirtiéndose en animales, porque, a partir de entonces, el ser hombres ya no contaba.

–¡Madrid está lleno de vivos muertos! –dijo Laura al oído de Carmela.

Uniformes, harapos, vendajes, tristeza... aquí y allí: siempre. Sabían que los Republicanos habían pasado hambre hasta el final de la guerra, porque los campos de cultivo estaban en manos de los Nacionales, y sabían que el lema repetido por ellos hasta la saciedad con orgullo era "mantenerse vivos es lo importante", pero jamás pudieron imaginar todo su significado. Ahora lo estaban viendo. En las colas, la gente llevaba sus tarjetas de racionamiento en la mano. Carmela cerró la ventanilla.

El conductor del taxi, mirándolas por el espejo retrovisor, les dijo:

–Algunos van a hacer su agosto con el estraperlo y el mercado negro. ¡Es inevitable!

No contestaron. Al pasar por Cibeles, Laura sollozó:

–¡Dios mío... qué pena verlo! ¡Madrid está asolado!

El taxista, después de haberlas observado durante el viaje, se atrevió a decirles:

–¿Ver qué? ¡Ustedes no están viendo nada!, sólo lo que quieren que vean... –se animó–. Durante el asedio, los coches caminaban gracias a la combustión de leña en los gasógenos. Los cirujanos no podían operar, porque no tenían fuerza ni electricidad. La luz de gas sustituía a la eléctrica. Todo se aprovechaba, chapuzas, parches... ¡Todo! Las vendas del muerto eran para el siguiente herido. ¡No había nada de nada! Ni siquiera perros, los habíamos comido. Lo único... ¡las ratas!, las enormes ratas... y eso porque no servían para comer, que si no...

Hicieron esfuerzos para mantenerse serenas. El taxista continuó:

–¿Ven las familias acampadas ante las ruinas de sus casas? No tienen puertas ni paredes… ¡ni hogar! No tienen nada. Ni Dios, ni moral, ni amigos… ¡nada! Estamos fuera de esa nada, detrás de ella, siempre detrás. Pero ahora… ¡con paz!

Les salió un coche por la derecha y tuvo que hacer un viraje violento para evitar la colisión. El taxista, con la cabeza fuera de la ventanilla, vociferó contra el otro conductor, que desapareció protestando por el siguiente cruce. Continuó hablando:

–¿Y saben algo de los políticos? –No se molestó en esperar la respuesta–. ¡Claro! ¡Qué van a saber! Emigraron. ¡Se largaron!, y aquí dejaron los odios y desengaños. ¡Allá se fueron! al Norte, al Sur… ¡Qué más da! Huyeron del pasado. Pero, ¡eso sí!, antes se desprendieron de todo lo que significase peligro para su supervivencia.

Al fin llegaron. El coche paró y el taxista las ayudó a llevar las maletas hasta el portal; se lo agradecieron con una propina. Subieron cargadas y con dificultad hasta el primer piso, en donde vivían las ancianas parientes. Todo parecía estar como siempre. Llamaron y les abrió la vieja criada. "¡Está igual que una momia! –pensó Carmela, mientras le daba un abrazo–… y huele mal, como si no lavase su ropa". Pasaron; la familia las esperaba. Eran tres hermanas solteras tan mayores como Mamita y unidas a ella por un parentesco lejano, pero que, cuando estaban con Carmela, se desvivían por atenderla. Muy consideradas, antes de nada las mandaron descansar del viaje. Les prepararon la misma habitación que Carmela siempre había compartido con Charo. Se durmieron inmediatamente.

El diecinueve de mayo de 1939 se celebró el Gran Desfile Militar de la Victoria. La moribunda ciudad, después de veintiocho meses de resistencia, presenciaba el paso marcial de las tropas vencedoras por el Paseo de la Castellana. En la tribuna estaba el Jefe del Estado, general Franco, con su Gobierno y

Autoridades. Carmela y Laura, como muchos madrileños, se vistieron de negro de la cabeza a los pies y fueron a caminar por las calles desiertas alejadas del desfile, donde cada vez encontraban más gente caminando como ellas en silencio, sin levantar sus miradas del suelo y toda con ropa oscura. Andaban como en procesión, hacia adelante, sin cruzar las miradas.

Al regresar a la calle Luna encontraron militares que volvían del desfile, pavoneándose con sus uniformes de gala y llamando la atención. Otros, con aspecto de matones, vestían camisas pardas, negras, azules. Eran los que habían ayudado a los Nacionales: la Italia de Mussolini, la Alemania de Hitler. Los vencidos eran recuerdos, luto, sombras…

–Madrid no se rindió –dijo Carmela a Laura–. Madrid está herido de muerte, pero sigue adelante. ¡Nosotros hemos visto hoy como se arrastraba!

Había pasado más de una semana y Carmela todavía no sabía por dónde empezar a buscar a Luis. Hacía numerosos planes, pero siempre le fallaban al llevarlos a la práctica. Se replanteaba la cuestión una y otra vez, con insistencia y sin desesperar. La abuela siempre le había dicho que era más terca que una mula y era verdad. Cuando se interesaba por algo, movía cielo y tierra haciendo lo imposible por conseguirlo. Tenía por costumbre no hacer caso de las llamadas que hacía Mamita Carmen constantemente a su cordura, e iba a lo suyo, confiando siempre en su instinto y en la providencia. Lo que iniciaba lo llevaba hasta el final sin importarle que el camino fuese liso o áspero. Así se apasionaba y pasaba de la nada al ser, de la muerte a la esperanza, a la confianza. Ahora tenía con ella a Laura para equilibrarla, para hacerle ver el otro lado de la moneda, para desempeñar el papel de su conciencia. Las dos hablaban, planeaban, discutían, investigaban. Se distraían y, cuando las pesquisas resultaban infructuosas, se daban ánimos, se ponían nerviosas… se tranquilizaban y volvían a empezar.

Resultaron inútiles muchas gestiones, como preguntar por los periódicos en los que trabajaba Luis, porque todos estaban cerrados o precintados, o con nuevas instalaciones para otras cosas. Además debían de tener cuidado para no levantar sospechas, porque cuando preguntaban algo relacionado con los vencidos, la gente las rehuía y miraba con recelo. Las personas conocidas habían desaparecido y resultaba paradójico que nadie las recordase. Era un camino muy largo pero, a pesar de pasar por momentos desesperados, continuaban. Carmela, siempre confiando en su instinto y con la certeza de encontrarlo vivo. "Pero… ¿dónde?", le preguntaba Laura al llegar agotada, con los pies hinchados a casa. Al día siguiente se repetía lo mismo.

El calor apretaba fuerte. No podían caminar bajo el sol y buscaban las calles sombrías. Al mediodía tomaban un tentempié en una cafetería de la Gran Vía. Allí solían encontrarse con personas de La Coruña, porque el local estaba de moda y con la alegría de estar con paisanos pasaban un rato agradable, descansaban y luego seguían por Leganitos, para terminar comiendo en cualquier restaurante cercano.

Aquel mediodía, como era especialmente caluroso, se sentaron en la terraza, bajo el toldo, sin ganas de hablar, cansadas, tomando la consumición y viendo pasar la poca gente que se atrevía a salir a la calle. Laura se levantó para ir al servicio y regresó acompañada por un señor de su edad, con un fino bigote que a Carmela le recordó el de Luis.

–Os conocisteis en mi boda, pero veo que no os recordáis. Bien, esta es Carmela de Quiroga –él le besó la mano–. Y Carlos Serrano, muy amigo de mi marido –Carlos tomó asiento frente a Laura–. El padre de Carlos estudió con mi suegro la carrera de Derecho aquí, en Madrid. Eran muy buenos amigos. ¡Ya lo creo!

Carmela se limitó a sonreír; el cansancio no le permitía otra cosa.

–Soy de Salamanca y estoy de paso. ¿Y tú qué haces en Madrid? –preguntó a Laura, intrigado–. ¡Mira que hace años que no nos vemos! Estás igualita… Por ti no pasa el tiempo.

Laura sonrió agradecida:

–Es una larga historia. Estamos haciendo gestiones para encontrar al marido de Carmela, del que carecemos de noticias desde el principio de la guerra.

–¿Republicano?

–Socialista –aclaró. Carmela los miraba en silencio.

–¿Sí? Pues habéis tenido suerte al encontrarme. Me parece que os puedo ayudar. Veréis: el cuñado de Franco, que es de Salamanca, es pariente mío y yo he venido a visitarlo. Está en el gobierno. –Lo miraron pasmadas, no podían creer su suerte–. Estoy citado para verlo mañana. Decidme cómo os puedo ayudar. Mejor os invito a comer, así hablamos con calma.

Se recuperaron para aceptar. Habían olvidado el cansancio, la desesperanza, la amargura. Entraba luz en el corazón de Carmela y, nada más sentarse en el restaurante, habló, habló, habló… Explicó con detalle la vida profesional de Luis, poniéndolo al corriente de todo lo que sabía. Carlos iba tomando notas y haciendo alguna pregunta: "¿Tomó parte activa en la guerra? ¿Participó en algo relacionado con sangre?". Carmela insistía en que Luis era periodista, comentarista político, que escribía para los periódicos a los que interesasen sus artículos, sin preocuparse por su ideología, y que también era redactor de *El Socialista*. Añadió que estaba muy enfermo, según sus últimas noticias. Carlos preguntó extrañado quién se lo había dicho, y Carmela se remitió a antes de la guerra y a unos amigos suyos imaginarios, porque no consideró oportuno hablar de sus premoniciones en aquel momento. Comenzó a sentirse incómoda cuando se cuestionó si sería prudente contarle tantas cosas de un socialista, ya que por muy amigo que fuese de la familia de Laura, no dejaba de ser un franquista. Le entró la desconfianza, y aunque hizo grandes esfuerzos para que no se le notase, no pudo evitar distanciarse poco a poco. Laura se dio cuenta y cambió de conversación, para que tuviese tiempo de reflexionar. Después de pensarlo, Carmela decidió que con los datos proporcionados tenía suficiente para ayudarla si quería. Se relajó y volvió a introducirse en la conversación, dispuesta a no especificar más detalles, pero a continuar hablando con amabilidad. Carlos no dio muestras de enterarse del problema y Carmela lo catalogó de poco inteligente.

Después de la comida, las acompañó a la calle Luna. Resultaba evidente su interés por Laura y dieron por supuesto que no iba a desaparecer fácilmente de su entorno, y que muy pronto volverían a verlo. Al despedirse quedó en telefonearlas con el resultado de sus averiguaciones, y animó a Carmela a que confiase en él, asegurándole que todo se iba a resolver. Ella comenzó a considerar la posibilidad de haberse equivocado, juzgándole prematuramente, y se alegró.

Aquella noche, antes de quedar dormidas, hablaron de Carlos. Laura le contó que nunca había dejado de felicitarla por su santo, muy expresivo, y que si no había nada entre ellos dos era porque ella no quería.

Durante unos días no supieron nada de él y pensaron que sus averiguaciones habían resultado infructuosas y que por ello se había marchado a Salamanca sin despedirse, y aunque Laura repetía que no era su estilo y que lo conocía bien, también era la primera en hacer conjeturas. Impacientes, volvieron a planear comenzar de nuevo la búsqueda, cuando recibieron su llamada por teléfono. Quedaron en verse al día siguiente, en los Ministerios, a las doce.

No pudieron dormir y a las siete de la mañana se levantaron con los nervios de punta y el problema de cómo vestirse. No tenían mucho en que escoger… Laura propuso ir de compras tan pronto abriesen los comercios:

–El otro día, en Fuencarral, vi un vestido precioso, muy discreto. Creo que te iría estupendo. Seguro que tienen algo también para mí. ¿Vamos? ¡Hay tiempo de sobra!

–De acuerdo, pero vamos a tiro fijo. ¡Sólo a un sitio! No soportarían el estar pendiente del reloj.

Laura tenía muy buen gusto y Carmela se encontró muy bien con el vestido que le había elegido. Salieron con la ropa nueva puesta y encargaron que les enviaran a casa los trajes usados. Fueron al Ministerio y llegaron en punto. Carlos las esperaba en la puerta. Muy contento les rogó que tomasen asiento, y tan pronto lo hicieron les dio la noticia de que había encontrado a Luis. Carlos no bromeaba. Fue totalmente inesperado para Carmela. Tragando saliva con dificultad, pudo preguntarle:

–¿Está... vivo?

–Sí, me lo aseguraron.

–¿Pero... cómo hiciste para dar con él? –preguntó Laura.

–Veréis... Fui a la pensión donde se alojaba...

–¡Nosotras también! Pero había sido bombardeada y sólo encontramos escombros –se lamentó Carmela.

–¡Ya! Bueno... –continuó Carlos–. Enfrente hay una barbería; hablé con el dueño y era allí donde tu marido se afeitaba y cortaba el pelo...

–Nosotras también hablamos con él, pero no nos dijo nada; hasta negó conocerlo –siguió lamentándose Carmela.

–Carmela... escucha –le aconsejó Laura.

–Pues allí fue donde encontré la pista.

A Carmela el corazón le golpeaba fuertemente el pecho, produciéndole dolor, y puso las manos sobre él para calmarlo. Quería preguntar muchas cosas, pero la voz no le salía. Se fue tranquilizando al oír como Laura hacía las preguntas que ella no podía hacer. Apretaba el pecho y escuchaba. Notó como el dolor se transformaba en suave placer. Los enemigos eternos, dolor y placer, surgían unidos en cadena y disfrutaba durante el primero esperando el segundo. Estaba en la cúspide del sufrimiento.

–Al terminar la guerra, Luis se encontraba en Alicante dispuesto a embarcar en el buque de carga Winnipeg, que tenía que recoger un grupo de personas para evacuarlas. Cuando llegó Franco, los republicanos no pudieron embarcar y se entregaron. Los llevaron a Campos de Concentración. Luis estuvo preso en el Castillo, pero más tarde lo trasladaron aquí, a Madrid. Está en la Prisión Provincial, en espera de ser juzgado por los Tribunales de Justicia encargados de "la depuración", porque le alcanza la Ley de Responsabilidades Políticas. Y teníais razón, está enfermo; por eso no lo mandaron a trabajar en la reconstrucción de Madrid. Lo que, para nosotros, supone una ventaja que va a permitirnos librarlo de la cárcel y llevarlo a La Coruña.

Carmela sufrió un mareo. La acercaron a la ventana para que le diese el aire y la obligaron a beber unos sorbos de agua fresca. La palidez de su rostro resultaba alarmante y Laura le reprochó a Carlos el haber sido muy brusco. Pidió disculpas y esperó a que se recuperarse totalmente antes de continuar dándole noticias:

–Tengo un salvoconducto para ir a buscarlo hoy mismo. Podrá hacer el viaje a La Coruña tan pronto la salud se lo permita. Estamos esperando por el secretario de mi pariente, que nos acompañará para resolver los problemas que puedan presentarse.

Se les acercó un joven muy serio que Carlos presentó como el Subsecretario señor Jiménez, que los iba a acompañar. Después de besar la mano a las señoras, los condujo hasta un coche oficial que esperaba delante del Ministerio y ordenó al chofer:

–¡A la Prisión Provincial!

En la Cárcel tuvieron que hacer numerosos trámites y largas esperas. Finalmente los llevaron a una sala mientras iban a buscar a Luis. Carmela se mordía las uñas con despiadado ahínco, haciéndose sangre, y cuando no tuvo más uña, comenzó a hacer lo mismo con la cutícula, comiéndose trozos de carne dolida y sangrante. Se limpiaba con el pañuelo los labios y las heridas, pero seguía, Laura y Carlos sufrían viéndola.

Escucharon pasos y miraron hacia la puerta. Se abrió y apareció un espectro de hombre, tétricamente encorvado, delgado hasta el límite de lo posible, con respiración gorgoteante, sin levantar la vista del suelo. Caminaba con lentos e inseguros pasos, arrastrando pesadamente los pies y tambaleándose como si acompañase a su comitiva fúnebre. Irreconocible para la propia Carmela. Laura se tapó la boca con la mano para no gritar. Sus acompañantes, entre asombrados y avergonzados, se retiraron a un rincón a fumar y disimular su malestar. Luis estaba parado en el centro de la estancia, sin fuerzas, tocando con su aliento el suelo. Aquella imagen que estaba viendo era para Carmela la carta del Tarot que representaba a la muerte caminando con su guadaña. Se aproximó para abrazarlo, pero no pudo; le resultó imposible por el olor nauseabundo que despedía. Sacó su pañuelo ensangrentado del bolso y se tapó la nariz antes de volver a intentarlo. Pero era superior a sus fuerzas y a toda la caridad del mundo. Cuando pudo resistir el olor, se acercó de nuevo a él y lo besó sin apenas rozarlo. Y pudo ver en el fondo de sus ojos un terrible vacío interior y una ausencia total de vida, sin reaccionar ante nada ni ante nadie. Carmela le habló, pero no respondió, ni movió un sólo músculo. Parecía haber perdido el habla y olvidado las palabras. Carmela, a punto de desmayarse, pidió ayuda. En medio de su mareo, con los ojos cerrados, sintió que la llevaban. Se encontró sentada en el coche del Subsecretario con Luis a su lado y las ventanillas abiertas, pero el olor seguía irresistible. Al llegar a la calle Luna, se bajaron y las ayudaron hasta dejarlo recostado en una cama. Al despedirse, Carlos les aseguró que se verían pronto en La Coruña. Carmela no pudo hacer otra cosa que sonreír tristemente, porque no era capaz de articular palabra, ni para expresarle su agradecimiento. Se acordó de Tomás y comprendió que había momentos en que las palabras no tenían significado. Puso la mano sobre el corazón y se la extendió con una triste sonrisa. Se la besaron respetuosamente y marcharon.

Lo primero que hizo fue bañarlo, con la ayuda de Laura; después lo afeitó y le cortó el pelo. Lo vistió con ropa recién comprada y quemó los harapos. Pero el olor persistía y no sabía qué hacer para que desapareciese; parecía salirle del interior del cuerpo con la respiración. Al día siguiente llamaron al médico. Lo encontró muy mal. Le diagnosticó una tuberculosis que ya alcanzaba los dos pulmones y le recetó, con urgencia, inyecciones de una nueva droga americana, que aseguraban que llegaba a curar la enfermedad si era cogida a tiempo, y aunque no era el caso, sí podían mejorarlo y retrasar su evolución. También le recetó pastillas para calmar la agitación que estaba afectando al corazón y que era producida por la falta de expectoración. Aquel ruido era tos... Les proporcionó diez frascos de inyecciones porque eran muy difíciles de conseguir, y les aconsejó que la buscasen en La Coruña a la llegada de los trasatlánticos. Le preguntaron si podían llevarlo a casa en tren, y qué cuidados tenían que prestarle durante el viaje, y les contestó que era lo mismo, pues tardaría en saberse el resultado del tratamiento.

Carmela llamó por teléfono a Mamita Carmen para decirle que regresaba con Luis enfermo y que le preparase una habitación cerca de la del matrimonio; lo que no le dijo, ni tampoco la abuela le preguntó, fue en qué condiciones iba. Cuando escuchó a través del teléfono cómo sollozaba, tuvo la impresión de que ya lo sabía.

El viaje resultó muy incómodo. Luis se amorrongó y permaneció todo el tiempo aletargado. Parecía que tenía anuladas las facultades y los sentidos; daba la impresión de que no le funcionaba nada, excepto los riñones y las glándulas sudoríparas, que le producían una sudamina constante con picores. Pasó el viaje rascándose. No probó alimento y lo único que hacía era beber, con lo que cargaba la vejiga para luego fastidiarlas orinando a cada momento.

En todo el viaje no pronunció una sola palabra. Carmela intentaba que hablase haciéndole preguntas constantemente, pero era como si tratara con un sordo, mudo y ciego.

Cerca de La Coruña las sorprendió mirando fijamente la ventanilla. Corrieron a preguntarle si quería que cerrasen las cortinas, pero no contestó, y al notar que no entendían lo que quería, se levantó tambaleándose, jadeante, e intentó bajar el cristal sin conseguirlo del todo, pero si lo suficiente para que entrara en el compartimento la brisa del mar, invadiéndolo con su fuerte aroma a salitre. Luis dio un suspiro y, ayudado por ellas, volvió a su litera, en donde quedó de nuevo postrado. Pero no había duda: Luis parecía querer volver a la vida. El olor a mar había hecho el milagro.

Mamita lo acomodó en la habitación más soleada y mejor ventilada de la casa. No permitió que los niños lo viesen hasta el día siguiente, después que estuvo escrupulosamente limpio y aseado. Quería evitar que las criaturas se impresionasen, pero no lo consiguió. A Perico le resultó difícil creer que aquel esqueleto fuese su papá, y sintió miedo cuando lo empujaron para que le diese un beso en la frente. Carmiña no traspasó el dintel de la puerta.

Como Mamita estaba obsesionada por la posibilidad de contagio, sólo les permitía acercarse a él un breve momento cada día, después de su aseo personal y de haber ventilado suficientemente la habitación. Pero los niños no se acostumbraban a su presencia, sobre todo Carmiña, que lo seguía mirando con temor, hasta que un día sorprendió a todos cuando, muy nerviosa, le gritó a Luis desde el dintel de la puerta:

–¡No quiero que seas mi papá! ¡Quiero que te vayas de aquí! ¡Fuera de mi casa, fuera, fuera!

Mamita intentó calmarla, pero no lo consiguió y Carmela no salía de su asombro. Perico, dolido por su papá, dio una bofetada a la niña, que ante la inesperada agresión, sorprendida, se calló; pero al instante respondió violentamente y la tuvieron que sujetar para que no se enzarzase con Perico. Y volvió a aparecer la telequinesia. El hermano se encontró de pronto tirado en el suelo, con un enorme chichón en la cabeza y sin saber cómo había sucedido. Mamita Carmen, que lo había visto todo, cogió a Carmiña, la llevó a la galería, la sentó en su regazo y se balancearon en la mecedora. Carmela le puso a Perico una moneda en la frente para que no se le hinchase el golpe y Luis no se enteró de nada, solo notó un poco de barullo que le había molestado.

Después que pudo moverse, lo trasladaron a la consulta del médico para que lo examinase por rayos X. Les dijo claramente que no esperasen curación, por lo avanzada que estaba la enfermedad. Les aconsejó que lo llevasen a respirar aires de montaña en cuanto fuese posible. Mamita se encargó de alimentarlo bien, para que el próximo verano pudiese ir a Guitiriz o a Órdenes, que era a donde iban a reponerse los tísicos de La Coruña. Pero todas las comidas le caían mal; la carne no la masticaba por el enorme esfuerzo que le suponía; se cansaba y lo único que le apetecía tomar era una sopa de tapioca a la que Mamita añadía jugo de ternera que sacaba al baño de María sin que él se enterase. Algún día llegó a tomar medio flan de los que hacían especialmente para él, con huevos que traía la lechera de parte de Maruxa. El color fue apareciendo poco a poco en sus mejillas. Permanecía todo el día sentado en un sillón frente a la ventana abierta, con las rodillas cubiertas con una manta, mirando fijamente la torre de la Iglesia de Santiago cubierta de gaviotas que se deshacían dando gritos horribles. Pasaba las horas, casi siempre solo, hasta que lo acostaban.

Una tarde, volviendo la vista hacia Carmela, pronunció unas incomprensibles palabras:

–Viejo... Me... mentiras...

Carmela, que llevaba una bacinilla limpia para ponerla debajo de la cama, con la sorpresa de oírlo, se le cayó de la mano. ¡Luis había hablado, por fin! No importaba lo que hubiese dicho. Sus palabras las llevó el viento, pero durante muchos días retumbaron en sus oídos como música celestial. Aquellas fueron las primeras, luego, en días siguientes, vinieron otras. Y poco a poco Luis fue coordinando sus pensamientos, expresándose cada vez mejor. Tenían la impresión de que había encontrado un motivo para vivir.

De momento no le permitieron visitas. Maruxa, que era la más ávida de noticias, insistía en verlo, pero Mamita no la dejaba. Era preciso que se recuperase más. Luis mejoraba de aspecto y Carmiña llegó a aceptarlo como algo irremediable. Mamita Carmen lo ayudaba mucho: tan pronto quedaba a solas con él, se concentraba, le aplicaba las manos con su santo calor a las sienes y le transmitía su propia energía, con la que rodeaba la mente debilitada de Luis fortaleciéndola y recargándola positivamente. Y la terapia daba buenos resultados. Al finalizar el verano Luis ya era capaz de estructurar perfectamente las frases y mantener conversaciones. Se cansaba, pero cada vez menos.

-8-

Comenzó un nuevo curso con problemas para Perico y Carmela. Tenía que buscar otro colegio para el niño, porque corrían rumores de que a los belgas los expulsaban de España, y aunque se hablaba de la posibilidad de que continuase funcionando el colegio con propietarios y profesores españoles, para Carmela no era lo mismo. Como las ofertas educativas del momento no le parecían atractivas, necesitaba la opinión de Luis, pero cuando sacaba el tema, él contestaba, encogiéndose de hombros, que hiciese lo que quisiera. Carmela apretaba los dientes para no armar una bronca, para la que consideraba tener sobrados motivos, pues parecía que no le interesaban los hijos y por eso no estaba dispuesta a pasar. Se contenía al pensar que estaba enfermo. El médico la había avisado de que en cualquier momento podría evidenciarse la neurastenia típica de los tuberculosos, recomendándole mucha paciencia. Tenía que tenerla, porque a la mínima, y cada vez con más frecuencia, Luis se ponía paranoico, llegando incluso a padecer delirios nocturnos de persecución. "Normal... –decía el médico–, normal...". Carmela, recordando la agudeza de Luis y viéndolo ahora totalmente cerrado de mente, se sentía defraudada. Las consecuencias de su enfermedad la sacaban de quicio y, horrorizada, pensaba que, de seguir así, terminaría encerrado en una gavia. Luis se estaba volviendo loco, aunque el médico diese a su enfermedad mental la denominación menos alarmante de neurastenia. "¡Qué manía con no llamar a las cosas por su nombre!", se decía Carmela.

Resolvió sola el problema de Perico y se decidió por el Colegio Dequidt, que era seglar y estaba en la calle de Juan Flórez. Sintió que no dieran clases en francés, porque el niño ya lo hablaba con aceptable pronunciación, y para que continuara estudiándolo habló con Mirelle, una francesa nativa que le recomendaron, que venía a darle clases en casa, aprovechando para que Carmiña, que ya tenía tres años, asistiese a ellas como oyente.

Luis tuvo su primera crisis aguda en septiembre, coincidiendo con la invasión alemana de Polonia. Creyeron que era consecuencia de tanto escuchar la radio buscando las noticias de Europa, que terminaban poniéndolo muy nervioso. Estuvieron varias noches sin dormir por culpa de la fuerte tos, que no permitía cerrar ojo a nadie y que los obligaba a estar continuamente a su lado.

Carmela perdió peso y se puso muy ojerosa. En el trabajo, creyendo que estaba enferma aunque no lo confesara, le dieron una semana de permiso. Pronto se serenó, porque interiormente estaba convencida de que todos los sacrificios que pudiese hacer por Luis la purificaban de alguna forma. Supo por las amigas que algunas personas la ponían como modelo de virtud, y llegó a creérselo. Lo tenía tan interiorizado que le impedía advertir la realidad. Mamita Carmen, moviendo la cabeza, le repetía:

–Sí, niña, sí. ¡Ay, qué *caraho*! Hagas lo que hagas no es suficiente.

–¿Qué más se me puede pedir?

–¡Tú sabrás! Apostaste demasiado para salirte con la tuya. ¡Tú sabrás!

Sentía que Mamita profundizaba demasiado en ella. Y por ese motivo se encerraba en la soledad de su cuarto para mantener sus habituales monólogos y convencerse de que la abuela no tenía razón cuando insinuaba que no se portaba bien con Luis. Ella había sufrido mucho. Pero consideraba que era bueno tener a Luis en casa y que el hecho de salirse con la suya carecía de importancia. "¡Es estupendo!, ¡por fin vivimos todos juntos!". Siempre había tenido la seguridad de que terminaría siendo así, como compensación al sufrimiento de tantos años y a las muchas lágrimas que había derramado: "¡Ya lo creo que compensa!, me hace sentir como si fuese una diosa". Para tranquilizar su conciencia, añadía que no lo había enfermado ella, sino la guerra, y que sin embargo lo había recogido en condiciones infrahumanas. Verlo tirado en la cama no le gustaba, pero suponía que de no ser así hubiese marchado sabe Dios a dónde. Sus dos objetivos primordiales se habían cumplido: tener la hija anunciada y a Luis en casa. Los había logrado. "La vida me ha mimado demasiado". Y solía terminar repitiéndose en voz alta:

–¡Ya lo creo que compensa!

Se miraba en el espejo. Ciertamente su rostro resplandecía.

Luis no permitía que le apagasen la radio, a pesar de lo enfermo que estaba, y le respetaron la manía bajando el volumen. Les parecía que no podía enterarse de nada con tanta tos y tanta fiebre, pero en medio de sus accesos le oían repetir que ojalá se reaccionase contra las dictaduras y así habría una esperanza para España. Seguía tosiendo, cada vez más fuerte, hasta que tuvo una grave hemoptisis con la que llenó de sangre la bacinilla. Le pusieron una transfusión y le dieron más medicamentos. El color de sus mejillas, que tantos esfuerzos había hecho Mamita Carmen para conseguir, desapareció y su rostro adquirió un tono blanco cetrino como el de las sábanas de lienzo. La respiración se le hizo muy dificultosa y el médico las avisó para que esperasen lo peor; pero Luis siguió sin permitir que le apagasen la radio. En sus momentos de lucidez pedía a Carmela que le informase de si se había celebrado la Conferencia cuatripartita propuesta por Italia, pero ella no sabía de qué le estaba hablando. Le llegaba con cuidarlo y no disponía de tiempo para leer los periódicos. A veces la fiebre le hacía delirar y en su desvarío repetía como estribillo:

–¡Que ataque Francia!

Incomprensiblemente, superó la crisis. Carmela lo atribuía orgullosa a sus desvelos y cuidados. Los esputos se fueron normalizando, la fiebre cedió y Luis volvió a comer las sopas que le preparaba Mamita con tapioca. Poco a poco mejoró y volvieron a la normalidad de sentarlo en el sillón frente a la ventana abierta, muy abrigado porque era invierno y hacía mucho frío, con una bufanda tapándole la boca y un gorro de punto que le había calcetado Mamita. Se reía y les decía:

–¡Con esto puedo ir a esquiar a los Pirineos!

Cada vez hablaba más y se cansaba menos, pero terminaba haciendo comentarios sobre Polonia y lamentaciones sobre sus diecinueve días de resistencia. La costumbre de tener siempre la radio encendida no la abandonó ni en sus peores momentos de crisis. Adquirió además la de leer al mismo tiempo que la escuchaba, algo incomprensible para Carmela, incapaz de hacer lo mismo sin terminar con un fuerte dolor de cabeza. Aquello no lo hacía el que quería, sino el que podía.

Luis manejaba siempre el mismo libro; lo terminaba y de nuevo lo comenzaba. Todos pensaban que se trataba de un libro muy interesante, pero Carmela lo intentó leer y no pudo ni con el primer capítulo. Se trataba de una edición de bolsillo de *El Príncipe* de Maquiavelo comentado por Napoleón Bonaparte, mugriento por el exagerado uso. Comenzó a tomar notas en una libreta con afán desmesurado y Carmela se preguntaba: "¿Para qué?". Se acercaba para leer sus anotaciones y Luis las escondía hasta que, fastidiada, se marchaba. Llegó a sentir mucha curiosidad y, durante toda una tarde, mientras el barbero le cortaba el pelo y lo afeitaba, se dedicó a buscarla. No la encontró, pero tampoco le dio importancia; un día u otro daría con ella, porque Luis no se la iba a llevar con él a la tumba.

Perico tosía. Alarmadas acentuaron la asepsia, que ya era muy escrupulosa. Temían el contagio y se dieron prisa en llevarlo al médico porque, aunque todos podían ser contagiados, los niños eran los más expuestos. El médico las tranquilizó, pero les advirtió que tuviesen cuidado con las personas que entraban en la habitación de Luis y que los niños lo hiciesen lo menos posible. Mandó hervir todo lo perteneciente al uso del enfermo y que su vajilla la lavasen separada del resto.

Lo que tenía Perico era un vulgar catarro, pero fueron más severas con su entrada en la habitación del padre. Protestó y las desobedeció, por lo que tuvieron que vigilarlo de cerca. Con Carmiña estaban tranquilas porque sólo entraba si la obligaban. Pero sacar de allí a Perro fue casi imposible. Abría la puerta, no sabían cómo, para subirse al regazo de Luis o a los pies de la cama y permanecía allí día y noche, saliendo sólo para ir a la cocina a comer y beber, y bajar a la Plaza a hacer sus necesidades. Advirtieron que la presencia de Perro le producía asma a Luis, y no les quedó más remedio que sujetarlo con la correa para que no entrase; pero al menor descuido, el animal se escabullía metiéndose debajo de la cama y Perico iba tras él. Cuando lo agarraba y salía sofocado, lleno de polvillo del colchón de miraguano, les suplicaba que le dejasen quedarse un rato con el padre. A Carmela le preocupaba la actitud de Perico. Habló con Mamita Carmen y le preguntó si no sería mejor internar a Luis en el lazareto que había en El Montiño para tuberculosos. Mamita, furiosa, dejó lo que estaba haciendo y le dio una bofetada como respuesta, añadiendo:

–¡Si vuelves a decir otro disparate semejante, tendrás que irte de mi casa!

Carmela permaneció con la boca abierta, totalmente desorientada, sin saber qué hacer. Cuando quiso cerrarla, no pudo; se asustó y llamaron al médico, que le encontró la mandíbula dislocada. Pasó más de una semana con la boca torcida, sin poder hablar y todos parecían contentos de que estuviera así. Se sentía humillada, pero reconocía su insensatez al hablar, llevada por los nervios, sin pensar antes lo que iba a decir. Durante aquellos días reflexionó. No encontrando disculpas para su actitud, tan pronto pudo, le pidió sinceramente perdón a Mamita. Pero sin dejar entrever que tenía muy claras sus taxonomías respecto a las personas de la familia: Primero las tres "ces", Mamita Carmen seguida por ella y a continuación Carmiña; luego las tres "pes", papá, que era Luis, Perico y Perro. "Eso es todo. ¿Absurdo? ¡Pues no! Esa es mi verdad. Si no soy franca conmigo misma, ¿con quién voy a serlo?".

Las inyecciones que recibía Luis venían de los Estados Unidos y había que pagarlas a precio de oro a los estraperlistas, cuando llegaban los trasatlánticos de América. Gracias a ellas, experimentó una gran mejoría. Mamita las adquiría en el mercado negro y por esa razón era muy conocida en la aduana, donde se comentaba su generosidad, porque muchas veces la habían visto comprar esas medicinas para personas enfermas del pecho, que carecían de recursos. Se comentaba que, cuando fallecía alguno, se hacía cargo de los huérfanos. La fama de su altruismo motivó que llamasen muchas personas a su puerta, la mayoría religiosas que decían representar a diversas sociedades benéficas, para pedirle dinero. Mamita Carmen, con mucha amabilidad, les aseguraba que tenía sus propios pobres tísicos, y al darse cuenta que no le sacaban ni un *patacón*, se marchaban y no volvían.

El médico encontró a Luis muy mejorado y le permitió visitas distanciadas y breves. Carmela se encargó de organizarlas, contenta y feliz pero con algo de recelo.

–¡Menudo regalo de Navidad te hace el médico! Pero hay que tener mucho cuidado, no vayas empeorar.

Su alegría lo contagió. Se encontraba muy animado y comenzó a preocuparse por su aspecto; le pidió a Carmela que le comprase una bata de seda gruesa para recibir a la gente y le confesó que en este momento su ilusión era ponerse calcetines y zapatos, aunque fuese con el pijama puesto.

–¡Eso es ridículo, Luis! Un hombre debe de estar completamente ataviado para ponerse los zapatos. Además, nadie se va a fijar en las zapatillas después de haber estado tan enfermo.

Pero Luis insistía. Y como a Carmela no le compensaba disgustarse por una manía mas, terminó accediendo. Como primero quería ver a sus hermanos, Carmela le contó sobre Tomás, y al ver que no le causaba sorpresa, se animó a seguirle detallando sobre Maruxa, incluyendo el nacimiento de las gemelas Marisé y Marisú. Luis, sonriendo, comentó:

–Tomás siempre fue muy enamoradizo. ¡No me extraña nada de lo ocurrido! Espero vivir lo suficiente para conocer a mis nuevas sobrinas. –Y añadió muy serio–: Quiero ver pronto a Maruxa.

José y Angustias llamaban todos los días por teléfono, exigiéndole ser los primeros en visitar a su hermano. Llegó incluso a parecerle lógica su insistencia, porque no lo habían visto desde mucho antes de la guerra. Los citó una tarde.

Nada más entrar en casa y ver a su hermano, Angustias rompió a llorar; sacó el pañuelo del bolso y lo encharcó con humedad nasal y lágrimas. Le faltó tiempo para sacar a relucir la historia de Tomás y Esther… Con frases teatrales y sensibleras, dijo tal cúmulo de memeces que les hicieron notar lo triste que resultaba la intransigencia de una mujer soltera, traumatizada por no haberse abierto nunca de piernas, relatando con morbosidad los para ella desconocidos placeres de la carne, demostrando su superioridad por no haberlos probado y permanecer pura, poseedora de la divinidad, y por encima de los demás, censurándolos a gritos, escandalizando a todo el que la escuchase. "¡Es una retrasada mental!", pensaba, asombrada, Carmela. Pero veía a Luis impasible y no comprendía cómo aguantaba tanta estupidez. Angustias dijo:

–¡Me temblaron las carnes al escuchar lo que me contó Esther! No comprendo a esas arpías que sólo saben jugar con hombres, y mejor todavía si son hombres casados. ¡Pobre Tomás!, en qué manos fue a caer. ¡Y pensar que hay mujeres que se prestan a tapar semejante juego! –dijo, mirando acusadora a Carmela.

Esta se aguantaba a duras penas para no explotar. Pero por sus ojos salían llamaradas que envolvían a Angustias, quien sin enterarse seguía con su perorata. José, ante la imposibilidad de que cambiara de tema, la agarró por un brazo, le dijo que Luis se veía cansado, y poco después se marcharon, aunque Angustias siguió llorando por las escaleras.

–¡Iros a la mierda! –murmuró entre dientes Carmela al cerrar la puerta.

Luis quedó pensativo. Producía la impresión de que se estaba despidiendo de ellos. Carmela, mientras lo ayudaba a acostarse, le preguntó cómo había encontrado a José. Contestó con tristeza:

–José no tiene la conciencia tranquila. Es monárquico, pero está con el franquismo. Cuando me vio debió sentir vergüenza, porque es patente lo que me han hecho, y no volverá a verme. ¡Lejos de la vista, lejos del corazón! En cuanto a Angustias, es la representante de la actual ortodoxia católica, con toda su hipocresía. Dan pena.

Estar con sus hermanos, aunque al principio no lo notaron, llegó a afectarle mucho y le sobrevino una crisis emotiva con algunas décimas de fiebre más de lo acostumbrado. Carmela, temiendo una recaída, se culpaba de haber consentido su visita, pensando que quizá debería haber esperado un poco más de tiempo. Pero a la semana siguiente Luis ya se encontraba recuperado. Desde entonces le cronometró las visitas.

La siguiente persona que visitó a Luis fue Maruxa; llegó derrochando alegría y buen humor, y lo divirtió con sus chistes y sus historias, sin cansarlo, porque todo lo hablaba ella. Le contó de Xan, de Tomás y de las gemelas:

–Las niñas están muy espabiladas; ya tienen dos años y medio, y tanto Tomás como yo nos sentimos muy felices con ellas. Sobre todo desde que Tomás las reconoció. Tu hermano es un buen hombre, puedes estar orgulloso de él.

–Lo sé. ¿Y tú qué haces ahora?

–Me dedico a mis hijas… A mi trabajo de cigarrera… y de vez en cuando echo una mano donde debo. ¿Entiendes?

–Algo me contó Carmela de tus actividades clandestinas. ¡Ten cuidado, es muy peligroso!

–Ya lo sé… pero ¡tranquilo! Verás… Muchos se fueron al monte escapando de la represión. Tenían la idea de que volverían cuando se calmasen los ánimos, pero pasó el tiempo y todo sigue igual, sólo que son proscritos. ¡Ya no han podido regresar a sus casas! Comprenderás que alguien tiene que ayudarlos.

–¡Es demasiado peligroso! Tengo entendido que viven organizados en guerrillas…

–Son *fuxidos* que se defienden como pueden. Están ayudados por familiares y amigos en los que confían plenamente. Los que conocemos bien el monte, los guiamos. Yo tuve la experiencia con Xan de prófugo en O Picouto, cuando no quiso hacer la mili… ¿Recuerdas? ¡Conozco ese monte como la palma de mi mano! ¿Oíste hablar de Foucellas?

–No.

–Es un comunista; un buen *rapaz* de Mesía que vivía en Curtis cuando el levantamiento de los militares. Organizó una gran banda de *fuxidos*, y están en lucha. ¿Comprendes?

–No. Pero veo claro que ellos tampoco entienden lo que ha ocurrido aquí. Están dándose con la cabeza en un muro. Yo les aconsejaría que marchasen fuera de España. Y tú díselo, cuando tengas ocasión de comunicarte con ellos.

–Bueno, no te pongas nervioso. ¿Entiendes que hay que ser muy cabrón para no ayudarlos cuando te necesitan? Son compañeros de izquierdas y no podemos olvidarlos.

Carmela, que los había dejado solos, entró en la habitación para avisar que era la hora del descanso de Luis. Al despedirse, Maruxa le dio un par de sonoros besos en las mejillas y le prometió traer a las gemelas Marisé y Marisú en su próxima visita. Luis quedó riéndose de la ocurrencia que había tenido al ponerles los nombres a sus hijas.

Pocos días después vinieron Gumersindo y Tere. Los animaron para ir a Órdenes a cambiar de aires y quedaron en hablar con unos conocidos suyos que tenían allí un caserón vacío para que se lo alquilasen. Dijeron que no habría ningún problema y que lo dieran por hecho. Carmela aceptó.

También recibieron la visita de Laura, acompañada de Carlos, que parecía haberse convertido en hijo adoptivo de La Coruña, porque permanecía en esta ciudad más tiempo que en Madrid, en donde trabajaba y disponía de coche oficial para sus numerosas escapadas. Luis no lo reconoció y tuvieron que presentárselo. Tan pronto supo de quién se trataba, recordando lo que Carmela le había contado de su ayuda para salir de la Prisión Provincial, se mostró muy agradecido, pero distante. Carmela, en cuanto le fue posible, lo alejó de la habitación con el pretexto de presentarle a los niños, que estaban en la galería con la abuela y su acostumbrado puro habano. Quedó asombrado de los hermosos ojos diferentes de Carmiña y estuvo hablando un rato con Perico en francés. Cuando se fueron, después de despedirse de Luis, Mamita pronosticó que pronto habría boda y que iban a ser una pareja muy feliz.

Carmela no regateaba esfuerzos para conseguir que la salud de Luis mejorase, y aunque sabía que su enfermedad no tenía cura, estaba empeñada en lograr que permaneciese en este mundo el mayor tiempo posible. Con Gumersindo ultimó los detalles para ir todos a pasar el verano a Órdenes. El médico les dio una carta para su colega de la aldea e insistió en que fuesen a verlo nada más llegar. Se fueron a principios de junio. Alquilaron un coche; delante iba Luis con el conductor, detrás todos los demás, menos Perro, al que metieron en el maletero para que no le diese alergia a Luis.

A su llegada, Luis, que se notaba muy cansado y pálido, tuvo que acostarse. Los demás ordenaron las cosas que traían, ayudadas por una mujer que Gumersindo había contratado para cuidar la casa y atenderlos, y que ya los esperaba con las habitaciones limpias y dispuestas. Era muy charlatana y hablaba un castrapo muy difícil de entender, que no era ni gallego ni castellano, pero que a ella debía parecerle mucho más fino que el gallego de montaña, de donde procedía. Se llamaba Prudencia, aunque ciertamente no hacía mucho honor al nombre, pues en un momento las puso al corriente de todos los defectos del vecindario. Su ropa impresionó a los niños, que no le sacaban el ojo de encima, pasmados… Vestía toda de negro, incluso el mandil y el pañuelo del pelo, que usaba pasándolo por debajo de la nuca y atándolo con un nudo en la parte superior de la cabeza, al estilo del país; por debajo le asomaba una larga trenza tan negra como el pañuelo. Carmela, al verla, fantaseó que por aquella tierra no debían haber pasado los celtas; llegó a la conclusión de que era oriunda del norte de Portugal, descendiente de aquella casta de indios con que, según le había comentado Luis, lo habían repoblado siglos atrás, al producirse la muerte masiva de los nativos en una epidemia de cólera. Por lo visto en Prudencia subsistían las características raciales. Le pareció que debía tener más o menos su edad. Otra cosa que llamó su atención fue su olor, un efluvio que le recordaba mucho al de Maruxa, pero mucho más intenso y sin la mezcla del aroma del tabaco propio de las cigarreras. Trató de definirlo y concluyó que era humo de raíces de *toxo* secas. Prudencia olía a campo gallego, ni más ni menos.

El paisaje de Órdenes era muy diferente al de Oleiros, pero agradable. Abundaban los pinares, entre recovecos de montes y bordeados de riachuelos; los eucaliptos perfumaban el aire y se distinguían a lo lejos, porque sobresalían sobre todos los demás árboles. Tuvo la impresión de que la mayor parte de las personas mayores eran analfabetas, si bien reconocía que poseían una sabiduría natural propia, que era ostensible en las zonas rurales. La gente se desvivía en atenciones con ellos. Los llamaban "los señoritos de La Coruña", lo que a Carmela le hacía mucha gracia, pero no a Luis, que muy enfadado les reprochaba que no eran señoritos y que los estaban insultando. Sonreían con mansedumbre, pero al instante lo volvían a repetir con la ingenua terquedad del servilismo; Luis bramaba y tenían que calmarlo para que no le diese un ataque de tos.

Todos los días, después de dormir la siesta, iban paseando hasta un bosque cercano, donde merendaban, a la sombra de los frondosos árboles, sobre un claro en la hierba. Luis enseñó a los niños a coger mariposas con una red que construyó, y al volver a casa se sentaban alrededor de la gran mesa del comedor, les atravesaban los cuerpos con alfileres sobre una lámina de corcho, con las hermosas alas abiertas, preparando una colección para decorar la habitación de Perico en La Coruña. Carmiña, aunque participaba en la caza, no quería saber nada de "aquellos bichos muertos tan lindos". El padre les enseñaba los nombres de las mariposas en latín y Perico gozaba aprendiéndolos, mientras Carmiña se reía por lo raro que le sonaban. La paciencia que mostraba con los hijos hizo pensar a Carmela que Luis hubiera podido ser un buen maestro si se hubiese dedicado a la docencia… y que otro gallo les hubiese cantado, aunque nunca se sabe. Perico, con frecuencia, se pasaba de sabihondo diciendo cosas como:

–Papá… ¿Qué nombre tiene este lepidóptero?

–¡Mariposa, idioto! –le contestaba la hermana rápidamente, echándole la lengua.

–No es idioto, es idiota –le corregía Luis.

–¿Lo ves? ¿Lo ves? ¡Papá también lo dice! –Y se marchaba haciéndole burla.

Una tarde regresaron por un sendero muy estrecho, bordeado por un regato lleno de truchas que veían saltar ante ellos. Carmiña se empeñó en meterse en el agua para cogerlas con las manos, pero, a pesar de que el arroyo tenía muy poca profundidad y no corría peligro, no le permitieron descalzarse, ni siquiera mojar las manos, por temor a un enfriamiento. La tentación para Carmiña era muy fuerte y fue quedándose, disimuladamente, al final de la fila. Sin hacer ruido, esperó muy quieta a que se alejasen y se metió en el agua con los zapatos puestos, disfrutando a sus anchas al intentar coger las escurridizas truchas que se le escapaban por entre los dedos. Se caló hasta el pelo. Su madre llegó furiosa y la amenazó con dejarla en casa. El padre también la regañó, pero a Carmiña no pareció importarle. Es más, estaban seguros que si volvían por aquel sitio, la niña volvería a hacer lo mismo. Por si acaso, no volvieron por el sendero del regato de las truchas.

Los domingos iban las mujeres con los niños a la Iglesia del pueblo a oír la Misa temprana, para regresar antes de que se levantase Luis y poder luego aprovechar el día. Algunos paisanos se acercaban a la Parroquia en caballería y los niños se divertían viendo las bestias atadas al muro del atrio. Como no había demasiados feligreses a aquellas horas, se colocaban en los primeros bancos, donde entraba un poco de luz, permaneciendo el resto del templo a oscuras.

Carmiña, como hacía siempre, se quedó sola en el último banco, mientras los demás iban a la primera fila. Les preocupaba la niña, pero en el sitio donde se quedaba no molestaba a nadie y, por lo menos, permanecía callada hasta que terminaba la misa.

Allí Carmiña lo pasaba muy bien. Había encontrado algo que desde el primer día llamó poderosamente su atención, avivando su imaginación. Colgado del techo, sujeto con unas gruesas cuerdas y semioculto por la oscuridad, se veía un féretro negro. Como el techo era más bajo por coincidir con la parte del coro, a Carmiña le rondaba la cabeza lo fácil que parecía subir hasta el ataúd por una pared que tenía tantos huecos para poner los pies y tantas piedras para agarrarse. Tumbada boca arriba sobre el banco, miraba fijamente aquella tentación, pensando que nadie la vería. Se irguió en un periquete, se encaramó por la pared y llegó trepando hasta aquel mueble tan raro para ella. Sentada encima, balanceó las piernas. Le gustaba mirar hacia abajo porque todo se veía distinto… Las personas parecían muy pequeñas y ella un gigante. Descubrió una tapa, la abrió sin dificultad y con gran sorpresa encontró una cama dentro. Sin dudarlo se acostó en ella. Se estiró cuanto pudo, recostó la cabeza en la almohada con los brazos debajo de la nuca, y se fue quedando plácidamente dormida. Las cuerdas comenzaron a ceder y resbalaron despacio por las roldanas. El ataúd llegó al suelo sin hacer ruido.

Al terminar la misa, las primeras en salir fueron dos paisanas envueltas en mantones negros que ocultaban sus rostros. Vieron el ataúd en el suelo y, asustadas, se santiguaron tres veces seguidas, se agarraron y salieron a toda prisa tropezando una con la otra. Ya en el atrio, con las cabezas muy juntas, rezaron rápidas y repitieron la santiguada, muy nerviosas, sin terminar de marcharse.

Mamita se dio la vuelta para buscar a Carmiña y observó el ataúd. Como no veía a su biznieta por ninguna parte, tuvo la certeza de que estaba dentro, y fue a buscarla, encontrándola dormida, con apariencia angelical. La cogió en brazos y salieron de la Iglesia. A su paso la gente se santiguaba una y otra vez.

Prudencia las esperaba en la puerta de la casa, riéndose a carcajadas, enterada de todo. Se lo habían contado unos vecinos, con muchos adornos imaginativos. Carmela no se podía explicar tanta rapidez, porque no tenían teléfono, y pensaba que tampoco lo necesitaban, porque las noticias les debían de llegar con señales de humo, como a los indios americanos. Pero Prudencia, que quería con locura a la niña, no dejaba de reírse de la ocurrencia y culpaba al párroco diciendo que ese no era sitio para poner un ataúd. Sin embargo, Luis se disgustó mucho y no quiso ver a su hija durante el resto del día.

Regresaron a la Coruña en el mes de agosto. El aspecto de Luis había cambiado totalmente. Había engordado unos kilos, se veía menos encorvado y el color había vuelto a sus hundidas mejillas. Continuaron con la costumbre, adquirida en Órdenes, de salir todas las tardes a dar un paseo corto, que poco a poco se fue haciendo más largo, al no necesitar pararse para recuperar el ritmo de la respiración. Así llegaron hasta la Terraza de los jardines de Méndez Núñez. En dos ocasiones fueron al cine Kiosco Alfonso, pero tuvieron que salir antes de terminar la película, porque Luis tosía muy agobiado y le faltaba el aire.

En septiembre, una tormenta de verano, con grandes aguaceros, les impidió salir de paseo durante diez días. Luis lo acusó; le invadió la tristeza y le volvió la fiebre. Los esputos le salieron de nuevo con sangre y su estado general empeoró. De nuevo tuvieron que ponerlo frente a la ventana abierta, arropado en el sillón, y volvió a sus manías, sobre todo la de escribir. Se ensimismó tanto que llegó a alejarse de los niños, hasta ignorarlos por completo. Y tornó a oír la radio y leer al mismo tiempo. Carmela, esta vez, presintió que se acercaba el final.

Perico no se olvidaba nunca de darle al padre las buenas noches desde la puerta, porque volvieron a prohibirle la entrada, y tampoco se olvidaba de rezar por él. Carmiña se sentía ofendida porque no entendía lo que pasaba y nadie se lo decía. Jamás se molestó en rezar, pero antes de quedarse dormida veía al Niño Jesús que le tendía los brazos a su padre y ella le sonreía agradecida.

La puerta de la habitación de Luis estaba abierta y la niña se acercó para mirarlo desde el dintel, quieta, en silencio, agarrando por una pierna a su muñeca Mariquita, que arrastraba por el suelo sus rubios tirabuzones. Luis, desde la cama, la llamó, pidiéndole que entrara y se sentase con él para charlar. La niña no se movió. El padre intentó sobornarla:

–Ven… –dijo, golpeando con la mano el borde de la cama donde quería que se sentase–. Si vienes te doy un real para caramelos.

Vio como dudaba, pero terminó acercándose lentamente a los pies de la cama:

–Pero tienes que mandarme un beso con la mano desde más cerca.

–¡No quiero! ¡Hueles mal!

Luis se indignó. Haciendo un esfuerzo, se incorporó para darle un azote, que quedó en el aire. Carmiña, muy enfadada, de un salto se volvió a colocar bajo el dintel de la puerta; mirándolo con rabia, y con los ojos llenos de lágrimas, le gritó:

–¡Vete, malo, vete!

Lo que ocurrió después fue inesperado para el padre, y sorprendente. La cama comenzó a vibrar violentamente, llegando a dar fuertes brincos y, a pesar de agarrarse a los barrotes de la cabecera, fue a parar al suelo en medio de las mantas. Carmiña lo miraba sin moverse. Atraídas por el ruido llegaron Mamita y Carmela, seguidas por Perico y Perro. Levantaron al tembloroso Luis y lo acostaron de nuevo.

–Pero… ¿qué sucedió? –repetía asustado y temblando de frío–. Debió de ser un terremoto. ¿Fue un terremoto?

–Tranquilízate… ¡No pasó nada! –dijo Mamita, mirando a Carmela y haciéndole señas para que no hablase.

–Papá… ¡Ya te acostumbrarás a las cosas raras que pasan donde esta Carmiña!

–¿Qué? ¿Qué dijo Perico?

Nadie le contestó. Barullaron sobre lo ocurrido para aturdirlo y que se olvidase de la pregunta. En un instante lo arroparon, le cerraron las contras, corrieron las cortinas, encendieron el quinqué y lo dejaron solo para que durmiese, con la puerta entreabierta para oírlo. Pero Luis no entendía lo ocurrido y la preocupación lo desveló. Se dio cuenta que no habían querido darle explicaciones y que habían acallado a Perico. Decidió confesar a su hijo cuando estuviese a solas con él. Mamita, previendo su intención, tomó sus precauciones para no proporcionarle la ocasión, y Luis terminó olvidándose.

En los carnavales llegó Maruxa con la prueba de la matanza, como era su costumbre. Vino con las gemelas para que Luis las conociese, y este quedó asombrado por lo iguales que eran, una en moreno y otra en rubio… ¡Jamás había visto cosa igual!

–¿Cuál es Marisé y cuál Marisú? –preguntó.

–La *morochiña* es Marisé, y la de *cor amarelo*, la rubicunda, es Marisú. Nacieron por ese orden.

–¡Desde luego son dos Quiroga! ¡No hay duda!

–¡Claro que sí! Son igualitas al padre, ¿verdad?

–Estoy de acuerdo.

Mamita le dio la prueba de unas orejas que acababa de hacer. A los niños les puso de merienda *filloas* rellenas de chocolate y crema, hojas de limón, y otras *larpeiradas*. Se atiborraron. Parecía que llevaban sin comer varios días. Maruxa se preocupó, temiendo que se empacharan y Mamita la tranquilizó:

–Mujer… ¡Ya sabes! ¡Después de Dios, la olla! Esto es bueno y un día no puede hacer daño. Otra cosa sería si comieran así todos los días.

Fue la última vez que Luis pudo recibir visitas. Su estado empeoró. Carmela se dio cuenta de que el tiempo de su marido llegaba a su fin.

-9-

El médico las avisó que el enfermo estaba prácticamente en las últimas y que era el momento de llamar al cura para que le administrase los Sacramentos. Pero cuando Luis, que culpaba a la Iglesia Católica de todos los males de España, vio entrar al sacerdote en su habitación, lo echó con cajas destempladas y a voz en grito, forzando sus estropeados pulmones, que no se reponían del esfuerzo, de la tos y de los vómitos de sangre, llamándole "jodido hipócrita fariseo". Mamita intentó disculpar su actitud explicando que no era dueño de sus actos. El sacerdote le dijo antes de marchar:

–No se preocupe por mí, señora. Si el enfermo cambia de parecer, no dude en avisarme. De todas formas, vendré a responsarle cuando fallezca.

Todos eran conscientes de la proximidad de su muerte, incluso el mismo Luis. Al día siguiente se encontró muy lúcido y quiso hablar con Carmela a solas. Ella, intrigada, y aunque pensaba que sólo le podría decir dos o tres palabras, supo que había llegado la hora de la confesión por la que siempre había esperado. Su corazón no paraba de dar fuertes golpes, hasta el punto que creyó que se iba a desmayar. Sin embargo, Luis, inexplicablemente, tuvo fuerzas para hablar y ella permaneció a su lado dispuesta a escucharle. Estaba aterrorizada. "¿No sería mejor dejar las cosas como están? ¿Y si es peor la verdad que todo lo que he imaginado? ¡Me gustaría que no me contase nada!". Pero no podía negarse al último deseo de un moribundo y menos si era su marido. Muy pálida, se sentó en el bordillo de la cama y cogió sus manos, que estaban heladas. Luis tenía prisa por hablar y mucha dificultad para respirar, pero insistió:

–Tengo que decirte algo que me ha estado atormentando –hizo una pausa–. Después de mi muerte ya no podrás conocer la verdad.

–Luis… ¡No importa! No digas nada y descansa.

–Es preciso… –un acceso de tos le obligó a esperar. Continuó–: Cuando nació Carmiña no pude venir a casa… y sé que te disgusté mucho. Estaba envuelto en un lío… –Se detuvo de nuevo para tomar aliento–. ¿Te acuerdas de Antonio Montes, el de la calle de San Andrés? –Volvió a descansar–. Estuvo en nuestra boda…

El rostro de Carmela permanecía iluminado por una suave dulzura que despedía su compasiva mirada.

–¿Aquel amigo que luchó contigo en la guerra de África? Sí que me acuerdo.

–Sí… Pues… por entonces era Inspector del Timbre y coordinador de los falangistas…

–Te refieres a antes de empezar la guerra. ¿Es lo que dices?

–Sí. Conocía los nombres más importantes de la derecha gallega. Me enteré de que lo buscaba la policía, a él y a su mujer, para interrogarlos. Los avisé y fueron a Madrid a verme. Los ayudé como pude…

Estaba tan agotado que el sudor le caía a chorros por la frente. Carmela se lo limpiaba con un pañuelo mojado en colonia y le rogaba suavemente:

–Descansa. Después, Luis, después seguirás…

–No… ahora… ¡No hay después! En mi pensión sabían que estaba casado con una cubana, pero no te conocían. Antonio y Fernanda fueron, ella usando tu nombre y él como el primo Ángel de Betanzos. Y estuvieron quince días. Mientras, yo les preparé los papeles para que se marchasen a Portugal. Allí permanecieron… hasta que, con la guerra ganada, volvieron.

Cuando yo estuve en Alicante me protegieron. ¿No te preguntaste por qué no llegaron a fusilarme?

"¿Así que todo aquel lío no había sido más que eso? ¡Resulta fácil de explicar! Pero hay más cosas".

–Sí, sí... Luis... ¿Fernanda y tú llegasteis a hacer vida matrimonial?

–No, no... El mismo día que llegó, yo marché oficiosamente de viaje. Fui a alojarme a casa de un amigo.

–¿Y donde están ahora?

–Aquí, en La Coruña. Llamaron por teléfono varias veces para venir a verme, pero Mamita tenía orden del médico de no permitir visitas. Irán a mi entierro.

–¡Basta, Luis! Descansa. ¡Nada tiene importancia! Tú eres lo único que importa. Descansa.

–Carmela... Fuiste la mujer de mi vida. ¡Tienes que saberlo!

–Y tú el único hombre de la mía. ¡Lo sabes! –Le dio un beso en las hundidas y sudorosas mejillas y rompió a llorar suavemente, en silencio, sin congoja.

Luis se resistió a morir. Les pidió que lo sentaran en el sillón y que le abriesen la ventana. No volvió a acostarse. Su esqueleto desaparecía entre tanto almohadón que precisaba para sostenerse. Permaneció despierto durante dos días, en los que no tosió, ni bebió, ni movió un músculo. Su respiración se hizo estertorosa. Carmela y Mamita se turnaron para descansar en el sofá del salón, vestidas. Luis expiraba.

Mamita fue a preparar café mientras Carmela dormía en el sillón. De pronto se despertó sobresaltada. Escuchó cómo el reloj de la Iglesia daba las campanadas de las seis de la mañana. Sintió el trajín de Mamita en la cocina y olió el aroma del café recién hecho. Movida por un impulso, fue a la habitación de Luis y encontró en el dintel de la puerta a Carmiña, en camisón y en cuclillas, agarrada muy fuerte a Mariquita, temblando, muerta de frío y mirando fijamente al padre. Le preguntó qué hacía allí.

–Nada. Le hablo a papá y le digo adiós.

Carmela se tapó la boca con la mano y miró a Luis: estaba muerto, con la cabeza ladeada entre la montaña de almohadas. Repentinamente, le vino a la memoria que tenía la misma edad que Carmiña cuando murió su madre y cómo la había llamado durante el sueño para que la acompañase en el tránsito. Y también hablaron sobre la fuerte luz que la atraía y la paz que la embargaba. Lo mismo le había ocurrido con Charo, y hoy con Luis. Sintió su llamada, igual que Carmiña.

Llegó Mamita Carmen, cogió a la niña, la llevó a la cama y permaneció con ella un rato hasta que se durmió. Carmela, cuando quedó sola, concentró toda su fuerza mental en Luis. Tomó sus manos todavía calientes, le sacó la alianza del dedo y la puso en el cajón de la mesilla. Hablaron con el pensamiento. Sintió la armonía espiritual que emanaba sobre ella el alma de Luis. Le dijo que se iba hacia la felicidad, hacia la luz, y que se hiciese cargo de sus papeles, que guardaba en el maletín viejo. Carmela le cerró los ojos. Permaneció arrodillada a sus pies hasta que sintió como la levantaba Mamita Carmen. Entre las dos lo acostaron. Después avisaron al cura y a la funeraria.

Despertaron a Perico. Fue a darle el último beso al padre y se encerró inmediatamente en su habitación con Perro. Sus llantos se escuchaban a través de la puerta.

Los primeros en llegar fueron los hermanos, excepto Esther, a la que disculparon diciendo que estaba muy afectada; pero Carmela entendió que era para no encontrarse con Maruxa. La casa se fue llenando de gente que lamentaba la pérdida de Luis, pero sobre todos los lamentos sobresalía el ruidoso llanto de Angustias. Venían de todas partes a darles el pésame: periodistas, amigos, compañeros de estudios, vecinos. Querían despedirse de él. También acudió el matrimonio Montes, que se le ofreció incondicionalmente para todo lo que necesitase; Fernanda quedó en que volvería a visitarla para hablar con más calma. Carmela comprendió. Le resultaron muy agradables.

Al día siguiente fue el entierro; después tuvo lugar el funeral en la Parroquia de Santiago. Los restos de Luis descansaron en San Amaro, en el panteón familiar de Mamita Carmen, tan cubierto de coronas y ramos que no se podía ver el orante de mármol. Al regresar a casa notaron el hueco que quedaba. Pero el del corazón de Carmela era mucho más grande de lo que podía imaginarse. Nadie se iba a olvidar de aquel hombre sencillo que, a pesar de los momentos históricos que le había tocado vivir, supo ser un buen ciudadano, un buen marido y un buen padre. Al morir, Luis pasó a ser un hombre ejemplar y en *La Voz de Galicia* le dedicaron una necrológica de varias columnas.

Con el paso del tiempo, Carmela notó que la embargaban sentimientos confusos. Cada vez que pensaba en Luis se recreaba y al mismo tiempo se angustiaba, sin saber si era dolor por haberlo perdido o alegría por haberlo tenido. Como no se entendía, habló con Mamita Carmen. Le interesaba la opinión de la abuela que, como siempre, fue muy clara:

–Sientes toda la ternura que despierta el amor del que se fue.

"¡Es cierto! Siempre que pienso en Luis, sonrío entre lágrimas. ¡Eso es ternura! Una sonrisa capaz de producir una lágrima". En su matrimonio había habido muchas lágrimas, demasiadas, hasta el punto de haber llegado a decir "¡Basta! Ya no voy a llorar más…" y había endurecido su corazón cubriéndolo con una corteza anormal, creyendo que así conseguiría ser más feliz. Pero resultó mucho más desgraciada. Ignoraba que era imposible vivir con el dolor de un callo en el corazón, porque eso era lo que se lo estuvo oprimiendo durante tantos años. ¡Sólo con recordarlo ya le volvía a doler! El corazón le había seguido palpitando y doliendo. Lo comparaba a unos zapatos que lastimaban en la dureza del dedo y que no se podían quitar por el camino, teniendo que soportarlos hasta llegar a donde fuese, pensando que es imposible continuar… pero se continúa aunque el dolor del pie se refleje en el gesto de sufrimiento de la cara. Y cuando se quita el zapato, el dolor sigue hasta que se desinflama el callo. "¡Espantoso!", se decía estremeciéndose. "Y todo eso… ¡en el corazón!". Ahora comprendía que el corazón estaba hecho para sentir amor capaz de despertar ternura. Amor que cause placer por dentro, aunque por fuera cause dolor.

Así era como Carmela echaba de menos a Luis, al amor que le había dado y que descubrió al final de su matrimonio. No comprendía cómo no lo había advertido antes. Mamita le había aconsejado siempre que hablaran, que descubrieran sus corazones. Pero… ¿cómo había podido ser tan tozuda y terca? Siempre quiso salirse con la suya, empeñada en la ubicación del matrimonio, lo que resultó carecer de importancia. "¿Como he podido ser tan ciega? ¡Todo lo arreglé llorando!". Y fueron las lágrimas las que le impidieron ver toda la belleza que la rodeaba. "¡Dios! ¡Cuánto lastre llevamos por la vida".

Pero en su corazón había algo más que la ternura: la nostalgia. Se sentía tan afligida por la muerte de Luis, que el recuerdo de haberlo perdido para siempre le causaba un profundo dolor, irresistible, que la obligaba a analizar constantemente su vida, llenándola de arrepentimiento. Pasaba horas buscando la razón de la sinrazón. Vivía y revivía los momentos más importantes de su matrimonio y olvidaba cada vez más las amarguras, recreándose en los momentos de placer que deleitaban su espíritu. Dentro se producía dolor y fuera se convertía en placer: la nostalgia era lo contrario de la ternura. "Pero… ¿cómo es posible sentir dos contrariedades semejantes?". Hasta que descubrió que no eran contrariedades, sino dos sentimientos que se completaban en su interior y que le producían la sensación de ser feliz. "¡Por fin descubro la felicidad!", pensó. Y se dispuso a disfrutar de ella, por paradójico que resultara.

Fue también por entonces cuando tomó la decisión de ser una mujer virtuosa. Sin darse cuenta de que, al tomar semejante decisión, adoptaba una postura que ya en principio era falsa, porque se es virtuosa, no se decide serlo. Pasaba horas pensando qué hacer para alcanzar la virtud, buscando y rebuscando lo más grande de sí misma, pero no era capaz de hacer nada determinado. Daba importancia a cosas que no la tenían, y como resultaba más fácil el no hacer que el hacer, su virtud se construía a base de renuncias y abstenciones. No se preocupaba del "qué" y del "cómo" llegar a la virtud. Carmela, así, iba camino de convertirse en una "santona".

Cada vez que hablaba con Mamita ponía por delante todas sus preocupaciones con el "yo no voy a hacer":

–No me voy a quitar el luto en toda mi vida.

–¡Ay, qué *caraho*! Veremos… Todavía eres muy joven.

–¡Por supuesto que así lo haré! –Inmediatamente añadía–: Desde luego no voy a ir dando de qué hablar… ¡Soy viuda con dos hijos! Tengo que cuidar muy bien mi reputación. No haré lo que hicieron otras: casarme en segundas nupcias.

–No creo que encuentres otro hombre que te aguante.

–Voy a acercarme a la Iglesia, a la Acción Católica, a las Damas de la Caridad…

Mamita Carmen, encendiendo uno de sus enormes puros habanos, sentada en su mecedora, continuó escuchándola hasta que se hartó. Entonces la interrumpió indignada:

–¡Para, Carmela! Llevo media hora oyéndote lo mismo. ¡A ver si dices algo distinto al "no voy a" y al "voy a". Por ejemplo: dime lo que haces.

Carmela la miró sorprendida, y la abuela quiso aclararle un poco las ideas:

–Lo que haces es lo que cuenta. ¿Entiendes?

–Mamita, pero yo… –protestó.

–Mira… No te conviertas en una profesional de la virtud. Márcate unas normas y cúmplelas siempre que te salga de dentro, pero ten preparado un escape para saltártelas cuando te apetezca. Solo así serás una mujer verdadera. De otra forma será todo falso.

Mamita quedó en silencio y se envolvió en una humareda de tabaco, aislándose a propósito para dar por terminada la conversación y para que la nieta reflexionase sobre lo que le había dicho. Carmela, comprendiéndolo, se retiró a su habitación. Allí se dio cuenta de lo equivocada que estaba y decidió seguir el consejo de la abuela para no caer en la inmoralidad de la falsa virtud, con la que pensaba aleccionar a sus hijos. ¡Ahora sí que estaba dispuesta a comenzar de nuevo su vida!

III

-1-

Con el transcurso del tiempo, Carmela consiguió serenarse y asumir las consecuencias de su viudedad. Pero a la vez, su instinto maternal se hizo más intenso. Llegó a pasar con sus hijos todos los momentos que tenía libres, hasta que estos, sintiéndose agobiados, comenzaron a rehuirla.

Al cumplir Carmiña siete años, su madre se empeñó en que preparase la Primera Comunión, como había hecho Perico; pero, cada vez que le hablaba de ello, la niña se escapaba, a pesar de presentárselo fascinante, describiéndole el vestido que tendría que llevar como un precioso traje blanco de novia largo hasta los pies, y prometerle que le harían fotos con una gran fiesta en la que invitarían a todas sus amigas. Carmiña terminaba refugiándose en los brazos de Mamita Carmen. Como no podía convencerla y eso la desesperaba, Mamita tuvo que intervenir:

–Ahora no quiere. Tendrás que esperar algo más. ¡Ya la hará! No te tomes tan a pecho los convencionalismos.

–No sé. Creo que está muy consentida y que deberíamos insistir para que no se saliese siempre con la suya.

–No la agobies, mujer. ¡Déjala!

Terminó aceptando el consejo de la abuela y decidió aguardar algún tiempo antes de volver a insistir. Pero Carmiña, con la picardía propia de su edad, comenzó a acompañar a Mamita Carmen a misa de siete todos los domingos y la madre terminó olvidándose de la Primera Comunión e incluso de enviarla a la catequesis, como era su intención.

La fiebre por el cuidado de los hijos le fue pasando según iban creciendo y cada vez les dedicaba menos tiempo para consagrarlo a las amigas. Cuando se dio cuenta, sus hijos ya habían dejado atrás la niñez. Tuvo la impresión de que había sucedido de repente.

Después de cumplir Carmiña doce años, en el verano, le escuchó una conversación con sus amigas que le hizo reflexionar. Comentaba que no podía ir a la playa porque andaba con la regla. "No lo puedo creer... ¡pero si es una niña!". Decidió preguntarle a Mamita. La encontró en la galería sentada en la mecedora, fumando plácidamente. Nerviosa, se dirigió a ella:

–¡Siempre soy la última en enterarme de lo que sucede en esta casa! Mamita... ¿sabías tú que Carmiña tiene la menstruación?

La abuela la miró extrañada.

–No. Pero... ¿hay algún problema?

¡Que si hay...! ¡Bueno! ¿Es que no tienes ojos para ver que todavía es una niña?

–¿Qué dices? ¡Ay, qué *caraho*! Hace un año que le comenzó el ciclo, y si pasaras más tiempo con tus hijos lo sabrías –le reprochó.

–¡Caray! Debiste de decírmelo para evitarme el sobresalto.

–Debiste decirle tú lo que le iba a ocurrir para que no se sobresaltase ella. Esa era tu obligación.

–Sí, sí, por supuesto. Pero... supongo que la habrás preparado tú... ¿o no?

–Lo intenté, pero sabía mucho más que yo. ¡Las chicas de ahora lo saben todo!

–Lo aprenden en la calle, en donde están todo el día, como si no tuviesen casa. ¡En fin! Me cuesta mucho admitir que mi hija ya es una mujer. –Se llevó las manos a la cara, asustada, y añadió–: ¡Habrá que ponerla al corriente de lo que le puede pasar con los hombres!

–Te aconsejo que lo tomes con tranquilidad y no menciones el tema; tal como os lleváis, lo mejor que puede ocurrir es que te deje con la palabra en la boca.

–Sí. Tienes razón. ¡Tiene un carácter horrible! Incluso, a veces creo que me odia.

Mamita no contestó. Carmela se sentó en el sofá a hojear una revista, pero no podía concentrarse en la lectura porque el problema de su hija le estaba dando vueltas en la cabeza... "¡Pero si aún fue ayer cuando le corté las trenzas! Con Perico es distinto, ya lo veo como hombre... ¡hasta se afeita y todo! Bueno, para el curso que viene termina el Bachillerato y se va a estudiar a la Universidad, pero Carmiña... ¡Cómo pasa el tiempo!". Advirtió que ignoraba el curso que estaba estudiando su hija. "¿Cómo es posible? Pues si tiene doce años, irá en segundo, supongo". Y terminó preguntándose si había hecho la Primera Comunión. Recordaba que quiso enviarla a la Parroquia para que la preparasen, y que se había negado, y que Mamita le había aconsejado que no insistiese, asegurándole que ya la haría cuando fuese mayor, si quería. Y no recordaba que hubiera querido.

–Mamita... ¿Carmiña hizo la Primera Comunión?

–Ya sabes que no quiso.

–Sí. Lo recuerdo. Pero tendrá que hacerla.

–Ahora que es mayor, tampoco quiere. Pero... ¡déjala, mujer! En el Instituto no solo les dan clases de Religión, sino que tienen que ir diariamente a la misa que dicen en la capilla. E incluso hacen de monaguillos. Una vez me contó que había tenido que ir a unos Ejercicios Espirituales con el padre Gil, en la Iglesia de los Jesuitas. Si no asistían les ponían falta, y a las tres faltas suspendían la asignatura de Religión. ¡No me gusta que la obliguen a querer a Dios! ¡Eso tiene que salir del corazón!

–Pero... ¿por qué no quiere hacerla? –insistió con terquedad, sin escuchar lo que decía la abuela.

–Si quieres saberlo… ¡pregúntaselo a ella! –le contestó, molesta.

–¡Ahora mismo! –Dejó la revista y salió por el pasillo llamándola a voces–. ¡Carmiña! ¡Carmiña!

Repentinamente la vio ante ella, como una aparición, quieta, con los brazos cruzados, mirándola con gesto de fastidio:

–Dime, Mami… –le dijo, aparentando tranquilidad, con el tono de insolencia habitual entre las dos.

–Mamita y yo queremos saber por qué no haces la Primera Comunión.

–¿Qué…?

Carmela la agarró por un brazo y la empujó hacia la galería:

–¡Lo que oyes! –le gritó.

La hija forcejeó hasta que consiguió soltarse. Consideró que era el momento de soltar la frase mágica que había descubierto hacía poco y que dejaba a su madre sin habla:

–Mami… –el tono la puso en guardia–: ¡Que… te… jo… dan!

Corrió hacia la puerta de la calle para evitar que le diera la correspondiente bofetada, porque últimamente había observado que cada vez se sobresaltaba menos y reaccionaba más violentamente. Bajó a saltos las escaleras, riéndose y gritando:

–¿A que no me coges?

Carmela volvió a la galería con Mamita, que había sido testigo del enfrentamiento.

–¿Qué esperabas? –le preguntó–. ¿Acaso no la conoces?

Apretó la mandíbula y, sin contestarle, se sentó en el sofá. Volvió a intentar leer la revista. Tenía que olvidarse de aquella insolencia que tanto la había alterado. Estaba convencida de que era el resultado de haberla consentido en exceso y lamentó no haberlo remediado antes.

La relación entre ambas no siempre había sido así. Durante la niñez de sus hijos, cuando estaba en plena exaltación del amor materno, gustaba de tenerlos a su alrededor. Los domingos disfrutaba llevándolos con ella a misa de doce en la Parroquia y presumir ante los vecinos de lo bien que se criaban y de lo mucho que se parecía Perico a su papá. También pasaba horas enteras relatándoles incidentes familiares adornados con algo de misterio, cosas pasadas antes, durante y después de la guerra. Los dejaba asombrados. Pero, según fueron haciéndose mayores, cada vez menos. Carmiña llegó a decirle que se estaba repitiendo y que los aburría. Fue entonces cuando los dejó distanciarse, al notar que habían perdido el interés por las historias que contaba. Ahí había comenzado todo. Como último intento para atraerlos, les narró sucesos de los familiares cubanos, de los yorubas, de la magia... Y como también los aburría, llegó a las historias con protagonismo del padre y luego de ella misma. Perico, resignado, no se atrevía a decir nada para no herir sus sentimientos. Carmiña gozaba atacándola y no perdía ocasión de ofenderla. Llegó a perderle totalmente el respeto, incluso delante de la gente.

Carmiña, ya en plena adolescencia, había comprendido que entre las dos existía algo más que diferencias generacionales, y supo que jamás llegarían a comprenderse. Calificándola de arcaica, decía que su madre, por ser inamovible en sus principios y en su moral, la sacaba de quicio, porque nadie podía estar en posesión de la verdad absoluta, como ella pretendía; además, tampoco soportaba su presunción, cuando repetía que su generación había sido la "protagonista de la Historia Contemporánea", enumerando con tono solemne las importantes reivindicaciones sociales que habían conseguido. Cuando decía esas cosas, Carmiña no dejaba de lanzarle miradas llenas de insolencia y guasa. Carmela había llegado a aprovechar las visitas de sus amigas como marco ideal en el que apoyarse para que su hija escuchase sus comentarios sobre "aquellos maravillosos tiempos", en los que la protagonista siempre era ella, pretendiendo hacerla creer que cuando aparecía en escena el mundo comenzaba a girar, y se paraba cuando salía, lo que resultaba inaguantable para la hija. Después seguían las tías Laura y Tere diciendo cosas como: "Carmiña es muy guapa y muy lista, pero no tanto como lo eras tú... ¡Sin sombra de comparación! ¡Tú lo tenías todo!: tipo, cara, inteligencia, elegancia... ¡Y lo bien que conversabas con los hombres!". En una de esas conversaciones, las interrumpió para preguntar, irónica:

–¿En serio, Mami? ¡Quién lo diría! ¿Y con tantos dones que te otorgaron los dioses fuiste feliz, Mami?

Las dejó perplejas. Nunca más la madre permitió la presencia de la hija en sus reuniones. Y llegaron a corresponderse en el desafecto, odiándose cordialmente, sin volverse a identificar jamás como madre e hija.

Muy pronto se despertó en Carmiña la afición a la lectura. Cuando empezaba a leer, no había forma humana de que dejase el libro, hasta que lo terminaba. Incluso se olvidaba de comer y de salir. El viejo Perro se acostaba ante la puerta de su habitación como un centinela y, cuando alguien la llamaba, comenzaba a ladrar sin parar hasta que salía. Perico solía acudir a calmarlo, pero divirtiéndole lo furiosa que se ponía su hermana, lo dejaba ladrar... En cierta ocasión, Carmiña, en el colmo de la irritación, le advirtió:

–Procura que no me moleste tu chucho... ¡o te va a pesar!

El tono era amenazador, pero Perico no llegó a tomarlo en serio y Perro siguió ladrando. Carmiña se hartó. Aprovechó la ausencia de su hermano para llevarse el animal sin que nadie la viese, con la intención de deshacerse de él. Se dirigió hacia la Torre de Hércules, en donde encontró unos gitanos que iban en un carro; les preguntó si querían aquel perro y, sin ningún remordimiento, se lo regaló a una pequeña y sucia niña que iba sentada delante. Al llegar a casa se encerró en su habitación y se puso a leer como si no hubiese salido en ningún momento. Perico, cuando regresó, se extrañó de no ver a Perro. Después de buscarlo, le preguntó:

–Carmiña. ¿Está Perro contigo?

–¿Estás loco? ¡Ya sabes que aquí no entra jamás!

–Es que no lo encuentro. Ha desaparecido.

–Ya vendrá.

No volvió. Perico enfermó con el disgusto, convencido de que su viejo y fiel amigo había sido robado. Carmela quiso comprar otro, pero él no aceptó, afirmando entre lágrimas que jamás podría superar su pérdida, porque era lo único que conservaba de su padre, jurando que nunca otro animal ocuparía el sitio de Perro.

Otro acontecimiento vino a ocupar la atención de la familia: Laura y Carlos se casaban. Después de un larguísimo noviazgo se habían decidido, pero celebrando la boda en la más estricta intimidad.

Maruxa asistió a la ceremonia con las gemelas y la nieta Xana, que estudiaba el Bachillerato en el Instituto Femenino Eusebio Da Guarda y que era compañera de pupitre de Carmiña, además de íntimas amigas. Carmiña aprovechó el momento para pedirle que dejase a Xana pasar unos días con ella y así preparar juntas los exámenes finales. Maruxa aceptó encantada, y a Carmela le hizo feliz la idea, porque sentía mucho cariño por su ahijada, a la que llamaba "la dulce Xana".

Después de un breve viaje de novios a Portugal, Carlos volvió a abrir el bufete del suegro de Laura, quedándose a vivir en la misma casa para no dejar sola a la anciana suegra, que ya estaba senil y requería muchos cuidados.

A Carmiña y Xana les atraía el desván desde muy niñas; allí iban a estudiar y permanecían muchas horas. Alguna vez se les unía Perico, que guardaba su colección de monedas en uno de los armarios, y las interrumpía para mostrarles sus últimas adquisiciones. Carmiña descubrió que a su amiga le gustaba Perico. Como las dos dormían en la misma habitación, donde habían colocado dos camas para que estuvieran juntas, una noche, en el momento de las confidencias, se lo preguntó:

–Dime la verdad, Xana. ¿Estás chiflada por el repelente Perico?

–Es verdad. Pero ni se fija en mí… ¡Es terrible!

–¡Bah! ¡Es idiota! Buenas noches.

Se quedaron dormidas. Al día siguiente ni mencionaron a Perico. Lo único que tenían en la mente era el próximo examen de Francés. Carmiña quería enseñar a Xana la pronunciación correcta de la lectura y subieron al desván muy temprano. Mamita, para que no tuvieran que bajar a comer, les subió una bandeja con alimentos.

Superaron los exámenes con muy buenas calificaciones y hablaron de lo que harían aquel verano: Xana pasaría en La Coruña el mes de julio y Carmiña iría a El Carballo en agosto. Decidieron que cuando se aburriesen lo harían paseando por los Cantones. Aquel verano se hicieron inseparables. Y Xana llegó a ser el lazo de unión entre madre e hija, al compartir ambas su afecto.

Desde el comienzo del nuevo curso, Xana comía todos los días en casa de su madrina. Carmela le había insistido a Maruxa hasta conseguirlo. Así vendrían las niñas juntas del Instituto y Carmiña no se entretendría por el camino como era su costumbre. Deseaba la sensatez de Xana para su hija, pero se conformaba con que perdurase la amistad, con la esperanza de que se le contagiase.

Carmiña, aunque tuviese el día muy ocupado, seguía dedicándose a la lectura por las noches, convirtiéndola en un auténtico vicio. Leía todo lo que caía en sus manos y compraba muchos libros, incluso en francés. Los encargaba en la librería de Molist, en cuya trastienda se encontraban muchos ejemplares publicados en Sudamérica, de obras cuya traducción o edición estaba prohibida en España. La atendían muy amables porque habían conocido a su padre.

Sintió verdadera inquietud por diferentes temas que fueron llenando distintos momentos de su vida. Iniciaba su estudio y no lo abandonaba hasta que lo dominaba por completo. Había llegado a la psicología de la mano de Freud, interesándose mucho por el psicoanálisis, obligándola a reflexionar sobre su relación con la madre. Comprendió que lo que existía entre ellas dos era una auténtica incomunicación, si bien la circunstancia de hablar cada vez menos no tenía nada que ver, porque las palabras no significaban nada en una comunicación interpersonal. Lo verdaderamente importante era que no tenían nada que decirse, porque eran producto de épocas y necesidades distintas, que originaban diferentes conductas y opiniones. Pertenecían a dos mundos disociados. Y agredirse mutuamente era la única forma que tenían de relacionarse. Aquellos enfrentamientos inútiles cerraban el círculo, dejándolas cada vez más insatisfechas. ¡Habían perdido la espontaneidad!, pero si a la madre no le importaba, a ella tampoco. De pronto se encontró sola y se volcó plenamente en la bisabuela, con la que siempre se había entendido, porque creía que eran dos almas gemelas… A Mamita sí que la consideraba situada en su época.

Mamita Carmen le contaba historias diferentes y muy interesantes. Se trataba de relatos sencillos, muy cortos, que parecía inventar sobre la marcha. Mezclaba cosas dispares, filosofías contradictorias, con las que daba respuesta a las grandes preguntas. Además enlazaba la taumaturgia de los yorubas cubanos con la del cristianismo, del budismo… y de todas las religiones del mundo. La dejaba perpleja. "La bisabuela es…

¡increíble!". Comenzó a idolatrarla y a admirar todo lo que viniese de ella.

Un día, Mamita la encontró tan ensimismada leyendo un pequeño libro, que no advirtió su presencia.

–¿De quién es? –le preguntó.

–De Kafka. Un judío checo. Se titula *La metamorfosis*. Habla de la ambigüedad de la existencia.

–¡Ya! Pero… ¿de qué concretamente?

–De la locura de un esquizofrénico que se convirtió en insecto; todo muy lógico.

–¡Pero si es un absurdo! –exclamó Mamita.

–¡Claro que sí! Mamita… la condición humana es un absurdo, estoy contigo.

Carmiña siguió hablando del absurdo. Se refirió al Sísifo de Camus. Estuvieron mucho rato hablando sobre aquel hombre que, amando tanto la vida, había sido condenado por los dioses a realizar un trabajo que jamás terminaría. Él lo sabía, y en su lucidez radicaba su verdadera tortura, porque también sabía que podía revelarse contra su sino, pero no lo hacía… ¡Ahí estaba el absurdo! Mamita quedó pensativa y en silencio. Después de un buen rato, le contó una historia a la que Carmiña no encontraba sentido:

–Siendo muy niña mis padres me llevaron al circo. Yo quería ver las fieras en sus jaulas, y lo conseguí. Lo único que recuerdo con detalle fue la impresión que me causó un enorme gorila. Decían que era el más viejo del mundo. Allí estaba, sin moverse, como meditando. A veces bostezaba y se limpiaba los ojos. En la entrada de la jaula había un gran espejo con un letrero que decía: El animal más peligroso del mundo. Mirabas y veías… ¡tu cara!

Carmiña, riéndose a carcajadas, le preguntó:

–¿Lo inventaste?

–No. Tiene más de dos mil años.

Carmiña no conseguía desentrañar su sentido. Aunque aparentaba muy simple, sospechaba que significaba algo más. ¿Le estaba diciendo que todo existe de siempre, y que basta con descubrirlo y sacarlo de nuevo para impresionar a la gente? ¿Es que Camus no suponía ninguna novedad para Mamita?

–El mundo es redondo, una sucesión continua de cosas –siguió diciéndole la bisabuela–. Todo está en nosotros, solo hay que saber mirar y poder ver.

¿Cómo no iba a adorarla?

-2-

Estudiaban el último curso del Bachillerato, tenían que preparar la Reválida, tenían que organizar el viaje de Fin de Estudios, y por si fuera poco, la profesora de Falange se empeñó en que tenían que ir a Santiago a ganar el Jubileo. Se encontraban agobiadas, nerviosas y también alteradas por la primavera.

Rosita, la bedel del Instituto, era incapaz de conseguir que las alumnas de séptimo guardasen silencio mientras no llegaban las profesoras:

–¡Silencio, por favor! ¡Callaros! –les gritaba desde el dintel de la puerta agitando el manojo de llaves que colgaban del cinturón de su quita polvos, a punto de quedar afónica.

El barullo iba a más. Aquellas jóvenes con mandilón blanco y caras de ángel, eran auténticos diablos. Estaban inaguantables y poniendo a Rosita en un apuro. Carmiña decidió ayudarla; se subió a la mesa de los profesores y dio un par de gritos que llamaron la atención de las compañeras. Cuando consiguió algo de silencio se bajó, justo a tiempo de que no la viesen las dos profesoras que estaban esperando.

Las alumnas se acomodaron como pudieron, sin orden ni disciplina, porque iban a darles las instrucciones para el viaje a Santiago. Algunas se sentaron sobre las mesas y otras permanecieron de pie, todas deseando que fuesen breves para poder marcharse. Les aclararon que cada una se encargaría de pagar su billete y sus gastos, que se encontrarían en la estación de San Cristóbal para tomar el tren de las ocho de la mañana, y que irían en grupo. Las llenaron de recomendaciones y de prohibiciones.

–Ojo a las faltas de orden. Podéis jugaros el curso, ¿eh? –dijo Mily, la profesora de gimnasia.

Les repartieron unas copias del "Himno de Santiago Apóstol, Patrón de las Españas", y aunque faltaba media hora para que sonase el timbre avisando la salida, se marcharon. Quedaron en verse al día siguiente en la estación. Inmediatamente el aula quedó casi vacía, solo ocupada con las alumnas que iban a organizar la excursión.

En el curso había dos chicas de religión protestante y una mahometana, que recogió los libros con prisa porque la esperaba el chofer de su padre con el coche oficial. Ninguna de las tres iba a la excursión, porque las habían dispensado, y comentaron, ante la envidia de las demás, que aprovecharían el día para estudiar. Cuando se fueron, se oyó una voz desde los últimos pupitres:

–Muchos son los llamados, pero pocos los escogidos.

–¿Cuantas quedamos? –preguntó Xana.

–Quince –contestó Carmiña–. Pero van a venir algunas más. Vieron a los chicos desde las ventanas, esperándolas, y se largaron. –Alzó la voz para despedirse–: ¡Hasta mañana a las siete y media en la estación! ¿Nos vamos, Xana?

Se quitaron los mandilones, los pusieron enrollados sobre los libros y se marcharon.

–¿Estará Perico dispuesto a acompañarnos por Santiago? –preguntó Xana.

–¡Qué importa! ¡Lo pasaremos mejor sin él!

–Yo no.

Carmiña la miró con compasión:

–Perico está por ti, ya te lo dije.

–No sé…

–Tú no lo sabrás, pero yo sí.

Caminaban por la calle San Andrés hacia los Cantones, donde siempre encontraban a un admirador de Carmiña que, al cruzarla, le dirigía miradas incendiarias proclamando su amor platónico. Algunas veces las saludaba y les pedía permiso para acompañarlas. Casi no hablaban. Al final de la calle Real se despedía. Ellas continuaban por Riego de Agua y él daba la vuelta hacia el Obelisco. Pero no siempre estaba Carmiña de humor para aguantarlo y entonces hacían otro itinerario, subiendo por Panaderas y atravesando el Campo de la Leña.

Lo vieron a lo lejos.

–Jorge cada vez es más pesado.

–Si supieras lo que piensa cuando está conmigo… ¡Poco se imagina que puedo leer sus pensamientos! Es un fresco. Fantasea sobre cómo podría violarme. ¿Qué te parece?

–¡Pues menuda… mosquita muerta!

–Es un reprimido.

–Un hombre completo… por lo que se ve. Me contaron que todas las noches está en la Parrilla del Embajador… ginebra va, ginebra viene… De día prepara oposiciones para Judicatura. ¿Cuándo dormirá?

–No duerme. ¿No notas que es un lunático, un subnormal?

–Pero es insistente el tío.

Carmiña se encogió de hombros:

–Tiene novia formal que espera casarse tan pronto apruebe las oposiciones. Pero como no las va aprobar nunca, la tipa se va a quedar soltera –hizo un gesto con la cabeza y rompieron a reír.

–¡Eh, mira! Parece que Jorge no nos va a dar la lata. Se paró con una señora. Mira con disimulo.

–Ni miro. Pasemos de largo como si no lo viéramos. Además tengo prisa por llegar a María Pita para encontrar al tenientucho. ¡Apúrate, Xana!

Aquel teniente era un autentico adonis ante el que Carmiña temblaba como si le hubiese dado un mal aire. Solo verlo de lejos la complacía y atormentaba, y notaba que podía ser su perdición si se dejaba llevar por aquellos sentimientos.

Corrían, más que caminaban. Era jueves y ese día pasaba un poco antes que los demás. Siempre cruzaba la Plaza de María Pita montado en su caballo, tan apuesto como Carmiña lo imaginaba en sueños… Como un príncipe en su corcel. Se lo habían presentado en un Concurso Hípico en el que participaba en saltos de obstáculos con otro caballo. Habían coincidido sus miradas y ya no pudo apartarlo de su mente. Apostó por él y perdió. Después coincidieron casualmente en varias ocasiones. Pero al enterarse de su paseo de los jueves, procuraba estar en la Plaza, para charlar con él aun que solo fuese unos minutos.

–Faltan cinco –dijo Carmiña, muy sofocada al llegar, mirando el reloj del Ayuntamiento.

Se acercaron al portal de siempre. Xana se sentó en un escalón a descansar y Carmiña le dio sus libros para arreglarse un poco ante los cristales de la puerta. Se soltó la "cola de caballo", decía que para que no la confundiese con su montura, peinó la ondulada y negra melena, se pintó los labios con una barra de color encarnado chillón y se pellizcó las mejillas. Quedó satisfecha con la imagen que, más que ver, se adivinaba en el improvisado espejo.

–Disimula, que ahí lo tienes.

–¿Qué tal estoy?

Se volvió hacia Xana, radiante.

–Muy bien. Parece que de repente tienes los ojos más claros y el pelo más negro… ¡Muy bien!

Carmiña no contestó. Miraba la Plaza. La estaba atravesando el oficial, a caballo, erguido, soberbio, excesivo. "¡Que estampa, Dios!", pensó mientras lo miraba. Para ella, aquel hombre era la gallardía en persona. Apoyada en una columna de los soportales, lo miraba retadora. La vio. Caballo y jinete se acercaron lentamente, y al llegar a su lado, desmontó.

–Hola las dos –a Xana ni la miró–. No sé dónde ponerme hoy, si al lado del *ollo mentireiro* o del *ollo traizoeiro* –dijo muy serio, sin separar la vista de los ojos de Carmiña–. Prefiero que me mientan a que me traicionen. Entonces me pongo aquí.

Se colocó a su izquierda, en el lado del ojo azul.

–¡Qué caballo más bonito! –le respondió Carmiña, acariciando la mancha blanca de la frente del negro animal.

–Es moro.

–¡Ah! ¿Lo trajiste de Ceuta?

–Cuando quieras te enseño todo lo que sé de caballos. ¿Nos vemos mañana?

–No. Mañana vamos a Santiago. El jueves.

Estaba tan próximo a ella que notaba el calor de su aliento en la cara. Se puso muy nerviosa y se separó. Él, sin decir nada, sin hacer siquiera el mínimo gesto, montó de nuevo el caballo, la saludó acercando la fusta a la visera de la gorra y se alejó lentamente, como había llegado, sin mirar hacia atrás. Carmiña no pudo separar la vista del deslumbrante brillo de las espuelas. El olor a caballo era lo único que permanecía.

–Es demasiado guapo –comentó Xana.

–Es demasiado sinvergüenza. Pero me gusta. ¡Él sí que es moro!

Al terminar de comer avisaron en casa que por la mañana salían para Santiago con el curso a ganar el Jubileo del Año Santo. Carmela corrió disparada al teléfono para llamar a Perico y encargarle que vigilase a las niñas. Ya había salido para la Facultad y le dejó el recado en la pensión.

Mamita Carmen miró a Carmiña con asombro.

–¿Qué me miras, viejiña?

–¡¿Qué quieres que mire?! Pensaba que eras anticlerical como tu padre.

–Y lo soy. Pero suelo apuntarme a las juergas. ¡Y esta promete!

La madre mascullό un raro silbido que les hizo girar la cabeza. Carraspeó y dijo:

–¡Eres una irrespetuosa! ¡Señor! Deberías tomar ejemplo de tu hermano y de Xana.

Carmiña la desafió:

–¿Decías algo, Mami?

Estaban frente a frente, sosteniendo las miradas, retándose... Hasta que Carmela le dio la espalda y continuó recogiendo la mesa. Como si de pronto hubiese encontrado la contestación apropiada, se volvió bruscamente, pero tropezó con Xana que estaba ayudándola y le derramó vino sobre la vaporosa falda.

–¡Ay!

–Lo siento. Lo siento Xana. Cuando Carmiña se pone en ese plan, pierdo los nervios. Cámbiate y que te preste una falda mientras yo te limpio esta.

Carmiña la llevó a su habitación y le escogió la ropa: un pantalón tejano y una chillona blusa a cuadros.

–Ponte esto. Lo pensaba llevar mañana a la excursión, pero te quedan muy bien... y estos zapatos, que los tuyos están salpicados. –Le dio unas bailarinas sin tacón, totalmente planas–. ¡Date prisa! En la radio ya oigo el episodio de los "Dos hombres buenos" y eso significa que tendremos que correr para llegar a clase.

Xana se vistió a toda prisa, sin tiempo de mirarse en el espejo. Bajaron las escaleras saltándolas de cuatro en cuatro. Escucharon a Carmela que les gritaba:

–¡Xana! ¡Hoy duermes aquí! ¡Ya se lo digo yo a Maruxa, no te preocupes!

–¡Bueno! ¡Adiós madrina! –contestó desde el portal.

Corrieron por la cuesta de Santiago. Al llegar a Puerta Real vieron un gran coche negro. Asomó la cabeza por la ventanilla Fátima y las invitó a subir. Cuando se acomodaron, miró la ropa de Xana y le dijo:

–Mi padre no me deja poner tejanos y a mí me gustaría. En cambio mi madre los usa algunas veces.

–¿Sí? –dijeron asombradas.

–Sí… Mi madre estudió en la Sorbona. Yo también iré. ¿Y vosotras en que universidad pensáis estudiar?

–Yo me quedaré en La Coruña y haré Magisterio, y después unas oposiciones al Estado.

–¿Y tú, Quiroga?

–Verás… No sé. Lo único que sé… es que no voy a estudiar a Santiago ni loca.

–¿Por qué? –se interesó Fátima.

–Pues porque va contra mis principios introducirme en una universidad en la que no existe lo de "universalidad", solo recortes para comerte el coco. Me explico: en Santiago están unos tales Lópeces que pretenden que todos sean "escrivanos" y a mí no me da la gana… ¡Me llega con mi tía Angustias!

–No entiendo lo que significa "escrivanos" –dijo Fátima.

–"Escrivanos" con uve, de Escrivá de Balaguer… ¡El Opus, mujer! El Opus Dei es una secta religiosa-política que está de moda. Yo tengo una tía que pertenece a ella. ¡Son cosas que pasan!

El chofer paró el coche ante la escalinata del Instituto y, con la gorra en la mano, muy respetuoso, fue a abrirles la puerta cuando ya las tres habían salido.

La primera clase era la de Matemáticas. El catedrático las atontaba, no por como explicaba la asignatura, sino porque era un aviador muy atractivo. Tuvieron el tiempo justo de ponerse los arrugados mandilones antes de que apareciese. Mientras tomaba nota de las faltas de asistencia, Carmiña observó el papel de su mesa lleno de chuletas y de dibujos. Tenía que cambiarlo antes de que le ocasionase problemas.

Madrugaron para la excursión. Xana se vistió con la ropa que le había prestado el día anterior Carmiña, con la que se encontraba muy cómoda y favorecida, y se puso sobre los hombros un grueso jersey blanco de nudos que le había tejido Mamita Carmen por Reyes. Carmiña fue vestida con una vuelosa y crujiente falda, un conjunto de jersey Púlligan color "verde Soraya" y zapatos bajos con calcetines cortos. Sujetó su "cola de caballo" con una pañoleta de gasa color coral. Guardaron en sus bolsas de playa toda clase de objetos: pinturas, peines, monederos, agendas, lápices... y unas novelas para leer en el tren. Desayunaron. Se despidieron de Mamita y de Carmela, que se habían levantado para darles las últimas recomendaciones como si viajasen a la China.

–No dejéis de visitar la Catedral para ganar el Jubileo. Insisto porque me huelo lo que vais a hacer.

–Habrá tiempo para todo, descuida –Carmiña canturreó con su acostumbrada guasa–. "De rodillas, Señor, ante el Sagrario..." –observó el gesto de su madre y escapó corriendo por la escalera seguida de la risueña Xana.

Ya en Puerta Real, le preguntó:

–¿Traes el paraguas?

–¡Claro! Fue en lo primero en que pensé. Es un incordio, pero si nos sobra se lo dejamos a Perico de recuerdo.

Subieron al tranvía. Llegaron a la estación demasiado pronto, las primeras. Sacaron el billete y esperaron a las demás sentadas en un banco del andén. Estaban nerviosas y, para disimularlo, hablaban sin parar comentando sobre las parejas de extranjeros que, cargados como mulas, iban a ganar el jubileo del Año Santo, como ellas. Al verlos tan "turistas", con sus inevitables cámaras de fotos y gafas de sol, Carmiña se propuso imitarlos y buscó las gafas "amor" en su bolsa. Se las ofreció a Xana:

–Póntelas, que te favorecen mucho. Yo no las necesito, prefiero mis ojos descubiertos para llamar la atención. ¡A ver si pillo un novio bien guapo e inteligente, que no sea de los "Lópeces"!

–¡Pobre Mario! Estará avisado por Perico y dispuesto a no separarse de ti ni un minuto.

–Mario no tiene nada que hacer conmigo. Reconozco que está muy bien, pero, posiblemente porque siempre fue el amigo inseparable de mi hermano, lo tengo demasiado visto.

–¡Ahí llegan todas… en bandada!

Venían armando un gran alboroto. La que más y la que menos, se había disfrazado con ropa de persona mayor. Subieron al tren y se fueron acomodando. Las profesoras, que eran de la Sección Femenina, con Mily al mando, estaban en un extremo del vagón hablando con dos italianos y coqueteando descaradamente. Fueron las primeras en escabullirse al llegar a Santiago.

–¡Aquí a las nueve, para el regreso! –les gritó Mily.

–La Sección Femenina no perdió el tiempo. ¿Ves? –dijo Xana y se rieron–. ¡Nosotras tampoco! ¡A por Mario y Perico!

Fueron decididas hasta la Facultad de Derecho, porque sabían que eran horas de clase y que aquellos dos no eran capaces de perderse ninguna. Proyectaron arrancarlos de la Facultad, aunque tuviesen que usar malas mañas, y llevarlos de tascas. Lo de la Catedral sería al final de la tarde, si no había nada mejor que hacer… Pero al llegar a la Plazuela de la Universidad comenzaron a ponerse nerviosas, viéndola repleta de jóvenes mezclados con chicas, supuestamente estudiantes de Filosofía, Facultad que compartía edificio con Derecho. Carmiña se estiró todo lo que pudo y Xana se encogió cada vez más al pasar en medio de tanto chico. No los encontraron… Cuando se marchaban desanimadas, se les acercó Mario corriendo. Fueron en busca de Perico, que estaba mirando una nota de examen en el tablón de anuncios.

–¿Cómo está mi querido repelente? –Lo saludó Carmiña dándole una fuerte palmada en la espalda. Perico se encogió para evitarla, pero no pudo. Era lo que hacía siempre al encontrarlo por cualquier sitio–. Nosotras dispuestas a que nos llevéis a la tasca de moda... ¡De ninguna forma al Derby! A chiquitear, a comer, a bailar... y todo eso... *¿Oui, d'accord*?

–Nosotros lo que queremos... ¡es ir a clase! –contestó Perico malhumorado por el golpe recibido en la espalda.

–¡Bien! Después lo lamentaréis... porque nos vamos a divertir con dos bellos italianos que nos van a cantar al oído las canciones de Renato Carossone. ¡Adiós, idiotas!

Agarró por el brazo a Xana y tiró de ella a pesar de su resistencia.

–Mario –dijo Perico mirando a Xana–, no podemos consentirlo. ¡Podrían quedar sordas!, y sería una pena que fuese nuestra la culpa. ¿Tú qué dices?

–¡Venga, vamos con ellas!

Se emparejaron. Perico entrelazo su mano con la de Xana, que creyó morir. Mario hizo lo mismo con Carmiña, que también se moría, pero de risa por el sufrimiento que reflejaba la cara de su amiga. Era muy temprano y entraron en una cafetería para beber algo refrescante. Terminaron sentados en un banco de la Alameda. Los chicos estaban en plena forma, parecían pavos reales luciendo su plumaje, y se les notaba que estaban dispuestos a cometer locuras; pero ellas no dejaron que se hiciesen ilusiones durante mucho tiempo y recogieron velas. Propusieron ir a comer por la Calle del Franco, mirando antes los escaparates. Cuando se sentaron, Perico y Xana hicieron un aparte en la mesa y no lo interrumpieron hasta los postres, para proponer un brindis con el poco *ribeiro* sobrante de la jarra:

–Os anunciamos oficialmente que... que... ¡somos novios! ¡Por nosotros! –dijo Perico emocionado, levantando el vaso para hacer el "chin-chin".

–¡Ya era hora, idiota! ¡Felicidades! –exclamó, gozosa, Carmiña.

–Estoy enamorado de Xana desde siempre… ¡Desde que la vi llorando en el bautizo! No me atreví a decírselo antes porque… ¡tiene tanta ilusión con estudiar Magisterio! ¡En fin!, que no quería ser un incordio. De todas formas, mientras estudia aprovecharé para preparar unas oposiciones. ¡No nos vamos a casar hasta que ella termine, así que…!

–¿Oposiciones? –le interrumpió Xana–. ¿A qué?

–¡Qué más da! A lo primero que salga.

Bebieron hasta agotar el vino.

–Carmiña… –se atrevió a decir Mario–, tu hermano es testigo de mi sufrimiento. ¿Por qué no quieres ser mi novia?

–Ya lo hablamos otras veces, pero te lo repito. A mí no me tira el matrimonio. Te quiero mucho, pero como amigo. ¡Ojalá que encuentres una mujer que te corresponda como mereces! ¡Te deseo lo mejor!

–Me gustaría saber qué es lo que te tira.

–Yo… ¡Oh, Dios mío! ¿Puedes creerme si te digo que no lo sé… aún? Quizá algún día me largue de este reprimido país de mierda. Puede que me haga enfermera para ir a una de esas guerras, o me dedique a la subversión, o… ¡me largue al espacio en un cohete! ¡Yo que sé!

–¡Bueno! ¡Paciencia!

Mario se levantó dando un fuerte suspiro y se acercó a la sinfonola a poner un disco. Comenzó a sonar "Reloj no marques las horas" y guardaron silencio. El latir de sus corazones era más fuerte que la música. Carmiña, viéndolos, impasible, pensó en sacarles una foto para la posteridad, pero prefirió no hacerlo. Calificó el disco como un error de táctica de Mario.

–Me gusta Lucho Gatica. ¡Fue un acierto! –dijo con un sarcasmo casi imperceptible.

Mario volvió a los acostumbrados y ruidosos suspiros, y Carmiña, ya harta de su actitud, al terminar el disco, propuso ir a la Catedral. Era preferible a seguir soportando a Mario.

–Quisiera darle un abrazo al Apóstol –mintió.

Mario se le acercó al oído para decirle:

–Yo le voy a pedir que te enamores de mí. Y estoy seguro que me hará el milagro.

–¡Oh, que pesado! –Le dio un empujón y se levantaron.

Atravesaron las *ruas* hasta llegar a la Plaza Do Obradoiro. Subieron la escalinata. Entraron. Estuvieron un buen rato admirando el Pórtico de la Gloria. Carmiña quedó ausente. Se le puso la piel de gallina y sintió frío. Mario le tiró del brazo y le dijo:

–¿Nos vamos? ¿Qué estás mirando?

–La escena del Juicio Final con esos monstruosos demonios que arrebatan a los réprobos. ¡Es horrible! Yo…

–No es para tanto, mujer. Mira el otro lado y verás los ángeles acogiendo a los elegidos.

Carmiña movió negativamente la cabeza:

–Yo no comparto la visión del autor. ¡Ese Dios Justiciero y Todopoderoso que manda sus criaturas a lugares como esos! Verás, yo pienso en Dios Misericordioso y Caritativo… yo… ¡Bah!, ¡vámonos!

Rodearon la columna para darse los *croques* en la figura del Maestro Mateo. Se alborotaron porque estaba funcionando el *botafumeiro* y se acercaron para ver a los que lo manejaban. Terminaron detrás del altar Mayor abrazando al Apóstol y salieron por la Puerta Santa a la Plaza de los Literarios.

–¡Oh, Dios mío! –exclamó Carmiña–. Estoy agotada. ¡Me aburren las piedras monumentales! ¡No las preciosas! Tengo Catedral para muchos años. ¡Voy servida!

–Misión cumplida –dijo Xana.

–No –puntualizó Perico–. Para ganar el Jubileo te falta comulgar.

–No podía faltar el repelente –protestó Carmiña, mirando aquel raro ejemplar que tenía por hermano: "¿Será imbécil el tío? ¡Desde luego que se agravan los defectos con la edad! ¡Digno hijo de mi madre!”.

Caminaban ante ella agarrados por la cintura, cruzando empalagosas miradas. Carmiña estaba viéndolos caer al suelo y como su mente tenía el privilegio de hacer real lo que pensaba, para evitarlo se puso a recitar en voz alta, muy fuerte, una poesía, la primera que le vino a la memoria:

–Compañero, amante mío,
vivimos mal,
y Dios nos va a castigar.
Di, ¿por qué no nos casamos,
amante mío?
Vivimos mal.
¡Y yo me quiero salvar!

Se pararon a su alrededor, asombrados por sus dotes de rapsoda, desconocidas por todos menos para Perico, que, soltándose de Xana, continuó recitando:

–A la boda, compañero,
porque contigo quisiera
vivir, ya muerta, en el Cielo!

Mario, sin salir de su asombro, le preguntó:

–Ignoraba que hicieses poesía. ¡Y es muy buena!

–¡Oh, Dios mío! ¡No me lo puedo creer! ¿No sabes de quién es? ¡Hace falta ser ignorante!

Perico salió en defensa del amigo:

–Mario… ¿No te acuerdas? Es “La Amante” de Rafael Alberti, Premio Nacional de Literatura de este país nuestro. Se encuentra exiliado.

Carmiña, muy enojada por la incultura de Mario, dijo airada:

–Mario… ¡Fíjate bien lo que es! Es amor… rítmico, melodioso, jubiloso… ¡Es canción! Canción transmutada y fundida con amor. ¡Demasiado para tu raquítica mente! Verás: Rafael Alberti fue gran amigo de mi padre. Cuando conoció a mi madre en Madrid, le dedicó un poema que guardamos como un tesoro.

–Lo siento. Yo… ¡Lo siento!

–No importa… ¡Déjalo! –Mirando su diminuto reloj de pulsera, añadió–: Ya es hora de irnos.

Mario sacó del bolsillo del pantalón un reloj que estaba sujeto por una leontina al cinturón. Apretó un resorte y se levantó la tapa. Miró la hora y lo cerró para guardarlo de nuevo en el bolsillo. Las dejó deslumbradas. Xana le preguntó:

–¡Qué preciosidad! ¿Es de oro?

–Sí. Mi madre me lo dio al morir mi padre… Es un Constantín Vacherón, numerado y de oro macizo. La verdad es que lo tengo en mucho aprecio. Si lo perdiese me pegaría un tiro. ¡Seguro!

Lo sacó de nuevo y lo acarició con suavidad.

–Déjame verlo –le pidió Carmiña.

Lo tomó de su mano. Cerró los ojos con el reloj en el puño y apretó muy fuerte. Perico se dio cuenta que estaba haciendo una comprobación cuando vio el dolor reflejado en su rostro y gruesas lágrimas resbalándole por las mejillas.

–¿Qué está pasando? –preguntó Mario a Xana.

–Tranquilízate y espera. Ya nos lo dirá.

Carmiña abrió los ojos. Miró la mano donde tenía apretado el reloj y fue extendiendo los dedos despacio. La observaban intranquilos. Xana se tapó la boca para no gritar cuando vio el reloj bañado en sangre que fluía de la palma de la mano de Carmiña. Perico, con rapidez, se lo quitó, lo limpió con un pañuelo y se lo devolvió al alucinado Mario, que no sabía qué hacer ni qué decir. Después vendó con el mismo pañuelo la mano de su hermana.

Carmiña se le abrazó, gimiendo:

–Es… es… es el de la tía Laura. ¿Oyes, Perico? Sí, sí… Yo lo sé –dejó de llorar al volverse hacia Mario para preguntarle: –¿Cómo llegó a poder de tu padre?

–Pues creo que lo compró en La Coruña… en la tienda de un anticuario de la Ciudad Vieja… Pero si tienes tanto interés, me informaré con detalle.

–¡Averígualo! ¡Quiero saberlo!

–¿Para qué?

–Para poder mirarte a la cara. ¡Ya sé que no me entiendes! Pero... Mira, ese reloj fue robado en el año treinta y seis, y su dueño brutalmente asesinado. No necesito abrirlo para ver que dentro de la tapa tiene un nombre grabado.

–¡Es cierto! –Mario no dejaba de asombrarse–. Voy a preguntarle a mi madre y te contaré todo lo que me diga.

Más tranquilos, siguieron hacia la estación. Fueron las últimas en llegar y el blanco de todas las miradas.

–Xana... Si la envidia fuese sarna, todas esas... ¡se estarían rascando como locas! ¿Te las imaginas? –dijo Carmiña y se carcajeó–. ¡Agarremos fuerte los brazos de estos dos repelentes, para que se mueran de rabia!

Los chicos permanecían impasibles ante el alboroto, dándoles la impresión de que, como siempre, estaban en la luna. Pero cuando llegó el momento de despedirse, lo hicieron a lo grande, sin inhibiciones. Perico besó a Xana en la boca como en el final de las películas americanas, dejándola sin respiración. Mario quiso hacer lo mismo con Carmiña, pero como solo recibió un beso en la mejilla, quedó muerto de envidia. Ya dentro del vagón, les dijeron adiós por la ventanilla con las pañoletas al viento. Vieron como iban empequeñeciéndose poco a poco con la distancia. Los dos en la misma postura: piernas abiertas y manos en los bolsillos de los pantalones.

En el viaje fueron quedándose dormidas, recostadas unas en otras. Carmiña no tenía sueño y, para distraerse, se puso a buscar en la bolsa la lima de uñas para arreglárselas. Quedó horrorizada del montón de cosas que llevaba. "¿Cómo es posible que quepa todo esto dentro?". Tuvo que vaciarla. Como la lima seguía sin aparecer, decidió despertar a Xana para pedirle la suya, pero al moverse la sintió caer al suelo. La buscó. "¡Vaya!

¿Estás aquí?". En un momento volvió a meter todo en la bolsa y se puso a limarse las uñas. Deseaba llegar pronto a casa para contarle a Mamita lo ocurrido con el reloj del padre de Mario. Era consciente que a nadie le iba a gustar la idea de remover el asunto y sabía que su madre le advertiría lo peligroso que era hurgar en las viejas historias de la guerra, pero también se complacía en imaginar sobre cómo tendría que hacer para enterarse de quién lo había robado, lo que, a su entender, significaría conocer quién había sido el asesino del suegro de la tía Laura. Supuso que Laura y Carlos la ayudarían y que, como el tío Carlos estaba emparentado con el Caudillo, no tenía nada que temer. Se arrepentía de no haber tenido un trato mucho más amable con él y reconoció lo poco oportuno que era irle de pronto con intrigas… "Tengo que reflexionar antes de dar ese paso… Lo daré si es necesario". Ya se veía convertida en Hércules Poirot en *El asesinato de Roger Ackroyd.* Resultaría tan divertido como excitante y su lógica investigadora sería envidiada por la propia Agatha Christie…

Se miró las uñas. "¡Caray!, ¡como han menguado!". Guardó la lima en la bolsa cuando entraba el tren en la estación de San Cristóbal. Estaba lloviendo. "¡Vaya por Dios; en Santiago un sol espléndido y aquí esto!". Despertó a Xana para preguntarle por el paraguas:

–¡Lo dejamos en Santiago! ¡Seguro! Sabe Dios dónde, porque no lo eché de menos.

–Pues nos vamos a mojar.

Salieron de la estación con mucha prisa:

–¡Si hubiésemos traído las capas de plexiglás! –se afligió Xana.

–Déjate de lamentaciones y ponte la pañoleta de sombrilla, como yo. ¡Corre! ¡A ver si conseguimos un taxi!

No lo encontraron hasta llegar a Cuatro Caminos. A pesar de haberse arrimado a las casas, estaban empapadas.

-3-

Tan pronto llegaron a casa contaron lo ocurrido con el Constantín Vacherón de Mario y las averiguaciones que pensaban hacer. Tanto la madre como la bisabuela quedaron impresionadas. Aquello, que ya era historia, de pronto volvía a surgir ante ellas. Carmela, muy nerviosa, intentó disuadir a su hija de que investigara aquella sombra negra del pasado, pero resultó inútil. Al comprobarlo, resignada, se dedicó a darle "buenos y sabios consejos". Pero Carmiña, harta, encogiéndose de hombros, le respondió airada:

–¿Y a quién le importan los dichosos peligros del 36? ¡Estamos en el 54! ¿Vale?

Mamita Carmen, que escuchaba en silencio, se dio cuenta de la imposibilidad de que Carmiña cambiase de idea. Quería mantenerse al margen, pero fue la biznieta la que le pidió su opinión:

–Mamita… Dime lo que piensas de todo esto.

–¡Ay, qué *caraho*! Debes dejar madurar las cosas. ¿No ves que todo sigue su rumbo? ¡Ya Dios dirá! Debes distraerte y no pensar más en intrigas.

Se lo tomó al pie de la letra y examinó las alternativas que se le ofrecían para evadirse de la idea. La que más le atrajo fue el salir con un chico. ¿Pero cuál? Terminó decidiéndose por el guapo teniente, y aunque sentía el temor de caer en sus brazos, cuando lo tuvo delante se deshizo en coqueteos y se apresuró a aceptar la primera cita que le hizo. Salieron al atardecer. Le propuso ir a bailar a la Hípica, pero ella no aceptó; no creía poder soportar sus abrazos ni siquiera bailando. Discutieron sobre adónde ir y terminaron paseando, aburridos, en silencio. Él se mostraba enfadado y golpeaba frecuentemente las botas con la fusta; también Carmiña estaba molesta, arrepentida de haber aceptado salir y deseando que pasase rápido el tiempo para despedirse. Miraba el suelo sin separar la vista de las brillantes espuelas. Siempre que se habían encontrado, las llevaba puestas; parecían formar parte de su persona. Caminaban por Rubine hacia Riazor cuando él se paró, se puso firmes, y con inesperada grosería le exigió áridamente un beso.

–No quiero –contestó cruzando los brazos y mirándolo de frente, desafiante.

Le resultó increíble su reacción: solemne y majestuoso, hizo el saludo militar, dio la vuelta y se marchó con aire marcial dejándola pasmada. Sin moverse, reaccionó gritándole:

–¡Un, do, un, do…!

La gente la miraba y se reía. Ella siguió con los brazos cruzados, ignorándolos y repitiendo indignada:

–¡Un, do, un, do… !

Las espuelas brillaban a lo lejos más que la luna. Desapareció al doblar la esquina, sin volverse ni una sola vez. El resplandor que despedían sus botas aún seguía iluminando la calle mientras continuaba escuchándose el taconeo, cada vez más lejano. Carmiña no volvió a pasar por la Plaza de María Pita al salir de clase. El teniente desapareció de su vida por completo, convirtiéndose en un recuerdo. Pero consiguió su objetivo: olvidarse del Constantín Vacherón; e incluso, poco después, del teniente, con el apremio de los estudios. Dedicó todo su afán a la preparación del Examen de Estado.

Cuando vino Mario de Santiago a pasar las vacaciones de verano, se le reavivó el afán investigador. La primera vez que se encontraron, le recordó la promesa hecha en Santiago de que averiguaría la procedencia del reloj. Mario la tranquilizó afirmando que estaba en ello.

Pasaron varios días sin verse hasta que coincidieron en un partido de baloncesto que se celebraba en la Plaza de María Pita con motivo de las fiestas. Se disputaba una copa y jugaba el Real Madrid con sus figuras más importantes, como el gallego Emiliano, que Carmiña conocía por el Marca. Estaba en primera fila, con Xana, y antes de comenzar el partido Mario se le acercó:

–Tengo información del reloj.

–¡Oh, Dios mío! Cuéntame.

–Ahora no. Quedamos para otro momento.

–Bueno, pues… Mañana voy al guateque de las "hermanas Gilda". Ya sabes. Recógeme a las siete.

–¡De acuerdo! Perico está allí –señaló con el dedo–. Me voy con él…

Carmiña saludó a su hermano con la mano y Perico le hizo señas a Xana para que lo esperase al final del partido. Al comenzar el juego, advirtió que el capitán del equipo madrileño tonteaba con ella. El chico le pareció muy interesante, alto y musculoso. Se preguntaba cómo se habría fijado en su persona con tantas bellezas como había de espectadoras. "¡Precisamente hoy!, que no me arreglé nada. ¡Oh, Dios mío! ¡No me lo puedo creer!". Aquel jugador daba la impresión de estar más interesado en mirarla que en hacer canasta, y no perdía la ocasión de jugar por su lado. Hasta llegó a guiñarle un ojo, y Carmiña le sonrió feliz, notando que era la envidia de todas las guapas. En el descanso se le acercó para hablarle, mientras se secaba el sudor:

–No te vayas. Al terminar el partido, espérame. ¿Cómo te llamas?

–Carmiña.

–Yo soy Pepo.

–Ya lo sé.

Lo llamó el entrenador y tuvo que marcharse. Ganaron el partido. Pepo, que era el capitán, levantó la copa en alto y se la brindó con la mirada.

–¡Caray! ¡Qué éxito! ¿Lo hipnotizaste? –le preguntó Xana, riendo.

Pero Carmiña estaba demasiado ocupada para contestarle. Los jugadores se retiraron a los vestuarios y Perico se fue con Xana. Mario había desaparecido y Carmiña se encontró sola, dudando entre quedarse o no. Miró el reloj del Ayuntamiento y decidió esperar cinco minutos más. Para resguardarse del calor, cada vez más agobiante, se guareció bajo la sombra de los soportales. "¡Qué coincidencia! Es el mismo sitio en el que esperaba al tenientucho". Apoyada en la misma columna, recordó la última vez que habían estado juntos.

–Hola, *galeguiña*.

Estaba tan ensimismada que se sobresaltó. Pepo estaba a su lado, con Emiliano. Se lo presentó y este, muy prudente, se marchó enseguida, poniendo una disculpa. Quedaron solos.

–¿A dónde vas a llevar a este forastero? ¿Por qué no me enseñas algo de esta preciosa Ciudad de Cristal? ¿Por qué la llaman así?

–¡Ah! Bueno, pues... porque a principios del siglo pasado acristalaron las casas que dan al Puerto para que fuesen más abrigadas de la humedad y del viento frío. Más o menos... Después algún poeta, creo yo, entrando con su barco debió de ver el efecto de las galerías con la luz del sol al atardecer. Quizá quedó impresionado y, quizá también, preguntó a alguien: ¿cómo se llama esta magnífica ciudad de cristal?

–Bonita historia.

–¿Quieres ver La Coruña? Déjame pensar por donde podemos empezar. ¡Ya! Vamos a darle al zueco... ¿Comprendes? Empezaremos por la Torre de Hércules.

Subieron charlando por la calle de La Torre, hasta ver el mar y la playa de San Amaro: al fondo se divisaba el Faro de Hércules. Pepo quedó mudo de admiración. Pareció sobrecogerse ante la proximidad y la inmensidad del Océano. Recorrieron despacio la carretera que circunda la Torre, mientras ella luchaba con el enfurecido viento que se empeñaba en inflarle la falda y ponérsela de pamela, para rematar su pelo revuelto. Pepo se reía de los apuros que pasaba, hasta hacerla ponerse colorada. Se sentaron en un pretil y Carmiña, señalando dos rocas que estaban frente a ellos, batidas por la furia del Atlántico y bañadas por las embravecidas y espumosas olas, dijo:

–Mira… ¿Crees que desde esas rocas puede nadar una persona hasta aquí, sin desfallecer?

–No parece fácil, pero pienso que puede.

–¡Es imposible! No se sabe de nadie que lo haya hecho. Muchos barcos encallan ahí y naufragan hundiéndose rápidamente, sin salvamento posible para los tripulantes.

–Pero… ¿qué dices? ¡Estamos en el siglo veinte!

–No para este mar. Mira, imagínatelo… ¡Es angustioso! La gente viene hasta aquí, los oye pedir socorro, llorar, rezar… ¡Los ve luchando con las olas por salvarse con sus salvavidas… y no es posible socorrerlos! Son tragados por el mar en poco tiempo ante los ojos atónitos de la gente. Y es más: aquí mismo, en las rocas que están debajo de nosotros, los *percebeiros* sacan los mejores percebes del mundo, pero también a ellos los arrastra el Océano. Arriesgan su vida. ¿Te gustan los percebes?

Pepo afirmó con la cabeza.

–¡Yo jamás he querido probarlos! Cuando los veo comer, me imagino que el jugo rojo del final del pedúnculo es la sangre de las personas que murieron ahogadas por cogerlos. ¡Están manchados con su sangre! ¡En fin! Yo no los como… pero otros sí y los pagan bien.

Se levantaron en silencio. Miraron para el faro que incansable enviaba muy lejos sus señales luminosas intermitentes, constante, sin pausa.

–Cuéntame la historia de la Torre –le dijo Pepo.

Se alegró de poder cambiar de tema:

–Es el monumento de la antigüedad al que más fábulas se han referido. Fue construido por Hércules, Hispalo o Brigo... Reparado por César. Equipado con un espejo capaz de descubrir las naves enemigas a más de cien leguas de distancia. ¿Qué más? Pues que tiene la ventaja de conservarse casi como cuando lo hicieron y es uno de los más importantes... ¡El más importante monumento romano de España!

–¡Pareces andaluza!

–Pues soy gallega, ya ves. ¿Sigo?

–¡Claro! Estoy muy interesado y me gustas mucho... explicando.

–Y el único faro de aquella época que sigue funcionando. Es el principal símbolo heráldico coruñés, monumento Histórico Nacional. Si quieres subir buscamos al torrero, que vive en esa casa de ahí. ¿Vamos?

–No, no... No te preocupes, déjalo para otra ocasión, porque voy a volver.

–Lo sé. ¡Mira! Aquella es la playa de Riazor... y aquella otra la del Orzán...

Se calló al sentirse cogida por la mano y se estremeció. Pepo entrelazó sus dedos con los de ella, y no pudo separarlos. Había sucedido algo muy especial. Una reacción química los unía. Resultaba muy agradable. Se sentía como si estuviese suspensa en el aire entre nubes de algodón, en el más bello atardecer que había visto. Miró a su alrededor. Estaban solos en aquella carretera rodeada de descampados, pero se sentía segura con Pepo. Llevaba la camisa desabrochada, abierta al viento, y ella se paró delante para abotonársela. Palideció y comenzó a temblar cuando le vio en la piel del pecho dibujado un trébol de cuatro hojas. ¡Ella tenía otro igual y en el mismo sitio! "¡Oh, Dios mío, Dios mío! ¿Qué puede significar?". Se lo preguntó a Pepo:

–¿Qué significa este dibujo?

–No lo sé. Me apareció hace cosa de cinco años. Jamás entendí por qué. Creo que no existe explicación.

–Yo... ¡Yo también lo tengo! ¡Mira! Y también desde hace cinco años. ¡Mira!

Se desabrochó la blusa y dejó al descubierto el pecho izquierdo; encima del pezón estaba el trébol, del mismo tamaño. Le temblaron tanto las rodillas que se cayó sentada en el asfalto. Él la levantó y la llevó al campo próximo. Se tumbaron mirando al cielo, como si buscasen la respuesta que no tenían, mareados, incrédulos, totalmente desconcertados. Entrelazaron de nuevo sus manos y volvieron a notar el discurrir de la electricidad por sus cuerpos, que los atraía como un imán. Con aquella sensación, cerraron los ojos y quedaron adormecidos placenteramente. Entre sueños se buscaron, se aproximaron, se abrazaron, se acariciaron, se besaron apasionadamente. Completamente lúcidos se desnudaron ardiendo en deseo y se entregaron al cenit del amor. Ella era virgen y él la penetró tan suave que no se enteró de la rotura del himen. La suavidad se convirtió en frenesí, revolcándose por el campo... Él encima. Ahora ella. "Más...", suplicaba gimiendo Carmiña. Estaban roncos de tanto gritar al viento, con los labios amoratados y los pezones hinchados y a punto de sangrar. Él se corría una y otra vez. Ella se abría como una flor para recoger toda la miel que brotaba de aquel pene siempre erecto. "¡Más!", seguía clamando exigente. De sus entrañas brotó el jugo del placer, cálido, denso, con un fuerte olor a sexo, a amor. Agotados descansaron y fueron recobrando la serenidad. Carmiña se limpió entre los muslos con su pañuelo y recogió el líquido lechoso manchado con su sangre. De repente se vio desnuda y, lo mismo que Eva en el Paraíso, sintió vergüenza. Entonces le dolió. Puso el pañuelo doblado dentro de la braga. Se vistieron rápidamente y, agarrados de la mano, sintiendo de nuevo aquella misteriosa y placentera sensación, regresaron al centro de la ciudad.

Llegaron al Hotel Embajador, donde se alojaba el equipo, y la invitó a bailar en la boite. Al entrar y verlo todo oscuro, Carmiña pensó: "¿Así que esta es la famosa Parrilla?".

–Ten cuidado con ese escalón –le avisó Pepo.

Cuando pudo verlo ya fue inevitable la caída. Rodó por las escaleras y llegó casi hasta la barra, despatarrada. Era el centro de atención de todos aquellos pares de ojos que se veían brillar en la oscuridad. Pepo quiso ayudarla, pero no se lo permitió. Se levantó sola, se sacudió un poco la falda y se sentó en un taburete, pidiendo:

–Un *rum* solo.

–Otro para mí.

Aguantaba la risa imaginando el espectáculo que había ofrecido a todos los pares de ojos; soltó una carcajada, luego otras más fuertes, para terminar riéndose a mandíbula batiente. Se le unió Pepo, los camareros y las bocas de los pares de ojos. El local era una locura de risa. Apareció un conjunto de músicos que se pusieron a tocar canciones melódicas. Cantaban "Reloj no marques las horas" y Carmiña quiso bailarlo. Al ritmo del bolero, con sus cuerpos muy juntos, sus corazones confundían el latir y les dolían al respirar. Sintió una mirada en su espalda, y se volvió. Era Perico bailando con Xana, que no le sacaba la vista de encima. "¡Caray con estos dos, qué callado se lo tenían! ¡Lo que se habrán reído!".

Pepo mencionó que se iban el día siguiente, que tenían que madrugar mucho, y ella quiso marcharse. La acompañó hasta su casa y, por el camino, cogidos de la mano, canturrearon "Reloj no marques las horas".

–Será nuestra canción, Pepo.

–Sí, para siempre. Dame tu dirección y tu teléfono. Te escribiré y, cuando no aguante más, vendré a verte, aunque tenga que mandar el baloncesto a freír puñetas.

Se besaron apasionadamente en el portal al despedirse. Carmiña subió las escaleras de tres en tres, abrió la puerta y se encontró de frente con Mamita Carmen. Tuvo la impresión de que la estaba esperando.

–Carmiña... –le dijo–, te encuentro demasiado feliz. Creo que hoy te has convertido en una mujer.

–¿Tanto se me nota, viejiña?

–Sí. En los ojos. Quiero darte un consejo.

–Ahora no, viejiña... ¡Mañana! –dijo, dándole un fugaz beso en la mejilla.

Entró en su habitación, se puso un albornoz y se fue al cuarto de baño. Salió pronto; quería que, cuando llegase, Xana la encontrase durmiendo; de momento, no quería compartir con nadie su felicidad.

Mamita Carmen se sentó en la mecedora, encendió un puro habano y cuando estuvo rodeada por suficiente humo, cerró los ojos y quedó amodorrada. Soñó que se encontraba en La Habana, entre su gente. Todavía tenía edad para jugar con las muñecas y su familia ya la había casado con Pedro. Estaba en su noche de bodas, tumbada en aquel enorme lecho con dosel, que recordaba inevitablemente cada vez que veía al Caudillo fotografiado en actos oficiales bajo palio, y a su lado estaba Pedro, con el brazo bajo su cabeza. La acariciaba con cariño, con respeto, con mucho amor. Ella abrazaba a su muñeca más grande, más rubia, con el pelo más rizado... Pedro la amaba y supo esperar a que creciese sin consumar el matrimonio. Podía ver el rostro de su esposo, sereno y plácido, y la cara de su muñeca, coqueta e ingenua. Miró un espejo y quedó perpleja, porque la que veía allí reflejada era su biznieta Carmiña, con la felicidad plasmada en la mirada.

Algo le quemaba en la mano y se despertó. Apagó el puro habano y se fue a dormir. Comprendía el sueño: Carmiña retornaría algún día a Cuba. "¡Eso es! Volverá con los antepasados.

Cada vez que veo el retrato de mi Mamita, que está en la pared del piano, veo a Carmiña. Su parecido es asombroso. También ella tenía los ojos distintos. ¡Igualitos, igualitos! ¡Ay, qué *caraho*! ¡Retornará a Cuba! ¡Sí, señor!".

"–¡Comunista, comunista…!

¿Qué? Carmiña no entendía nada; estaba en medio de mucha gente, de espectadora de algo y no sabía de dónde salían aquellas voces con matiz desagradable y deje cadencioso, que le arrojaban a la cara aquellas incomprensibles palabras:

–¡Comunista…! ¡Asquerosa maoísta…!

Vestía de blanco, con alpargatas, y sudaba a chorros entre una multitud extraña, vestida como ella, con libros en las manos, con los que golpeaban sus propias cabezas. Hombres de largas barbas y mujeres vistiendo pantalones blancos. Una voz lejana gritó:

–¡Abajo el dictador Batista! ¡Fuera los gringos!

La empujaron y fue arrastrada por el gentío, totalmente desorientada. Se cayó al suelo en el momento en que unos soldados abrían fuego contra la gente. Escondió la cabeza entre los brazos, sin levantarse; contuvo la respiración y cerró los ojos. La agarraron por los pelos para ponerla de pie. Alguien le preguntó:

–¿Eres comunista, española?

Sintió fuertes deseos de vomitar. Estaba aterrorizada y no pudo contestar. Un militar la agarró por el brazo y la arrojó al otro extremo de la calle, donde alguien le daba fuertes empujones y la vapuleaba".

Carmiña despertó empapada en sudor frío. Xana estaba a su lado, sentada en el borde de la cama:

–Debías de tener un mal sueño. Tuve que despertarte.

–¡Oh, Dios mío! Estaban a punto de matarme acusándome de comunista.

–¿Sí? ¿En dónde?

–En Cuba. En una revuelta.

–¡Ya! ¿Sabes qué te digo? Que estás demasiado preocupada por las guerras. Deberías olvidarte un poco de Hiroshima y Nagasaki, de Oppenheimer…

–…y de la guerra fría… y del próximo holocausto nuclear… ¡Ya sé… ya sé! ¿Sabes qué te digo yo a ti? Pues que deberíamos hacer el amor para olvidarnos de todo. –Quedaron en silencio. De repente dijo–: No me explico haber soñado con la guerra. Precisamente ayer yo… –Se dio cuenta de que no tenía ganas de contar nada sobre Pepo y no terminó la frase.

Pero Xana no estaba dispuesta a permitirle su silencio.

–Cuéntame… ¿Lo hicisteis?

–¿El amor? ¿Que si hicimos el amor? ¡Sí…!

–¿En serio?

–¡En serio! ¡La primera vez en mi vida! Ni con el tenientucho, ni con Manolo, ni con Mario… ¡Paf! ¡Con un desconocido! Pero estamos destinados el uno para el otro. ¡Ya lo creo que sí!

–¿Sois novios?

–¡Oh, Dios mío! ¡Pero qué convencional eres! ¡Ni siquiera! ¡Para nada!

–¿Qué…? ¿Y si te quedas embarazada? ¿Qué dirían Perico y tu madre?

–¿Mi madre? Pero… ¿Qué le importa mi vida a mi madre? ¡Mi vida es mía, es sagrada para los otros! Y respecto a lo del embarazo no te preocupes: en mi cuerpo no pasa nada que mi mente no permita –y se señaló con el índice la sien–. ¡Todo está aquí! Este es el auténtico poder humano; hay que saberlo aprovechar, como hago yo. ¿Entiendes?

–No. Pero da lo mismo.

Apagaron la lámpara y no tardaron en volver a dormirse y soñar: Xana con el amor de Perico; Carmiña con una guerra en el Tercer Mundo.

-4-

No sabía qué ponerse para ir al guateque. Llegó Mario a buscarla y todavía no tenía escogida la ropa. Repasó el armario dudando. Agarró decidida los tejanos, que combinó con su blusa preferida, y se vistió. Pensaba bailar hasta saciarse toda clase de música psicodélica que le entrase por las orejas, aunque dañase los oídos, y quería estar cómoda. Soltó la melena a lo vamp, guardó su cajetilla de Camel y su mechero Dupont en el bolso de bandolera, lo cruzó por el torso, se puso la rebeca sobre los hombros, la anudó por las mangas y salió de la habitación en busca de Mario, que la esperaba en la sala con Perico.

–¡Lista!

–¡Guau! ¡La mujer bandera! –Le lanzó un silbido.

–¡Venga ya, déjate de parvadas! ¿Vamos?

Le gustaba montar en la Vespa de Mario. Zumbaron por la cuesta de Santiago y siguieron por los Cantones hasta llegar a Juan Flórez. Allí vivían las hermanas Gilda, en un corralón al que se entraba por un gran portal. Aparcaron la moto en el patio interior y subieron hasta un piso del que salían risas, voces y música. Les abrió la puerta Gilda la Gorda. Se acomodaron en el suelo sobre unos cojines, porque en la habitación solo había una pequeña mesa ocupada con el tocadiscos, unos pocos discos, la jarra con el cup de champán y vasos pequeños, casi todos usados. Carmiña se levantó y se sirvió un poco de bebida en el único vaso que encontró limpio y que compartió con Mario. Se acercaron a revisar los discos… Seleccionaron Cangaceiro y el Dúo Dinámico. Fue hacia Gilda la Gorda y le preguntó:

–¿No decías que tenías twist, bossa nova y a Louis Armstrong?

En aquel momento entró un chico dando gritos de alegría, al mismo tiempo que agitaba en el aire unos discos:

–¡Animaros imbéciles, que ya he llegado! ¡Aquí traigo lo mejor de lo mejor! Sinatra, Elvis Presley… ¡Elvis Presley! ¿No me oís? El que está cociendo ahora mismo una música llamada "Rock and roll". ¡Ignorantes! Todo eso –señaló los discos de la mesa–, ¡es basura!

–¿De dónde lo sacaste? –le preguntó Carmiña al ver que el disco no tenía marca.

–¡Grabación pirata! Recién llegado en avión. ¡Dentro de poco no habrá otra música! Lo dijeron por la radio. Vamos a probarlo… ¡Veréis qué maravilla!

Estaba rodeado por todo el grupo que permanecía expectante. Puso el disco, dio todo el volumen y escucharon asombrados un chirriante ruido que parecían acordes de guitarra eléctrica. Tras eso pudieron oír un ritmo de boogie-boogie. Después, la voz de un joven que decía algo así como "Abbbuuupppaaalaaaboop… ¡Tutti frutti! ¡Albp-rooo! ¡Tutti frutti! ¡Tutti frutti!"

–La grabación es malísima… Pero el ritmo… ¡muy bueno! –dijo Carmiña, animándose.

–Es que fue grabado a partir de una cinta tomada al aire libre… pero… ¿Eh, eh? ¿Tenía yo razón?

Comenzaron a brincar, saltar, dar palmadas, corear y bailar, totalmente fuera de sí. Quedaron agotados, descansaron y volvieron a repetir. A las dos horas ya no podían moverse. Mario propuso a Carmiña dar un paseo por Los Cantones; aceptó y le recordó que tenían que hablar del misterio del reloj.

Aparcaron en el Obelisco y entraron en el Café Oriental. Se sentaron en una mesa que estaba al lado de un ventanal. Desde allí se tenía la mejor perspectiva de los Cantones, en panorámica con los Jardines de Méndez Núñez y con la calle

Sánchez Bregua. A lo lejos, por encima del enorme pájaro de la Unión y el Fénix que coronaba su edificio, se adivinaba el monte de Santa Margarita, orgulloso de tener a La Coruña a sus pies. La vista era magnifica. Estuvieron contemplándola un buen rato. Aquel café era el preferido de Carmiña y además, los dueños, que eran de Órdenes, el pueblo donde había pasado un verano con su padre, la trataban como si fuese de la familia.

El local estaba vacío a aquellas horas. Carmiña sacó un Camel, Mario se lo encendió y la acompañó fumando un Águila. Pidieron *rum* con hielo y con él en la mano se consideró la mujer más feliz del mundo. Descansaban relajados, sin ganas de hablar. Cruzaron sus miradas y se sorprendieron del silencio. Mario le cogió la mano y a Carmiña le resultó desagradable; la retiró suavemente para que no se molestase y rompió el silencio:

–¡Vamos, chico! ¡Oh, Dios mío! ¿No te das cuenta de que estoy impaciente por oír la historia del reloj?

Mario lanzó un suspiro:

–Pues, en contra de lo que esperabas, no hay misterio. Parece que está todo tan claro como el agua.

Hizo un gesto de decepción y de incredulidad. Pero era evidente que Mario estaba nervioso. "¿Por qué?", se preguntó.

–¿Sí? ¡Oh, Dios mío! ¡No puedo creerlo!

–Hablé con mi madre. Por lo visto papá se lo compró al "Negrito de las corbatas" un día que estaba en el café con los amigos. Apareció ofreciendo, como siempre, corbatas y plumas estilográficas americanas. Mi padre le compró una pluma y el negrito le dijo que tenía algo muy bueno. Le enseñó el reloj de oro. Papá le preguntó por su procedencia, y él le aseguró que se lo había comprado a uno que tenía prisa por marcharse y que tenía "papeles" para demostrarlo. A mi padre le gustó el reloj y pensó que si no lo compraba él lo haría otro. Le preguntó el precio. El negrito sabía lo que estaba ofreciendo… ¡En fin!

Quedaron en que se lo llevase al despacho con los documentos incluidos y le dio una señal. Eso fue todo. ¿Ves?

–¿Y los documentos? ¿Los viste? ¿A qué nombre están?

–Sí, claro. Te copié literalmente el texto. –Se puso a buscar en la billetera hasta encontrar una cuartilla doblada en cuatro. Se la dio–. El antiguo propietario fue un tal Manuel Vázquez, un legionario que vivía en La Coruña en el 36. A mí no me suena para nada. ¿Y a ti?

–Es extraño... Tengo la sensación de que es gente que conozco. ¡Pero no me hagas mucho caso! Tengo que pensar.

Guardó cuidadosamente el papel en su bolso, bebió el resto del *rum* de un sólo trago y se levantó con prisa:

–¡Vámonos, Mario!

Salieron a la calle Real. Mario iba hacia la moto. Lo agarró por un brazo.

–Tú vete en moto, yo prefiero ir dando un paseo.

–¡De ninguna forma! Te acompaño y ya volveré a buscar la Vespa.

Durante todo el camino no dijeron ni una sola palabra. Cuando se despidieron en el portal, quedaron en volver a verse en la verbena del Leirón, para la que habían contratado a Los Cinco Latinos. Carmiña le dio un beso en la mejilla y, como ya tenía por costumbre, subió los escalones de tres en tres.

La despertó Xana. Acababa de llegar y estaba muy nerviosa, tanto que Carmiña no entendía lo que pretendía decirle. Sentada en el borde de la cama, hablaba muy aprisa. Intentaba explicar algo atropelladamente:

–Cuando llegué estabas dormida y yo me moría de ganas por contarte todo, y... ¡Bueno! ¡Decidí despertarte! ¡Menos mal que estabas en casa!, porque Perico vino muy preocupado por ti.

–¡Xana! ¡Oh, Dios mío! ¡No sé de qué me estás hablando! Comienza de nuevo a ver si me aclaro. Espero que la historia sea lo bastante interesante como para interrumpir mi sueño, porque hoy precisamente ¡estoy cansadísima!

Estaban hablando las dos a la vez y solo pudo escuchar el final de lo que decía Xana:

–...y no respiramos hasta llegar a casa y encontrarte.

–¡Empieza por el principio, joder!

–¿Fuisteis al guateque? Sí, y nosotros lo sabíamos. Perico y yo veníamos de tomar una cerveza en la Fábrica... y al pasar por la Plaza de Vigo... Íbamos a cenar en el Yate... pero al llegar frente a Comisaría, en aquel momento, paraba un coche celular del que comenzaron a bajar chicos y chicas... ¡Todos conocidos! ¡Figúrate! ¡Las hermanas Gilda y los del guateque detenidos! Perico me dejó allí cerca y entró para preguntar, pero no consiguió saber si entre ellos estabais vosotros. Ahora están incomunicados hasta que termine el interrogatorio. ¿Te imaginas los nervios? Perico supo que habían sido detenidos por posesión de drogas. ¡Imagínate! Me contó que también querían detenerlo a él. Al ver que tardaba en salir, fui a un café y llamé al tío Carlos, que apareció inmediatamente, acompañado por la tía Laura, que se quedó conmigo. ¡Gracias a Dios! Carlos sacó de allí a Perico. ¡Bueno! Salieron a las doce de la noche. ¡Horrible! Menos mal que la tía Laura prometió no contar nada en casa.

Carmiña quedó asombrada.

–¡Menudo follón! ¡De buena nos hemos librado!

–¡Ay, sí! A mí nunca me gustaron esas hermanas. Oye... ¿por qué les llaman hermanas Gilda, si se apellidan Vázquez?

De un salto se levantó de la cama:

–¿Qué? ¿Cómo dices que se llaman?

–Vázquez. Se enteró Perico en Comisaría. ¿Sabías que no tienen padres? –Al ver la cara de Carmiña, continuó explicando–: Viven solas de una pequeña renta que nadie sabe de dónde les viene... porque el padre era legionario y...

–¡Vázquez! ¡Oh, Dios mío! –Se puso la bata–. ¿Dónde está Perico? ¡Tengo que hablar con él ahora mismo!

–Subió al desván. Ya sabes. Como no podía dormir, fue a distraerse con las monedas.

–¡Vamos!

Lo encontraron absorto con su colección de numismática.

–¡Hola, querido repelente! ¡Menudo susto te di! ¿Eh? –Le dio el temido golpe en la espalda, que Perico no pudo evitar.

–¡Claro! Es que tú no eres normal, chica. ¡Qué le vamos a hacer!

–Para normal, tu cerebro cuadrado. ¡Mira! Vengo en son de paz. ¿Verdad, Xana?

–Claro. ¿Sabéis? No me explico dos hermanos tan diferentes.

–Y yo no me explico que vosotras dos podáis congeniar –dijo Perico y añadió para que se marchasen–: ¡Al grano! ¿Qué queréis? ¡Estoy muy ocupado!

–Pues vamos al grano entonces: ¿Qué sabes de las hermanas Gilda?

–¡Vaya! ¿Ahora te preocupas? Te dije muchas veces que no eran trigo limpio y que no me gustaban, pero tú tienes por norma hacer lo contrario de lo que se espera. Y ahora me vienes con estas.

–¡Bah! ¡Cuéntame! ¿Por qué les llaman Gilda si se apellidan Vázquez?

–Muy sencillo… El padre se llamaba Manuel Vázquez, como el autor de los cómics de las "Hermanas Gilda". La gorda se llama Eleonora, y la flaca Herminia, más o menos como Leovigilda y Hermenegilda… Y además se peinan con esos ridículos moños. Incluso sus caracteres se asemejan en lo resentidas y reprimidas. ¡Y viven solas! ¿Notas la coincidencia?

–¿Y los padres?

–El padre era un legionario muy bruto y con muy malos antecedentes. Perseguido por la justicia, desapareció de La Coruña y la madre marchó a la Argentina, se supone que tras él. Dejaron las hijas a cargo de una señora que murió poco después. Prácticamente se criaron solas. Ellas dicen que reciben una renta de los padres… ¡Vete a saber!

Perico siguió con sus monedas y no les hizo más caso. Bajaron; ya en la habitación, Carmiña relató con pelos y señales lo que le había contado Mario aquella misma tarde, dejando a Xana muy preocupada. Comentaron que el mundo era un pañuelo y que vivían en una ciudad pequeña en la que, tarde o temprano, todo se sabe. Se preocuparon por si la prensa diría algo de las detenciones, pero se tranquilizaron porque estaban seguras de que no lo consentiría el tío Carlos. Terminaron preguntándose si las hermanas Gilda ya estarían en casa, pero no les parecía posible.

–Pudo haberlas sacado el tío Carlos…

–¡Están en chirona! –afirmó Carmiña–. Y sería el colmo que precisamente Carlos, el marido de la tía Laura, las sacase del atolladero. ¿Les hacemos una visita para averiguarlo? –Vio que Xana se había puesto nerviosa–. ¡Tranquila! que no les contaremos lo que sabemos. ¿Para qué revolver las viejas historias?

Ya era de día y fueron a la cocina a desayunar. Se encontraron con Mamita Carmen; Carmiña le preguntó a modo de saludo:

–¿Tú qué dices, viejiña?

–Que estás en lo cierto –contestó Mamita, sin dejar de andar.

Xana le preguntó qué era lo que sabía la bisabuela, respondiendo Carmiña:

–¡Todo!

-5-

Cada vez que su hija recibía una carta o una postal de Pepo, Carmela se angustiaba. Sospechaba que aquellas relaciones les iban a dar muchos quebraderos de cabeza, al mantener a Carmiña tan ilusionada que no se fijaba en ningún otro. Suponía que el muchacho se aprovechaba de la candidez de su hija. Aunque la palabra candidez, refiriéndose a Carmiña, no le encajaba, y sí la de malicia, pero esta no le gustaba; hasta que se sorprendió a sí misma utilizándola en una conversación con Tere, cuando esta le preguntó:

–¿Por qué no te gusta Pepo para Carmiña?

–No lo sé bien, pero creo que se aprovecha de la malicia de mi hija.

–¿Malicia?

–Sí… Es la forma moderna de ser cándida.

–¡Ah! ¡Ya!

Le horrorizaba la posibilidad de que su hija se quedase soltera, y estaba convencida de que así sucedería si continuaba sus relaciones con aquel chico, que le escribía desde todas las partes del mundo, pero que en su correspondencia, que había fisgoneado, no mencionaba ni una sola vez la palabra "boda" o "novia". Eso la confundía. Llegó a cogerle manía, pareciéndole que incluso su nombre era una fantochada.

Siempre que le era posible, ella misma acudía a la llamada del cartero, más preocupada por las cartas de Pepo que su propia hija. Terminó quedándose con ellas y, obsesionada, destruyéndolas sin que nadie se enterase pero, después de leerlas y sin juzgar si lo que hacía era correcto, lo justificaba con el fin, que era la felicidad de su hija. La posibilidad de tener en la familia otra solterona como Angustias la desquiciaba. Para evitar que ocurriese, se dedicó durante un tiempo a alabar las cualidades de Mario, invitándolo a comer y cenar con el mínimo pretexto. Mario estaba encantado, pero Carmiña notó las intenciones de su madre y se puso en guardia. Adoptó la decisión de salir cada vez que lo veía entrar. Carmela entendió y dejó de entrometerse.

Después de superar con muy buena nota la Reválida del Bachillerato, en la que muchos patinaban, Carmiña se negó a seguir estudiando. A la madre le hubiera gustado que preparase una carrera universitaria, porque veía que podía hacerla sin esfuerzo y le insistía en ello. No hubo forma de convencerla. Todo lo que decía le servía a la hija para aferrarla más en su idea. Su respuesta era siempre la misma:

–No necesito que me coman el coco en ninguna Universidad. Estoy dispuesta a aprender, pero de la vida. Mami, entérate… ¡Voy a vivir!

–Con la ignorancia no se puede ni se debe vivir.

Carmela, en el fondo, estaba de acuerdo con el planteamiento de su hija, pero se cuestionaba si aquella osadía no la tendría que pagar demasiado cara. Comprobó con tristeza, una vez más, que en las decisiones de su hija no podía entremeterse.

Para Carmiña, la única persona auténtica de su entorno era Mamita Carmen, y de ella quería aprenderlo todo. Solía decir, mirándola con cariño y respeto: "Mamita… somos dos gotas de la misma agua…". Esto complacía a la bisabuela y Carmiña lo sabía. Y así consiguió que le permitiese ahondar en ella, hasta que experimentó una sensación de vahído que la atrajo como un imán y la introdujo en el interior de Mamita, produciéndole una extraña y grata percepción.

Las ideas de Mamita Carmen la tuvieron desorientada mucho tiempo sin saber donde encasillarlas, si en el budismo Zen o en el Apocalipsis. Hasta que en una de sus "fiebres literarias" exploró el Estructuralismo y, deslumbrada, comentó con Xana su descubrimiento:

–¡Xana! ¡No te lo vas a creer! La bisabuela tiene un siglo de estructuralismo.

–¿Qué dices?

–Que Mamita Carmen es una estructuralista.

–No tengo ni idea de lo que quieres decir.

–Digo que Mamita funda el conocimiento del hombre en su modo de existir y no en la esencia de su ser. ¡Eso es Estructuralismo!

Xana quedó pensativa y terminó riñéndole:

–Carmiña... No deberías leer tanto. Es imposible digerir todo en tan poco tiempo. Terminarás mal de la cabeza.

–¡No seas tonta! Me gusta leer.

–Y ahora estás con el Estructuralismo... ¿No?

–Bueno... Ahora mismo estoy...

–¡Terminarás loca como una cabra!

–No te lo creas. Para mí los locos sois los que os tenéis por cuerdos.

Discutieron sobre el estar o no estar mal de la cabeza y terminaron enfadándose. Hasta que lo olvidaron.

Carmiña comenzó a preocuparse por la edad de la bisabuela cuando, de repente, la encontró muy mayor. Le entró prisa por aprender su filosofía y absorbía los minutos que permanecían juntas, igual que una esponja recoge agua... "Lo malo –pensaba frecuentemente–, es que yo solo soy una esponja y ella es el Océano".

De nuevo Carmela la incordió con otra de sus manías. Se había empeñado en que se pusiese a trabajar y lo repetía constantemente, incansablemente, hasta que la bisabuela intercedió para que no le insistiera.

–Carmela... –dijo Mamita, enfadada–, la educación de la niña es asunto mío, en eso quedamos. Si no quiere trabajar, no importa, no tiene por qué. ¡Déjala en paz! ¡Ya reaccionará cuando sea necesario!

–Pero, Mamita... ¡Estoy harta de su vagancia! Algún día se acordará de lo que peleó su madre para que se labrase un porvenir haciendo lo que fuese. Aunque entonces puede que ya sea demasiado tarde.

–El porvenir ya se lo aseguré yo. Estate tranquila, mujer. ¡Ay, qué *caraho*! Déjala vivir en paz, que solo se vive una vez.

La madre, a raíz de esta discusión, decidió ignorarla por completo para vivir sin sobresaltos. Pasaban meses en que ni siquiera se tropezaban por la casa, reduciéndose sus encuentros exclusivamente al instante de las comidas, porque las cenas las hacía Carmiña en las cafeterías o leyendo tumbada en la cama de su cuarto. Sólo con la lectura conseguía olvidarse un poco de Pepo, cuyas cartas se hacían cada vez más escasas, hasta el extremo de sentir la urgente necesidad de verlo. Decidió ir a Madrid. Para ello convenció a una antigua compañera del Instituto, que le caía muy bien a Carmela y que estudiaba en la Universidad Complutense, para que la invitara a pasar unos días en su casa. Con ese pretexto consiguió la autorización de su madre. Le puso un telegrama a Pepo avisándolo para que la fuese a esperar, y al día siguiente se marchó en el tren. Era primavera y su sangre joven la acusaba con el rubor constante en sus mejillas y el calor de su cuerpo ansioso.

Pasaron juntos quince intensos días. Una tarde, paseando por Rosales, al salir de la cancha de baloncesto donde había jugado un partido, Pepo, de buenas a primeras, le dijo que venía dándole vueltas por la cabeza irse a Francia. Porque ya estaba harto de "oír, ver y callar", de ser un individuo pasivo. Que le llamaba el participar en alguna causa justa en cualquier parte. Le explicó que sentía algo dentro que le quitaba el sueño y que no se realizaría jugando al baloncesto toda su vida. Quería luchar por algo, pero no sabía dónde. Carmiña no le contestó, porque no tenía argumentos para hacerlo, y lo escuchó comprensiva, callada, respetuosa. Lo conocía bien y supo que no cesaría fácilmente en su empeño.

La primera noticia que tuvo de que estaba realizando sus deseos, fue una carta que le mandó desde Francia. Contaba que por fin había encontrado su sitio, y Carmiña comprendió. Pero estaba convencida de que algún día se volverían a encontrar y seguía esperando sus cartas, que cada vez recibía mas distanciadas. Era consciente de que no lo iba a olvidar nunca y estaba dispuesta a esperarlo toda su vida.

Inevitablemente pasaban cosas a su alrededor que contemplaba, egoístamente, sin involucrarse en ellas para que no alterasen su ritmo de vida. Perico, al terminar la carrera, preparó unas oposiciones al Cuerpo Administrativo de la Diputación y las sacó con el numero uno, lo que coronó el orgullo de su madre, que no cesaba de contar lo difícil que había sido el examen y lo inteligente que era su hijo; Xana acabó también sus estudios y se presentó a las oposiciones del Magisterio Nacional, aprobándolas con un buen numero. Se casaron... La ceremonia religiosa fue seguida de un almuerzo en el Hotel Atlántico, el mismo en que celebrara Carmela su boda, lo que no dejaba de repetir entre suspiros... Maruxa no quiso que Xana invitase a su madre, ni siquiera por cubrir las apariencias. Las dos mujeres se llevaban muy mal, desde su matrimonio con un marinero de Ferrol que dejó la Marina para vivir a cuerpo de rey en El Carballo, empeñado en disfrutar del dinero de Xana, donado por su padre desde la Argentina. Por eso Maruxa respiró tranquila cuando Xana se caso con Perico, que era su ahijado, y además abogado.

El joven matrimonio era muy feliz. Habían decidido vivir en la casa de Mamita, a su pesar, porque en el fondo recordaba todos los disgustos que habían tenido Carmela y Luis por no hacer su vida independiente.

Al poco tiempo Xana tuvo que elegir destino provisional por oposición, en su carrera. Aunque fue una de las primeras de la lista, a la "pobre dulce Xana", como la llamaba cariñosamente Carmela, le correspondió una remota escuela a donde no llegaba la carretera, ni había agua corriente, ni luz ni nada de nada.

–Os digo que debe de ser remotísima... –comentaba con sus amigas Carmela–. Donde Cristo dio las tres voces... ¡Pobrecilla! ¡No lo merece! Yo bien le insisto en que lo deje y que atienda a su marido, pero ella repite lo de la vocación. ¡Ni que hubiese estudiado para sacerdote!

Xana tomó posesión de su destino y comenzó a viajar. Como la escuela estaba relativamente cerca, porque pertenecía a un Ayuntamiento de La Coruña al que se llegaba por la carretera de Santiago, bien comunicado con coches de línea, regresaba los fines de semana, y los sábados, con su llegada, había reunión familiar a la que asistía Maruxa, para escuchar las historias que contaba su nieta sobre aquel lugar, y también Laura y Tere. Contando sus experiencias consiguió que Carmiña se interesase y saliese de su voluntario encierro. Llegó a sugestionarla con sus historias y terminó prometiéndole que la acompañaría para conocer el medio rural del que tanto hablaba.

–Puedes creerme, Carmiña –le insistía Xana–. El gallego campesino vive en otro mundo, que no es ni siquiera el Tercer Mundo, más bien el Quinto Mundo –Carmiña soltaba la carcajada–. ¡Ya sé, ya sé! Resulta incomprensible, sí, lo sé... pero viven como los negros de *La cabaña del tío Tom*. Puede parecerte exagerado, pero los gallegos rurales son los olvidados de Galicia, de España, del Mundo... ¡Créeme! ¡Ya lo verás!

–¡Lo que dices es horrible!

–Pues es la verdad.

Un lunes Carmiña la acompañó a la escuela para ver "in situ" lo que relataba. Como parecía invención suya, quería comprobarlo y verlo con sus propios ojos.

El coche de línea las dejó en la carretera a la puerta de un bar, cerrado a aquellas horas. Calzaron unas botas altas que llevaban en la bolsa para protegerse de los *toxos* que, según Xana, abundaban por el camino. Se metieron por una senda intransitable, que se prestaba a equivocaciones. A Carmiña aquello le parecía un autentico Calvario con Vía Crucis incluido. Delante se veía un monte bastante alto al que tenían que subir por un camino de cabras. Xana la tranquilizó diciéndole que era lo que llamaban los paisanos *unha carreiriña de can*. "¡Ya, ya!", exclamó Carmiña mirándolo. Había numerosas encrucijadas y bifurcaciones, y comentó con Xana:

–Deberíamos hacer lo de Pulgarcito y señalar bien el camino por si nos perdemos…

Comenzaron la escalada del monte y cuando llegaron al primer cruce, Xana, asegurando que lo recordaba muy bien, afirmó:

–Tenemos que coger el camino de la izquierda.

–¡Pero si no existe! ¿Estás segura?

–Sí.

No le era posible adivinar donde estaba aquel *carreiriño* que veía Xana. Carmiña le preguntó:

–¿Hay que pasar por en medio de todo ese *toxo*?

–Sí… –contestó en tono dubitativo, pero terqueando.

–Bueno. Menos mal que tenemos las botas.

Después de muchos apuros, llegaron al siguiente cruce y allí comenzó a fallarle la memoria a Xana, que, con poca convicción, dijo que había que seguir por la senda de la derecha del centro; Carmiña advirtió su desorientación.

–¿Y si nos damos la vuelta? –propuso.

Se volvieron para mirar aquellos descampados y no fueron capaces de recordar por dónde habían llegado. No había retorno posible. De repente les cayó encima todo el cansancio. Miraron el reloj. Eran las doce del mediodía; comprendieron su agotamiento. Se sentaron en la hierba del borde del camino para descansar y reflexionaron sobre lo que podrían hacer en aquella situación.

–¡Es que no hay señales de vida humana! –se lamentó Carmiña–. ¡Oh, Dios mío! ¡Que no cunda el pánico! Dime, Xana, ¿cómo hiciste todo este tiempo para no perderte?

–Me venían a buscar a la carretera, pero me pareció que ya conocía el camino, y como venías tú, quise probar…

–Hiciste bien, porque… ¡anda que si estás sola! –Vio que Xana aguantaba el llanto y quiso tranquilizarla–. Mira: encontraremos un río y… ¡un molino! En los molinos siempre hay gente. ¡Ah! Recuérdame que te regale una brújula. ¿Sabías que son para estos casos?

Intentaban animarse mutuamente; señalaban un punto en el horizonte y caminaban hacia él. Vieron delante, a unos cuantos metros, un animal que parecía un perro de tamaño medio, caminando lentamente. Observaron su cola de color rojo fuego, francamente hermosa. Carmiña agarró a Xana por el brazo obligándola a pararse. Esperaron en silencio a que desapareciese la alimaña. Después se alborotaron excitadas por los nervios:

–¿Lo viste bien Xana? ¿Lo reconociste? ¡Era el *raposo*!

–Tengo miedo. ¿Y si nos encontramos con el lobo? ¡Tengo mucho miedo! ¡Vamos, aprisa! ¡Corre!

Lo que sucedió después fue producto del pánico: corrieron, tropezaron, se levantaron, jadearon, todo sin mirar una sola vez para atrás. ¡Y el río sin aparecer! Ya estaba anocheciendo. Eran las seis de la tarde y no habían comido nada ni bebido, ni habían vuelto a sentarse desde las doce.

–Xana… –dijo Carmiña sin fuerzas–, párate y escucha…

Xana no consiguió sentir otra cosa que no fueran los latidos de su corazón.

–No oigo nada…

–¡Yo sí! ¡El ruido del agua… del río!

Estaban pálidas, desencajadas, sin fuerzas. Pero se sobrepusieron rápidamente. Encontraron un riachuelo y siguieron su cauce. A pesar de que había oscurecido, percibieron la sombra de un hombre tirando de un mulo cargado con sacos. Lo llamaron a gritos y el paisano se paró asombrado de verlas. Llegaron a su lado sin aliento y, como no podían hablar, lo hizo él:

–¡*Saude…*! *Veñen de lonxe… Senten, miñas xoias…* –Les indicó unos troncos para que se sentasen, lo hicieron–. *Eu son Suso o do muiño…* –Xana se levantó porque estaba clavándosele algo en las nalgas. El paisano le buscó otro sitio–. *Senten eiquí, que ainda tremenlles as pernas, ¿Nonsi? Logo ímonos a miña casa, que a miña muller dara-lles bo xantar... Aló en baixo esta a casa* –Señaló a lo lejos, pero ellas no veían nada. Después que se calmaron, las animó para continuar andando–: *Imonos a modo, rapazas…*

Acompañaron a Suso, que les hacía pregunta tras pregunta sin esperar contestación, y sin entenderle de qué estaba hablando, hasta que llegaron a la casa, donde una mujer muy amable les dio un vaso con coñac, que les hizo recuperar los colores. Entonces les explicaron quiénes eran y adónde iban. Y se enteraron por ellos que habían caminado mucho más de lo que creían.

–*¡Folgoso...!* –repetía la mujer asombrada–. *¿Dixeron Folgoso?* –volvía a decir, como si esperase otra respuesta–: *Pero... tiveron que marchar por moitos camiños moi difíciles e con moitas dificultades... ¡Folgoso...! ¡Vállame Deus!*

Antes de que cerrase la noche, las llevó Suso, por un sin fin de atajos, hasta Folgoso. Al llegar, Xana sacó de la bolsa una pesada llave de hierro ennegrecido, para abrir la puerta de una casa vieja y destartalada, en la que no parecía posible poder vivir.

Agradecieron a Suso la ayuda y prometieron hacerle una visita. Después que se marchó, entraron en la casa. Xana cerró a tientas, porque no había luz, la gran puerta de dos hojas, con una tranca.

–¿Cómo haces para ver?

–Enciendo el candil de carburo. Ven y agárrate a mí hasta que lo encuentre.

Lo encendió y subieron por las escaleras de barro deshechas y recomidas; llegaron a una habitación en la que había dos catres. Sin decir ni una palabra, se acostaron vestidas y se durmieron como troncos.

Por un tragaluz, única ventana de la habitación, entraba el sol dándole a Carmiña en la cara. La despertó. Se levantó para taparlo con una manta y volvió a acostarse sin molestarse en mirar la hora que era; pero ya con los párpados cerrados, escuchó un lejano, chirriante y molesto ruido que le impedía seguir durmiendo; era cada vez más intenso y próximo. Y luego oyó la voz de una mujer que repetía machaconamente:

–*¡Ei, marela! ¡Ei, roxa!*

También se despertó Xana y, fastidiadas, se levantaron. El ruido lo hacía un carro de bueyes al que le chirriaban los ejes. Fueron a asearse. Tenían que sacar agua del pozo con un balde agujereado, una roldana enmohecida y una cuerda a punto de romper. Lanzaron el cubo al fondo y unieron sus fuerzas para subirlo, pero llegó casi vacío. Repitieron la operación un montón de veces hasta lograr mediar una *sella* que Xana puso encima de su cabeza, sobre un paño enrollado en forma de *molete*, sin ayuda y sin que le cayese ni una gota de agua, con la gracia más *enxebre*:

–Me crié en el campo y soy una buena campesina. ¿Ves?

Quiso lucirse y puso las manos en las caderas, guardando el equilibrio perfectamente; pero Carmiña la imaginó cayendo y, quizás con su inconsciente ayuda mental, Xana tropezó y cayó al suelo en medio del agua que derramaba la *sella*. Era cómico verla, pero solo con pensar en volver a repetir la operación de la sacada del agua, a Carmiña se le quitaron las ganas de reír. Lo tomaron con calma. De nuevo sacaron agua del pozo y después llevaron la *sella* entre las dos, muy cuidadosamente, a la cocina. Sudaban a chorros y se refrescaron la cara con el agua, tan fría que parecía hielo derretido. Xana tuvo que cambiarse toda la ropa.

Carmiña necesitó ir al váter y le preguntó a Xana donde estaba. Le indicó el lugar. Debajo de la semi derrumbada escalera había una pequeñísima puerta. Para entrar era preciso encogerse, casi arrastrarse, y a ras de suelo estaba una tapadera redonda de madera con un asa. La levantó y vio el agujero por el que se defecaba; los excrementos caían al estiércol, que se había llenado de moscones que revoloteaban hasta el agujero. A Carmiña le desaparecieron las ganas y se limitó a hacer vaciados rápidos de vejiga. No quiso mover el vientre.

Se convenció de que para vivir allí era necesario ser una santa como Xana. Ella no podría adaptarse jamás a tanta incomodidad. Cuando vio la cocina, pensó que era una broma… Tenía una pequeña *lareira* con tres piedras colocadas en triángulo para formar el fogón. Para encender el fuego tuvieron que pelearse con el humo, pero lo consiguieron; colocaron una olla con agua encima de las piedras. Carmiña dio un grito de regocijo:

–¡Qué invento hicieron los hombres de las cavernas!

Al hervir el agua, le añadieron unas cucharadas de leche en polvo, de la que mandaban los americanos para darle a los niños en las escuelas. Añadieron un poco de Nescafé y miel, y desayunaron cuando eran ya las dos de la tarde.

–Oye, Xana –dijo de pronto Carmiña–, podría parecer que se acuerdan de este sitio incluso los americanos. ¡Oh, Dios mío, no me lo puedo creer! ¡Es terrible! ¿Te das cuenta de la tomadura de pelo nacional e internacional? ¡Terrible! Quieren que dejen de tomar la leche de sus vacas y les dan esto…

Quedaron calladas. A las tres menos cuarto abrieron la puerta del aula, que estaba en la planta baja, totalmente oscura, y sin una sola ventana. Para que pudiera entrar la luz, dejaron la puerta abierta de par en par. Desde la puerta, Carmiña pudo ver cuatro filas de pupitres con las maderas brillantes del uso y un color negruzco en los bordes roídos. La mesa de la profesora estaba al fondo sobre una tarima de madera, bien visible. En la pared destacaba la fotografía del Caudillo Franco y un enorme crucifijo de madera tallada.

Carmiña agarró a Xana y la detuvo antes de entrar. Había visto revolotear algo que parecía querer batirse contra ellas. Pudo distinguir un raro pájaro negro. Se asustó. Xana quiso tranquilizarla:

–No tengas miedo, sólo es un murciélago. Aquí hay muchos. No te preocupes, que, como tienen radar, no te tocarán.

–¡Ah! ¡Claro! ¡Solo es… un murciélago! ¡Qué bien! –le contestó con sarcasmo. Añadió con furia–: ¡Pero es asqueroso! ¿Cómo puedes vivir aquí? ¿Dónde están las otras cosas? Yo no veo ninguna. ¿Y si tenemos que pedir auxilio? ¿Eh?

Los murciélagos se habían ocultado en algún sitio. Pasó Xana, y luego se decidió a entrar ella. Fueron apareciendo los alumnos: niñas y niños, pequeños y mayores, todos con cara de curiosidad. Saludaban y se iban sentando. Xana les explicó que Carmiña era su hermana y que iba a pasar toda la semana con ella. Comenzó la clase. Carmiña se despidió y fue a explorar los alrededores. Desde la clase le llegaba un sonsonete que escuchó atenta para descifrarlo. "España… tiene… la forma… de la piel… de un toro… extendida… limita… al Norte…" Pensó: "¿Qué tendrá que ver lo del toro con los límites geográficos? ¡Menuda metodología aprendió Xana en la Escuela Normal!". También, con asombro, les oyó que cantaban la tabla de multiplicar. Se fue a pasear por los prados. Subió a una loma para poder mirar desde allí el paisaje. La niebla cubría el arbolado. Fumó un pitillo y se puso a cantar a pleno pulmón. Le divertía escuchar como el eco entrelazaba sus palabras. Cuando terminó de fumar, emprendió el regreso; tenía la sensación de que la seguían. Se paró varias veces para mirar, pero no vio a nadie. "¿Y si es el lobo?". Para prevenirse y poder defenderse, agarró el primer palo que encontró. "Xana me contó de las personas que tuvieron la desgracia de verlo y la suerte de poder contarlo. ¡Bah! ¡Tonterías! ¿Y si es el lobo y me quedo como dice esa gente… paralizada y con los pelos de punta? ¡Bah! No creo en esas historias. Es lo mismo que los cuentos de las ánimas de la *Santa Compaña*". A pesar de su temor, con la mirada se sentía capaz de paralizar al propio lobo. Aquella sensación desagradable seguía y ella se daba vuelta a cada rato… hasta que sorprendió a una niña de poco más de siete años, con unos enormes ojos azules en medio de una colorada y redonda cara. Vestía de *choqueiro*, como si estuviese en el *antroido*, y calzaba unos *zocos* sucios, llenos de *lama*. Carmiña fue hacia ella y le habló, primero en castellano y, como no le contestaba, usó el gallego; parecía muda. Sin saber qué hacer para comunicarse, encendió otro pitillo. La niña no dejaba de mirarle los ojos… y se le fue acercando para vérselos mejor. Se atrevió a hablar:

–Estou ollando a cor dos teus ollos. ¿Revira-la cor? ¿Ou que?

Le alegró saber que no era muda, y aprovechó el asombro que le causaban sus ojos para charlar. Se enteró que el padre estaba en "Las Alemanias", y que la madre la tenía enferma. Y tal como apareció, se marchó.

Llegó a la escuela en el tiempo del recreo. Los niños jugaban a un lado y las niñas a otro. Había dos pequeñas en el camino, orinando. ¡No podía creer lo que estaba viendo… ¡No llevaban bragas, y rectas, abriendo las piernas y sin inclinarse, vaciaban tranquilamente la vejiga. "Igualito que los animales!

–pensó–, ¡como la cosa más natural del mundo!". Al terminar de hacer sus necesidades, siguieron jugando.

Encontró a Xana corrigiendo las cuentas de las pizarras:

–¿Para qué es el agua caliente de la cocina? –le preguntó.

–Para disolver los polvos de leche y repartirles un vaso calentito a los niños. También tenemos ese queso, que les gusta más. –Xana se rió–. ¿Sabes lo que dicen los chicos? ¡Que los americanos les mandan la leche de sus polvos! ¿Te imaginas semejante disparate?

–Me imagino que son más listos de lo que pensamos.

El viernes a la tarde hicieron el barrido semanal de la clase, separando las mesas. Los chicos y chicas de los últimos grados eran los encargados de ayudar a la maestra. Este viernes también participaba Carmiña, contenta por ser útil, y más aún pensando que al día siguiente regresaban a La Coruña.

En medio de la limpieza, que hacían con serrín mojado para que no revolotease el polvo, Carmiña comentó que de la tarima salía un olor pestilente:

–Sí, yo también lo noté –dijo Xana–. ¡Chicos! ¡Venir aquí! Vamos a levantar la mesa para barrer debajo de la tarima.

Tan pronto como la separaron, vieron una rata grandísima, que acababa de parir, con la camada a su lado. Tenía el pelaje totalmente negro y las orejas más tiesas que jamás nadie viera. De un charco de sangre salía el putrefacto olor. Se abalanzó rabiosa contra los chicos. En un periquete, ellas las primeras, se habían encaramado todos en lo más alto y nadie quiso enfrentarse al enfurecido roedor. Chillaban todos a la vez, chicos, chicas y maestras. Alguien avisó a un vecino que trajo una escopeta y, de un par de disparos, mató aquella bestia. A las crías las mataron los chicos, envalentonados con la presencia del hombre.

Al día siguiente se fueron, pero las acompañaron unas alumnas para que no se perdieran. Cogieron el primer coche de la mañana para La Coruña. Todavía recordaban el susto del día anterior. Aquella noche la tertulia familiar no tuvo desperdicio.

Carmiña, a pesar de todo, decidió volver con Xana y quedarse con ella hasta las vacaciones de Navidad. Dijo que le daban escalofríos sólo con pensar en dejar a la inocente amiga en aquel inhóspito lugar.

–Además… –añadió con morbo– todavía tengo que conocer el lobo. No pienso perder la ocasión de mi vida. –La miraron todos con asombro–. ¡No os pongáis así, que solo es un decir!

-6-

Regresaron a La Coruña el viernes por la tarde, ya que el sábado era fiesta en el Ayuntamiento de la escuela de Xana y aprovecharon la mañana siguiente para hacer gestiones. Fueron juntas a la Inspección de Enseñanza Primaria, que tenía sus oficinas en la Casa Cortés, en la Plaza de Galicia, a entregar un estadillo del Servicio de Alimentación que hacía referencia a la leche en polvo y al queso. Xana quería preguntar por su Inspectora de Zona, porque veía próxima la hora de pedir destino definitivo y no la conocía. El buen tiempo las animó para ir dando un paseo por los jardines.

–¿Y qué pierdes si no la conoces? –le preguntó Carmiña.

–Supongo que nada, pero ya sabes cómo soy.

Era muy temprano y se sentaron en un banco de la rosaleda para hacer el tiempo. Comentaron la idea de comprar un coche pequeño entre las dos para no depender de los coches de línea y para hacer una excursión de vez en cuando. Xana comentó regocijada:

–¡Tendremos que sacar el carnet de conducir! Y ya podemos hacerlo estas Navidades Mi próxima escuela la pediré al borde de la carretera, aunque esté situada a cien kilómetros. Si tenemos coche no importa.

–Tú tienes tu sueldo, pero yo tengo que ahorrar de mis gastos. A no ser que me ayude Mamita. ¿A ti que te parece? Nunca le pedí nada y…

–¡Claro que sí! ¿Te imaginas que dirá Perico cuando lo compremos?

–Que diga misa. Él no lo necesita para ir a la Diputación, pero eres tú la que tienes que viajar en ese autobús destartalado, lleno de cestos y… ¡Menuda pachanga! ¡A veces dan ganas de bajarse y empujarlo!

Continuaron a la Inspección discutiendo los muchos problemas que les ocasionaría llevar a cabo la idea. Xana suponía que Perico no le daría su autorización, y según pasaban los minutos, fue desilusionándose. A Carmiña le pasaba todo lo contrario.

En el ascensor encontraron a una compañera de Xana que iba a la Delegación. Le presentó a Carmiña y charlaron en el rellano del piso antes de entrar cada una por su puerta.

–¿A qué vas? –le preguntó Xana.

–A certificar una hoja de Servicios para pedir una plaza de un Patronato.

–¡Ah! ¿Cuál?

–La Parroquial de Pastoriza. Si la consigo… ¡Imagínate! Ahora estoy en Mellid con dos hijos pequeños. ¡Me vendría de perlas acercarme a casa! Mi marido trabaja en la Fábrica de Armas y tenemos que sostener dos vidas. ¡En fin! Ya nos veremos, Xana.

–Adiós.

–¡Pobre! ¡Menuda vida lleváis las maestras! –le dijo Carmiña, compasiva.

La compañera de Xana asintió con tristeza y se fue. Ellas entraron y preguntaron por la Inspectora. Les informaron que ya hacía un mes que habían cambiado las zonas en un reajuste y que ahora a Folgoso le correspondía un Inspector; les advirtieron que tuviesen cuidado con él, que no era lo que aparentaba. Xana insistió en saludarlo. Las pasaron a una salita de espera diciéndoles que vendría pronto, porque no estaba ocupado. Permanecieron allí cerca de tres cuartos de hora, con la consiguiente desesperación de Carmiña, que protestaba del abuso. Xana intentó charlar para distraerla:

–¡Hum! Debe de ser un ogro. ¿Si no, por qué me avisaron aquellas compañeras…?

–No sé si es un ogro, pero seguro que es un mal educado y un grosero. ¡Seguro! ¡Ya verás cómo nos va a tratar! Mejor dicho, ya lo estás viendo.

–Estará ocupado.

–¡Y una mierda! Ya dijeron que nos recibiría enseguida. Todo esto está preparado, te lo creas o no.

–¡Imposible! ¿No ves que no nos conoce?

–¡Que te crees tú eso!

Se callaron porque sintieron unos pasos. Miraron hacia la puerta y esperaron atentas para ver al "ogro". Se entreabrió y asomó la cabeza una señora mayor, canosa, con unas gafas pequeñas en la punta de la nariz. Las miró sin decir palabra, volvió a cerrar la puerta y se marchó. Escucharon como se alejaban sus pasos.

–Educada la señora… ¿Eh? Y se supone que son los inspectores de la "educación". ¡Xana! ¡Me estoy hartando! ¿Quieres que venga de una vez ese papanatas? ¿Sí? ¡Espera un poco y verás!

Carmiña miró hacia la ventana. Poco después, una piedra que probablemente venía de la Plaza de Galicia, rompió el cristal, estrepitosamente, en mil añicos que cayeron en el medio de la alfombra. Con el ruido, entró un montón de gente a preguntar qué había pasado, y Xana, con cara de susto, les dijo:

–Tiraron una piedra de la calle. ¡Esa! ¡Qué miedo!

Un señor menudo y calvo, microcéfalo, muy compuesto y tímido, que había entrado con los demás, les preguntó:

–¿Esperan ustedes por mí? Soy el Inspector de Abegondo.

–Yo soy la maestra de Folgoso y esta es mi prima –le contestó Xana, extendiéndole la mano.

El Inspector se limpió el sudor de la suya con un pañuelo, pero aún seguía rezumando humedad cuando se la estrecharon.

Preguntó a Xana si tenía algún problema, pero no las invitó a que se sentaran hasta después de saber que se trataba solo de una visita de cortesía. Hablaba con Xana sin levantar la vista del suelo y Carmiña observó que no dejaba de frotarse las manos; constantemente sacaba el pañuelo para limpiarse la comisura de los labios, sucia de saliva blanca y pastosa, que rociaba al hablar. Xana aguantaba estoicamente aquella basura que le salpicaba hasta los ojos. Ni una sola vez miró de frente a su interlocutora. Estaba enterado del incidente del monte, porque se lo había contado una maestra de la Parroquia... Y enseñó los dientes para simular una sonrisa. Se notaba que gozaba con lo que estaba contando, frotándose las manos y salivando sin parar. Para Carmiña representaba al prototipo del oficinista, acostumbrado a llevar patadas en el culo al tiempo que cepillaba la chaqueta del jefe y después patear al perro de turno en desquite... A su "¡Vaya por Dios! ¡Cuánto lo lamento!" seguía el malintencionado "Je, je, je...", acompañado siempre con el frotamiento de manos. Se podía advertir claramente la docilidad engañosa de su religiosidad.

Las acompañó hasta el pasillo y tuvieron que repetir el suplicio de estrechar su mano. Por fin pudieron escapar.

–¡Qué desagradable! –exclamó Carmiña en el ascensor, asqueada–. Le sudaban las manos, salivaba, no te miraba. ¡Qué desagradable! Si vuelves a estar con él, no te olvides del paraguas.

Xana asintió con la cabeza y comentó:

–¡Pues si vas a la Delegación! Dicen que allí hay uno que cuando se entrevista con las maestras... ¡las desnuda! A una compañera le quitó la faja.

–¡Oh, Dios mío! No puedo creer que seas tan ingenua y creas todo lo que te cuentan. ¡Mira, Xana! ¡Eso será con permiso de las individuas! ¡Lo que haría alguna por conseguir un buen destino! Hay tipos, ¡como el que acabas de ver!, capaces de aprovecharse de los demás. ¿Te lo imaginas?

–No sé… Aseguran que es verdad.

–¡Mujer! ¡Es el pataleo! Entérate, ya verás.

Habían quedado citadas con Perico y Mario por las tascas de los Olmos, y de repente se dieron cuenta que tenían hambre. Fueron de prisa. Cuando los encontraron, le dijo Carmiña a su hermano:

–Oye, repelente. La próxima vez que tu mujer tenga que ir a la Inspección, comprueba si viene entera.

–¿Qué pasó? –preguntó, sorprendido, a Xana.

–Nada, tonterías –le contestó.

Y continuaron de tapas, sin más comentarios.

Carmela los esperó para comer. Estaban Maruxa y las gemelas, que tenían que contar muchas novedades, de las que no soltaron prenda, haciéndose las interesantes y poniendo de disculpa que querían que estuviesen todos. Cuando llegaron sus hijos, como ya era tarde, la encontraron sin ganas de hablar y de muy mal humor. Con el enfado se olvidó de preguntarle a Maruxa por las anunciadas noticias, pero las gemelas no pudieron aguantarse y les contaron que habían recibido una carta de su padre con unos pasajes para que embarcasen la próxima semana, pidiéndoles que procurasen convencer a Xana para que fuese con ellas, porque Xan se encontraba enfermo y quería conocerla antes de morir.

Xana palideció. A pesar de no conocerlo personalmente, lo quería mucho y la mala noticia la dejó muy afectada. Maruxa intentó consolarla asegurándole que allí los médicos hacían milagros, y que Xan bien podía ser uno de ellos. También Perico trató de tranquilizarla, animándola para que fuese y despreocupándola en la medida de sus posibilidades:

–Es más, prefiero que vayas para que no te queden remordimientos de conciencia.

–Sí, pero no sé cómo hacer con la escuela.

–Pides un permiso.

–Sí, claro. Pero no es tan fácil.

Quedó abatida pensando en los trámites. Carmiña se le acercó. Le cogió una mano:

–Xana... Xana... ¡Mi amiga del alma!

Xana sollozó sobre su hombro hasta que se tranquilizó.

Los demás armaban mucho alboroto. Maruxa acababa de decir, acompañándolo con sus típicas carcajadas, que al llegar a la Argentina, después de visitar a su hijo enfermo, lo primero que haría sería arreglar lo del casorio. Todos la felicitaron. Inconscientemente recordaron la muerte de Esther, que pocos meses antes se había suicidado tirándose al tren, acosada por la soledad. Aquella tragedia todavía se recordaba, pero no era motivo para dejar de felicitar a Maruxa. Tomás, ya viudo, sabía cumplir como era de esperar.

–¡Me alegro mucho, Maruxa! –dijo Mamita Carmen, rompiendo el hielo–. ¿Cuándo os vais?

–El próximo viernes. Pero antes... ¡Joder! ¡Tengo tantas cosas que hacer!

Las gemelas rezumaban alegría por todas partes. Carmiña siempre se asombraba al verlas. Había conocido gemelas, pero no como aquellas. Exactas en rubio y en moreno. Se divertía mucho escuchándolas hablar, porque hacían lo mismo que los payasos en el circo. Marisé, la morena, parecía el payaso listo, y Marisú, la rubia, el payaso tonto. Escuchó para no perder el chiste:

–Y por fin vamos a conocer nuestro padre... –decía Marisé.

–...y de paso nos conocerá él a nosotras, ¡claro! –remató Marisú.

"Verdaderamente divertidas", pensó Carmiña. Se volvió hacia Xana y le preguntó:

–Y a ti... ¿Qué te gustaría hacer?

–Ir.

–Pues vete.

–No es tan fácil. Tendría que darme permiso el Inspector para dejar mis clases y poner una sustituta. No sé… ¡Es un hombre tan extraño!

–Hazlo. Yo puedo encargarme de las clases.

Se animó ante aquella posibilidad y sonrió agradecida.

–Entonces… El lunes me quedo para pedirle el permiso. ¿Me acompañas?

–Lo siento. Eso ni hablar. ¡No puedo soportar a ese señor! Vete sola. ¡De verdad que lo siento!

–Tengo miedo a que me lo niegue.

–Tranquila, te lo dará. El no ya lo tienes y no pierdes nada…

Xana volvió al grupo acompañada de Carmiña, sin dejar su tristeza.

Salió a primera hora para la Inspección, temiendo que aquel señor, además de negarle el permiso, le sancionase por no estar en la escuela trabajando y la echase con cajas destempladas. Aunque llevaba instrucciones claras de Perico, en el sentido de que si le negaba su derecho a ausentarse por la enfermedad de su padre, que no venía en la ley pero que era costumbre conceder, saliese por una puerta y entrase por la otra… Queriendo decir que saliese de Inspección y fuese a Delegación a pedir permiso oficial por asuntos propios, aunque fuese sin efectos económicos ni administrativos. Eso decía Perico… Pero Xana, convencida de que en la Delegación había uno que desnudaba a las maestras, no quería entrar por la otra puerta ni loca.

Esperó en la salita temiendo que las cosas le fuesen mal. En esta ocasión el Inspector no la hizo esperar. Abrió de par en par la puerta y así la dejó mientras estuvieron hablando. Tampoco le dijo que se sentara.

–Estoy un poco apurado porque tengo que asistir a una misa en San Jorge –y continuó hablando, hasta que le preguntó–: ¿Le ocurre algo?

A Xana se le empañaron los ojos cuando mencionó la enfermedad de su padre, y quedó sorprendida cuando el Inspector, que ella tenía por tímido, intentó pasarle un brazo por los hombros; tuvo que dar unos pasos hacia atrás para evitarlo. De nuevo sintió el asco que le producía sentir en su cara la salpicadura de la saliva, que ya ni siquiera se molestaba en limpiarla de la comisura de los labios. Sin mirarla una sola vez a la cara, se mostró muy comprensivo y le pidió que pasase a las oficinas para presentar una instancia, en la que figurase el número de días que estaría ausente y la persona que se iba a ocupar de las clases. La acompañó y la dejó sola en un escritorio. Hizo la instancia y volvió a la salita para entregársela. Tampoco esta vez la hizo esperar.

–Bien, bien –dijo mientras la leía–. ¿Serán suficientes estos días que usted pide?

–No es seguro. Si mi padre fallece antes, antes regreso.

–¿Y si tarda más? –Levantó la vista del papel y la miró.

Aquella mirada la desorientó. Respondió titubeando:

–Pues… no sé… Le llamaría por teléfono para decírselo.

–Bueno, bueno… –Volvió a mirar para el suelo y a frotarse las manos–. Hay otra solución. Me deja un folio firmado para que yo lo pueda cubrir solicitándole una prórroga. En caso de no poder presentarse en la fecha prevista, por supuesto –seguía frotándose las manos–. ¡Je, je, je! Yo también, desgraciadamente, tengo que cubrirme las espaldas. ¡Je, je, je! Supongo que lo entenderá.

Mostraba mucha amabilidad y comprensión, y convencida de su buena disposición, Xana firmó en blanco un folio. Dudó en el momento de entregárselo, y el Inspector, al tiempo que lo agarraba ávido, y sorprendido de que ella no lo soltase, le dijo:

–No se preocupe, Si no tengo necesidad de usarlo, se lo devuelvo.

Hubo un pequeñísimo forcejeo con el papel, pero al fin Xana lo soltó. La acompañó hasta el ascensor y le dio unos golpecitos en la espalda al despedirse:

–¡Vaya con Dios, mujer, vaya con Dios! ¡Je, je, je! Que tenga feliz viaje –volvió a la oficina frotándose las manos.

A Xana, durante el camino le acompañó una terrible y angustiosa sensación de metedura de pata. Incluso en un momento se dio la vuelta dispuesta a renunciar al viaje, a cambio de recuperar aquel papel que la estaba amargando, pero se acordó del padre enfermo y continuó andando hacia casa. Sintió vergüenza de haber sido tan ingenua o tonta, como le repetía siempre Carmiña, y buscó razones que le quitasen aquella mala impresión: "Tengo que tranquilizarme; me puse muy nerviosa. ¿Qué puede pasar? Cuando regrese voy por el folio, y nada… ¡lo rompo! Además ese señor debe de ser muy religioso, porque comentó que tenía que asistir a misa, que iba todos los días a San Jorge, su Iglesia favorita. ¿Cómo irá tan lejos? ¡Tendrá coche! ¿No será del Opus? Los que van a San Jorge… Bueno, ¿y qué? ¡Mejor! Si es tan religioso no se portará mal. ¡Seguro! Si se lo cuento a Carmiña, me come. No le diré nada."

Al llegar a casa todos dieron por supuesto que traía el permiso. Se olvidó del asunto y se puso a preparar los viajes. Primero el de Carmiña a la escuela, y luego el de ella a la Argentina. Había mucho que hacer.

-7-

Carmiña insistió mucho para que Xana le escribiese nada más llegar a Buenos Aires. Sentía pena porque su amiga se fuese tan lejos, pero se apenaba mucho más por no poder acompañarla y terminó reconociendo que envidiaba su viaje. Le encargó que no se olvidara de darle un abrazo de su parte a Xan, único espécimen masculino digno de su admiración, al haber sido capaz de negarse a empuñar las armas, aunque lo hubiese tenido que pagar tan caro.

Antes de irse a la escuela, le pidió a Mamita Carmen que le dejase llevar la gaita del abuelo Pedro. Ella era quien se ocupaba de limpiarla y también la única que la tocaba, porque a la madre, aunque presumía de hacerlo, ninguno de sus hijos recordaba haberla oído. Mamita la autorizó encantada, a pesar del manifiesto disgusto de Carmela, que repetía constantemente los muchos problemas que le ocasionaría dedicarse "a tocar la gaita". No le importó en absoluto, como tampoco hizo caso de las numerosas recomendaciones que le dio y que consideró totalmente absurdas e inútiles.

A Xana, para que se fuese tranquila, le había dicho a todo que sí, pero ella sabía muy bien lo que quería hacer en la escuela... Pensaba que lo primero era ganarse la confianza de los alumnos y que no había nada mejor que la música para conseguirlo; después tendría que entrar poco a poco en materia... "No empezaré con el Teorema de Pitágoras, por supuesto... ¡Eso les sonaría a chino! Yo no sabré Pedagogía como Xana... ni tendré puñetera idea de Metodología ni de Didáctica, pero he leído mucho, y así que recuerde... ¡A Rousseau! Me llevaré el *Emilio* y *La nueva Eloísa*. También... ¡*El origen de la desigualdad entre los hombres*!, que era predilecto de mi padre. Y lo último que adquirí en Molist, la *Introduction à l'épistémologie génétique* de J. Piaget. ¡Muy interesante! ¡Qué divertido!".

Nada más llegar a la que llamaba "cueva rupestre", deshizo el pequeño equipaje, en el que llevaba lo estrictamente necesario para subsistir un par de semanas. Tenía mucho frío y se le ocurrió hacer un corte en el centro de la manta que llevaba, la misma que había usado su padre durante la guerra, cuando iba de trinchera en trinchera trabajando en aquel terrible oficio de "informador periodístico". Metió la cabeza por el agujero y la manta quedó convertida en un práctico capote de monte. Mamita Carmen le había tejido una bufanda larguísima, con la que podía dar tres vueltas alrededor del cuello e incluso cubrir la cabeza, y con ella puesta podía hacer todas las excursiones que se le ocurrieran sin sentir frío.

Desempaquetó el brasero, la linterna, la brújula... y los libros, a los que trató con verdadero mimo. "He aquí a mis compañeros inseparables, mis amigos". Deslió la gaita y estuvo un rato acariciándola, imaginando la cara de sorpresa que pondrían los chicos al verla. Como su madre le había pronosticado disgustos, se preocupó de la posibilidad de que los alumnos alborotasen el aula. Le vino a la mente la odiosa figura del Inspector, al que podían llevar algún malintencionado chisme, y le desagradó la idea de que la fuese a ver con ese motivo. No podría soportar su presencia. Se dedicó a preparar las actividades para alcanzar unos objetivos mínimos que impidiesen la anarquía. Pero, a pesar de todo, empezaría con la música. Y una vez conseguido su interés, les hablaría de los celtas. Paso a paso, seguiría con la historia hasta llegar a la Guerra Civil. Escucharía los relatos de los niños, los que seguramente habían oído a sus abuelos y a sus padres… También ella aprendería. Al mismo tiempo que la historia, les enseñaría geografía, comenzando por aquellos montes que se veían desde la escuela y que iría extendiendo hasta llegar a Europa. No creía tener tiempo para más. Las matemáticas se las iría enseñando al mismo tiempo que el solfeo.

Estaba muy cansada y se quedó dormida tapada con todas las mantas que encontró en la casa.

Al levantarse miró por el tragaluz, vio el cielo ennegrecido y las montañas blancas. "¡Ha nevado! ¡Qué suerte!", exclamó con alegría en voz alta. En pijama y cubierta con una gruesa manta de la cama que iba arrastrando, bajó y abrió la parte alta de la puerta de entrada. La nieve que había caído cubría totalmente el muro y el campo. "Debe de tener medio metro de altura. ¡Lo que se perdió Xana!". Allí, con los brazos apoyados en la puerta, se acordó de cuando, siendo pequeña, había visto la nieve por primera vez en La Coruña y lo bien que lo había pasado jugando en el parque de Santa Margarita. Recordaba haber pisado un montoncito, que debajo tenía un charco de agua casi helada, y haberse hundido en él. Cuando llegó a casa tenía los pies empapados. Mamita Carmen, que estaba friendo patatas, le mandó atender la sartén mientras bajaba a la tienda, sin advertir su mojadura… y como ella no quería que se enterase, sacándose los zapatos, los había puesto a toda prisa en el horno a secar… pero era demasiado lento. Mamita podría llegar de un momento a otro y se le había ocurrido algo mejor: prenderlos del cordel que atravesaba la campana de la chimenea, en el que se colgaban los chorizos. Los sujetó con dos pinzas, justo encima de la sartén. "Si cae polvo no importa, porque el aceite caliente desinfecta", había pensado. Pero cuando menos lo esperaba se soltaron, los dos al mismo tiempo, y cayeron dentro de la sartén, salpicándole de aceite caliente… y los zapatos comenzaron a freírse ante su asombro, sin atreverse a sacarlos. La llegada de Mamita había sido muy oportuna; riéndose a carcajadas solucionó el problema. Pero, a cambio, le había tenido que confesar que había faltado a la clase por ir a jugar con la nieve.

A las diez menos cuarto abrió el portalón de la clase, pero no tuvo ningún alumno. Supuso que no se habían atrevido a salir de casa por el estado de los caminos. Miró la oscuridad del cielo, que anunciaba nevada para todo el día, y se decidió a cerrar las puertas. Al mediodía la fue a visitar una señora que vivía a la vuelta del camino y le trajo alimentos, además de una botella de aguardiente *feito na casa* por si tenía frío. Entre las dos prepararon un buen fuego en la *lareira*, y después de un rato de conversación se marchó, ofreciéndose para lo que necesitase y quedando en volver al día siguiente.

En aquella soledad parecía que el tiempo se había parado. Para distraerse, decidió salir a dar un paseo. Se abrigó con la manta-capote de su padre, se puso las botas de goma, la larga bufanda y dio varias vueltas alrededor de la casa, siguiendo sus propias huellas. Cuando se cansó, se puso a hacer un muñeco de nieve en la explanada de delante de la escuela, al que colocó una zanahoria de nariz y dos cebollas de ojos… Cuando se dio cuenta, estaba rodeada por *rapaces* y *rapazas* que admiraban su obra. Comenzó a jugar lanzándoles bolas de nieve y respondieron haciendo lo mismo. Resultaba muy divertido. Se sentaron sobre unos sacos que trajeron los niños para deslizarse a carreras por una cuesta cercana en la que adquirían mucha velocidad. Quedó agotada y se retiró a descansar.

A las cinco de la tarde se hizo de noche. Se acostó y estuvo leyendo durante muchas horas a la luz del candil de carburo, hasta que se quedó dormida sin apagarlo. De madrugada, entre sueños, escuchó ladridos de perros que sonaban lejos. Y ya totalmente despabilada, percibió aullidos cercanos. Al principio no se le había ocurrido pensar que podría tratarse de lobos, pero finalmente llegó a tener la certeza de que se trataba de dichos animales, e incluso que estaban rodeando la escuela. Hizo memoria para recordar si había cerrado bien todas las entradas y, pese a no tener la certeza de haberlo hecho, decidió no levantarse a comprobarlo. Según iba amaneciendo, los aullidos fueron cesando. Entonces, ya tranquila, se durmió.

La vecina volvió a visitarla al mediodía contándole historias espeluznantes de lobos y de aparecidos que, aseguraba, habían ocurrido aquella noche; auténticas historias de terror que ponían los pelos de punta a la propia narradora, pero que a Carmiña le resultaban increíbles. Se preguntó si habría algo de verdad o sería todo imaginación.

Después de tres días cesó la tormenta y Carmiña se estrenó como maestra. Abrió la clase temprano para que pasasen los más madrugadores y no esperasen a la intemperie. Aquel primer día no faltó nadie.

Comenzó ordenándoles unos minutos de estudio; les pidió que guardasen silencio y que estudiasen sin canturrear, con la boca cerrada. Los dejó solos, asegurándoles que vendría en poco tiempo con una sorpresa. Los avisó repetidas veces que ella sabría quien obedecía y quien no, y que castigaría a los desobedientes.

Era muy cierto que lo sabría, porque durante la tormenta había elucubrado un pequeño y astuto truco. Como la clase estaba debajo de su habitación, había conseguido vaciar uno de los nudos de la madera de las tablas del suelo y por el agujero podía ver todo el aula sin ser observada. Miró por él varias veces y tomó nota de dos chicos que se peleaban. Bajó procurando hacer mucho ruido por las escaleras. Encontró a los revoltosos muy serios y formales sentados en sus pupitres. Quedaron muy sorprendidos al reprocharles lo que habían hecho y señalarles un castigo, porque tenían la seguridad de que no los había visto.

–Eu penso que é un pouco bruxa... e que ten os ollos meigos –comentaron en voz baja entre ellos.

Carmiña los escuchó pero no hizo ningún comentario. Se hizo la enfadada durante un rato, pero terminó perdonándolos. Les trajo la gaita del abuelo Pedro y quedaron pasmados; pero su reacción no se hizo esperar y Carmiña se encontró rodeada y empujada, en medio de gritos de alegría, por todos los chicos que querían estar a su lado.

–¡O meu avó é gaiteiro! ¿E tí, mestra? –preguntó un chico de unos doce años.

No le pudo contestar, porque estaba muy ocupada ordenándoles que se sentaran en sus pupitres, pero lo hizo una niña:

–Non pode. Só hai gaiteiros, non gaiteiras.

No pudo contener una fuerte carcajada, que fue coreada por los excitados alumnos, sin llegar a saber de qué se reía la maestra. Cuando estuvieron sentados y callados, Carmiña comenzó:

–Ya veo que conocéis bien la gaita gallega...

–¡E logo...! –dijo una voz del final.

–Y también conoceréis las distintas partes que la forman...

–¡E logo! –continuó la misma voz.

–É un fol de pelexo de cabuxa... E os tubos... Có soprete se abaloufa o fol... ¡Eu seino ben! –dijo el nieto del gaitero.

"¡Bueno! No está mal", pensó. Los chicos le dijeron que aquella gaita tenía *o farrapo* más bonito que habían visto. Les prometió tocar una *alborada* si atendían bien lo que les iba contar sobre los celtas. El silencio fue inmediato.

Cuando terminó la lección de historia, estaban tan atentos que le pidieron que contase más cosas, y entonces les habló del poder de la gaita sobre los lobos, que huían despavoridos al escuchar el sonido del *roncón*, y también que cuando estaban enfermos los gallegos en el extranjero, se curaban con sólo oír el sonido de la gaita... Al final de la clase les tocó la prometida *alborada*.

El aire llevó el sonido de las notas y lo extendió por toda la aldea. La gente, sorprendida, dejó sus quehaceres y se fue amontonando delante del portalón de la escuela… Afirmaban que Carmiña lo estaba haciendo muy bien, y cuando terminó la aplaudieron y le pidieron que tocase una *muiñeira*. Se vio obligada a hacerlo. Con *aturuxos* constantes demostraban su entusiasmo y finalmente todos quisieron darle un abrazo. Unos cuantos le preguntaron si quería enseñarles y se comprometió con ellos a hacerlo después de las horas de clase.

El día señalado para comenzar las clases de música, se presentaron más personas de las que esperaba… Muchos venían a mirar, otros a cantar y los menos a aprender. Hizo grupos. Les enseñó de oído. Al final de cada clase la remataba siempre con una gran *foliada*, en la que ella era la primera en divertirse, diciéndoles a gritos:

–*¡A min gústame bailar e troulear coma a todo o mundo!*

Cantaban hasta la madrugada, sin que nadie mostrase prisa en irse y no lo hacían sin antes entonar el *Negra sombra* y *Unha noite na eira do trigo*… Con ellas sentían el placer de estar tristes y la *morriña* necesaria para marcharse a sus casas.

Todos rivalizaban por mostrarle su cariño y la llenaron con regalos e invitaciones. Su fama traspasó los límites de la Parroquia y la gente venía a verla y a oírla. Aquella frase del niño que había dicho que era *meiga*, tuvo mucho que ver con la curiosidad de algunos.

Todo aquello la tenía fascinada y no se acordaba ni de Xana ni de los deseos de viajar, y ni siquiera de Pepo. A La Coruña volvió a los quince días, coincidiendo con la festividad de Difuntos.

Al llegar a casa le preguntó a su madre si tenía correspondencia. Carmela le contestó torciendo el gesto:

–¿Te refieres a Pepo? Siento decirte que no hay nada.

–¿Tampoco me escribió Xana?

–Xana, por ahora, solo escribió a Perico… y dice que está muy bien, pero que su padre no tiene solución.

El malhumor, producto de la contrariedad, le duró unos cuantos días, durante los que se distrajo haciéndole compañía a Mamita Carmen en la galería. Sentada a su lado, encendía un cigarrillo Camel y se lo fumaba en silencio. Mamita la miraba. Un día le dijo:

–¡Ay, mi niña! ¿Pero qué *caraho* haces fumando esa porquería? Fuma mis puros habanos, que son los mejores del mundo. –encendió uno de la caja que tenía siempre a mano y después se lo ofreció–. Toma una chupada. Verás como te gustan.

Apagó su Camel y se animó a probar. Después de tragar el humo sin toser, dijo:

–¡Caray, Mamita! No sabía que eran tan ricos.

Desde entonces, cada vez que se sentaban las dos en la galería a charlar, terminaban compartiendo el humo de uno de los puros habanos de Mamita Carmen. Mirando a la bisabuela, no comprendía que, estando tan bien, fuese a cumplir dentro de unas semanas cien años. Se lo dijo en una ocasión y ella, con su mejor sonrisa, le aseguró que era por fumar sus puros desde muy joven.

IV

-1-

Llegó muy cansada de la escuela y en esta ocasión no preguntó por su correspondencia. Algo en su interior le hacía temer un disgusto y estaba a la defensiva. Encima de la coqueta de su dormitorio había dos cartas, una en sobre color rosa, muy perfumado, con letra de Xana, y otra en sobre color sepia, con membrete de la Inspección Provincial de Enseñanza Primaria, que dejó para leer más tarde. "Oh, Dios mío, por fin!". Con la carta de la amiga en la mano buscó a su madre para preguntarle cuándo se había recibido y la encontró hablando con Perico que, resentido porque en esta ocasión él no tenía noticias de su mujer, estaba insoportable con sus sarcasmos. Se comportaba como un niño que dijese: "Yo no duermo y a todos he de dar mal sueño". Carmiña terminó no haciéndole caso y se sentó en un sillón del salón a leer su deseada carta.

Comenzó a leerla por tercera vez, porque al llegar a la mitad se daba cuenta de que no se había enterado de nada. Su madre y la bisabuela, que estaban en la misma habitación conversando, la distraían. Pensó encerrarse en el cuarto de baño para leer tranquila, como hacía antes, cuando recibía carta de Pepo. Tenía la impresión de que su madre lo hacía a propósito, para fastidiarla. Sabía que si se encerraba en su habitación, la interrumpirían con cualquier pretexto. La única alternativa viable era el cuarto de baño. Hizo una última intentona para no moverse del sillón, dándoles un grito. Se callaron sorprendidas.

–¡Mami, vete con la música a otra parte! Haz el favor de dejarme leer en paz.

Carmela se volvió hacia Mamita poniendo los brazos en jarras:

–¿Has visto que grosera está la niña? –protestó. Y levantando la mano derecha con el índice amenazante, añadió–: ¡Cuida tu deslenguamiento, jovencita, que pareces más una verdulera que una señorita!

–Lo siento. Ya sabéis que digo lo que pienso… sin pensar lo que digo. Esa es la forma que tengo de ser sincera, pero en sentido figurado. ¿Entiendes, Mami?

–¿Entenderte a ti? ¡Jamás! ¡Para nada!

–¡Que… te… jo…dan! –mascullo entre dientes.

–¡Jesús! –exclamó Carmela, haciéndose la tonta, y, como si no la oyese, preguntó–: ¿Decías algo?

–Nada… Mami –le contestó con exagerada calma.

Mamita se levantó resignada. Agarró por un brazo a Carmela y la llevó para otra habitación.

Comenzó de nuevo la lectura:

"Querida Carmiña: En poco espacio voy a tratar de contarte muchas cosas. Murió mi padre al poco tiempo de llegar nosotras, como si nos estuviese esperando. Mi abuela dio gracias a Dios por haberse decidido a venir en avión, pues de venir en barco no lo hubiese encontrado con vida. Gracias a Dios que pude convencerla. El viaje fue horrible. Pasamos por un montón de aeropuertos. Salíamos de un avión para meternos en otro, con mucho miedo. Pero llegamos… Me acordé mucho de ti y me hubiese gustado que compartieras mis experiencias. De mi padre ya te contaré cuando regrese. Me emocionó mucho conocerlo y me entristeció verlo tan enfermo, más que su muerte.

De Buenos Aires solo una palabra: ¡grandiosa! Y de los argentinos… que siguen llevando a Evita en el corazón. Es impresionante que pese a haber pasado tanto tiempo, la gente la recuerde con cariño. ¡La veneran! Estuve también en Córdoba, en la Pampa, en una estancia que compró mi padre... Ya te contaré... También conocí a un barbudo revolucionario de La Habana, amigo de Fidel Castro, que contó cosas horribles del sargento Batista y que, aunque decía no poder ver a los gringos, hablaba mucho de John Kennedy. Yo le hablé de ti y le di tu dirección. Quedó en escribirte.

Y conocí a Tomás. ¡Igualito que las gemelas!, y tal como decía tu madre con el famoso "me parece a mí, digo yo". No se separa de la abuela y se nota lo bien que lo están pasando. Acordaron dar la vuelta al mundo en un crucero, los cuatro. A mí también me invitaron, pero yo tengo que regresar a casa.

Che, piba... Me voy a poner mi peinadito Arriba España, con los guantitos, los topolinos. ¿Te acordás? Y salgo a encontrarme con un cubano barbudo para ir a bailar y marcarnos un tangazo... y allí viste, lo que decís vos, che, me chupo un roncito. ¿Qué decís, piba?

No me escribas, que siento morriña y regreso enseguida para estar con vosotros. Abrazos. Xana."

Carmiña quedó apabullada. Deseaba intensamente el regreso de la amiga. Cerraba los ojos y se imaginaba que disfrutaban juntas del viaje. Lo podía ver con claridad, como si fuese una película. Pero no era Buenos Aires lo que la atraía.. ¡Era Cuba! La Perla del Caribe, como la llamaba siempre Mamita. Y la señorial, aristocrática y deslumbrante Habana, que de tanto oír hablar de ella a la bisabuela, y de tanto mirar libros y mapas, ya conocía al dedillo. Sabía que, cuando la visitara algún día, se encontraría en ella como el viajero fatigado que retorna a su hogar. Pero había un pequeño problema, que, por supuesto, tenía solución, aunque no ahora: el dinero. Cada vez que mencionaba en casa su deseo de viajar, su madre le replicaba:

–¡Ya sabes el cuento! Sólo va y viene quien lo suyo tiene. Tú no quisiste estudiar, ni trabajar, y ahora pretendes ser de profesión "turista".

¡La desesperaba! Siempre tenía un refrán preparado para cada ocasión. Aunque sabía que podía reclamar una herencia de su padre, cuya existencia le había comunicado un bufete de abogados de Madrid, formada entre otras cosas, por una manzana de casas en el barrio de Chamberí. Cuando se le ocurrió comentar el asunto, su madre bramó amenazándola seriamente con echarla de casa si tocaba aquella herencia "maldita y en un barrio de putas"... Carmiña, muy intrigada, quiso saber los motivos de la irritación de su madre, pero nadie contó nada, aunque le preguntó a todos, incluso a Mamita, que solo le dijo que procedía de una tal Josefa, una antigua conocida de su padre, que se la había dejado en agradecimiento por una serie de favores. Pero Carmiña estaba segura que llegaría a saber la historia completa cuando se entrevistase con los abogados, cuya dirección guardaba como oro en paño. Allí estaba el dinero que precisaba para ir a Cuba. No dudaba que, en su momento, convencería a Perico para vender.

Se puso a reír para no llorar por la envidia que sentía de Xana. "Ahora resulta que me carcome la envidia. Es decir, ¡que soy una envidiosa!". Ese descubrimiento la disgustó mucho, porque siempre había desdeñado lo superfluo y todo aquello que no fuese necesario o imprescindible; y ahora resultaba que no era así. "No me entiendo... Soy una desconocida para mí misma... ¡Oh, Dios mío! ¡No me lo puedo creer!". Se afligía al pensar en su defecto recién descubierto, el peor, el más vil: la envidia. Culpó de todos sus males a las circunstancias. Y también al destino. Llegó a convencerse de que el destino, lo inevitable, era lo más importante en su vida. "¡Mi destino! Mi destino está en Cuba. Lo sé, lo sé... ¡Tengo que poner todo de mi parte para que se realice! ¡Lo conseguiré!".

Pero el ansia repentina de viajar le resultaba incomprensible. Surgió como una fuerte necesidad que presagiaba la meta de su vida, y que asomó acompañando a la envidia... Y le preocupaba, porque no le encontraba ninguna explicación. Lo más lejos de casa que había estado había sido en Madrid, después de conocer a Pepo. Comenzó a acalorársele la mente y experimentó los síntomas de lo que ella había denominado siempre como un "patinaje mental sobre un campo diarreico". Aquello acentuó su trastorno. El deseo de conocer su destino se fue haciendo más intenso, hasta que una idea peregrina pasó por su cabeza: "¿Y si le pidiese a mi madre que me eche el Tarot?". Todos le contaban lo maravillosamente que lo hacía, y a no ser que se pudiese negar lo que para otros era evidente, tendría que aceptarlo. El inconveniente era su madre.

Recordó cuando, siendo todavía una niña, su madre le había mostrado el mazo de cartas, viejas y deterioradas, diciéndole que fueron de sus antepasados y que serían para ella si aprendía. Reconocía que su respuesta había sido muy inoportuna: había soltado una carcajada y se había burlado de las viejas cartas, porque le molestó el tono y la importancia que les daba su madre. Y se negó a aprender a manejarlas. Carmela, muy dolida por su actitud, comentó lo ocurrido con Mamita, en tono despectivo:

–Nada, no hay forma. Yo pienso que, además de falta de interés, no reúne condiciones. ¡Es demasiado testaruda! Ocurre lo mismo que cuando quise que estudiase conmigo el solfeo para luego seguir los estudios en el Conservatorio. ¿Recuerdas? ¡Bah!

–¿Cómo no voy a acordarme después del escándalo que armasteis? Carmela, la niña es muy especial, y que aprenda lo que tú quieres o no, carece de importancia. La cuestión es que permanezca fiel a sí misma. Hará lo que se proponga, contigo o sin ti. Ya ves. La muy sabrosona toca el piano como los propios ángeles. ¡Y aprendió solita!

–¡Hasta toca sin manos! Yo la vi mover mentalmente el teclado sin mover lo que se dice un dedo... ¡Señor, señor! Esta hija me matará a disgustos.

–Domina totalmente sus poderes mentales. ¿Se le puede pedir más?

No había dicho nada, pero midieron sus fuerzas con una mirada, larga, osada, mantenida sin pestañear... Desde entonces las cosas se fueron colocando solas en su sitio. Aquella noche de la larga mirada, sintió por primera vez como una fuerza misteriosa la llevaba a través de los Océanos, a un país desconocido... ¡Ahora podía interpretarlo! ¡Era una referencia a su destino, a Cuba! ¿Y cuando soñó que la fusilaban por maoísta en plena revolución cubana? Estaba muy claro. Pero la noche de la larga mirada también había soñado que su madre era Mamita Carmen y que la quería tanto como la bisabuela.

–¡Pero eso sí que solo fue un sueño! –dijo en voz alta, al recordarlo.

Volvió a pensar en su destino. Descartó definitivamente el Tarot, porque aun siendo su madre la mejor echadora de cartas, no estaba dispuesta a darle esa satisfacción. Pensó en la Astrología, en la Quiromancia. La Astrología le atraía mucho más que cualquier otra cosa. "¡La Astrología! ¡Claro! Los astros inclinan, y si se interpretan bien se pueden deducir importantes conclusiones. Los astrólogos dicen que en la carta astral de cada persona figuran todas sus disposiciones congénitas. ¡Caray! Debe ser maravilloso conocer mi carta astral. Así no tendría que esperar el curso de mi vida para conocer mis propias tendencias. ¡Los astros me lo dirían! Me dirían lo que voy a encontrar en mi vida, mi particular". Resultaba un tema excitante e interesante.

En la biblioteca estaban los libros de historia que habían pertenecido a su padre y que leyó desde cuando prácticamente no sabía leer. Hablaban de la importancia que habían tenido en la antigüedad los oráculos basados en sueños y en astros. Recordó el llamado de Delfos, del que tuvo noticias cuando leyó en Heródoto las Guerras Médicas. ¡Qué bien lo había pasado con aquella parte de la Historia Antigua! Su fantasía la había llevado a divagar sobre Ciro, Creso y su hijo Alys. Llegó a soñar que acompañaba a Creso recorriendo ciudades en busca de los más famosos oráculos. Y que lo consoló por la pérdida de su hijo. Al llegar a Delfos conoció a la Pythia más famosa, la que los convenció para iniciar las Guerras. En el sueño estaba muy hermosa, con ropa de época, y Creso se había enamorado de ella convertido en su esclavo. A partir de aquel libro de Heródoto, su padre le solía contar historias, medio leídas y medio inventadas, cuando habían pasado el verano en Órdenes siendo ella muy niña. De él aprendió que los libros de historia eran los mejores para fantasear, mejores que los cuentos de *Las Mil y Una Noches* que ella siempre había encontrado demasiado rebuscados. Su padre ponía el toque de intriga con el "continuará mañana", siempre en el momento más interesante. Había resultado muy divertido aprender así. Tan pronto se lo permitieron, guardó el voluminoso tomo en su mesilla de noche y lo leía hasta quedarse dormida. Al terminarlo, lo sustituyó por otro, luego por otro.

Las historias de la gran magia y poder de los yorubas, por más que había intentado compartirlas, no dejaban de ser para ella historias infantiles e ingenuas, carentes del significado que le daban las mayores. Respetaba y quería mucho a Mamita Carmen, y por eso siempre la escuchaba... Pero estaba dispuesta a no dejarse arrastrar por aquellas bonitas historias, con las que siempre había tenido la impresión de que pretendían manejarla, y que de alguna forma influían en ella, aunque solo fuesen como un inconsciente familiar que la limitaba de una manera extraña. Para complacer a Mamita Carmen había aprendido los cánticos y rituales, y todo lo referente al collar de Ifá y al modo de interpretar sus presagios. Las ropas criollas, que tanto le habían llamado la atención cuando niña, llegó a encontrarlas deslucidas y viejas. Sin embargo, aprendió el modo y el orden en que debían de vestirse, el lenguaje criollo afrocubano, las oraciones, los conjuros, los nombres de los santos de las estampitas y… ¡poco más!

Aun cuando Mamita Carmen era la mejor vaticinando augurios y única presagiando cosas futuras, la mejor de todas las agoreras yorubas y no yorubas, nunca pudo olvidar que una vez que le había preguntado algo sobre el futuro de Pepo, le contestó tajante:

–Mira en tu interior. Ahí tienes todas las respuestas. A mí préstame atención de vez en cuando, hasta que dejes de necesitarme. Eres la más digna de todos mis descendientes y llevas la sabiduría dentro, Carmiña: ¡búscala!

Lo mismo había sucedido en sus conversaciones con Mamita Carmen sobre la magia. Cuando ella le decía que todas las personas tenían un poquito dentro, en la mente, la bisabuela, le respondía: "¿Y tus dotes? ¿Las tiene todo el mundo?". Carmiña contestaba diciéndole que lo que ella poseía eran simples, o no tan simples, dotes paranormales. "Cuestión de cerebro, Mamita. Yo lo tengo porque supe desarrollarlo. Además, los fenómenos paranormales ya son conocidos de muy antiguo. De ellos hablan: Szondi, Jung, Freud…". A lo que Mamita, sin decir una palabra, la miraba con una enigmática sonrisa.

Carmiña volvió a pensar en Xana. No podía creer que su carta fuese la culpable del malhumor y de la envidia que sentía. Cuando comenzó a leerla, se reía rabiosa, y ahora lloraba impotente. Las lágrimas, al resbalarle por las mejillas, le picaban, y se rascó con tanta furia que llegó a hacerse sangre. Se miró las uñas:

–¡Oh, Dios mío! No puedo creer que yo me hiciese esto. ¡Pues sí que debo estar guapa!

Fue al cuarto de baño a lavarse la cara y regresó a la habitación con una nueva preocupación que desplazaba las anteriores: aplicarse ungüentos para que no le notasen los arañazos. Recogió la carta de Xana de encima de la colcha mojada con las lágrimas que habían caído encima del sobre. Le resbaló y cayó al suelo. Lo pisoteó y se dio cuenta de que se había desahogado. Se miró el rostro en el espejo de la coqueta y, acariciándose la cara, dijo:

–No seré feliz hasta que me marche a Cuba. Allí está la clave de mi vida. Mi destino... ¡No debo de darle más vueltas! pero... ¡Oh, Dios mío! ¿Me encontraré allí con Pepo? ¡Seguro que sí! ¡Los dos estamos marcados de la misma forma! ¿Será él mi destino?".

Vio el sobre de color sepia encima de la coqueta. Era de la Inspección. Dudó si abrirlo o dejarlo para otro día, pensando en que por un día ya había tenido bastante. Pero terminó abriéndolo, y lo leyó con desgana.

–¡Qué...! ¿Será posible esto? –gritó enfadada.

Se sentó en el borde de la cama y volvió a leer. El Inspector le comunicaba que en la última sesión de la Comisión Permanente había sido nombrada una nueva maestra para la escuela de Folgoso a propuesta del Alcalde-Presidente de la Junta Municipal de Enseñanza y le rogaba que entregase la llave de la escuela en el Ayuntamiento. Añadía que, tan pronto llegase la maestra titular de la Argentina, se pusiese en contacto con la Inspección. Agradecía la labor que había realizado, y que consideraba muy acertada, que lo sentía que no pudiera continuar como sustituta, etcétera, etcétera...

–¡Hijo de perra! ¡Mañana mismo voy al Ayuntamiento! ¡Pobre Xana!

No dijo nada en casa, pero al día siguiente se marchó a la escuela. Lo pensó bien y no fue al Ayuntamiento; entregó la llave donde la había recogido Xana, en el bar de la carretera, y se trajo todo el equipaje y los enseres. Cuando la vieron llegar tan cargada, le preguntaron extrañados que pasaba:

–Nada. Hay una epidemia. Sanidad clausuró la escuela.

–¿De qué? –le preguntó Perico.

–De meningitis.

–¡Caray! Eso es grave.

–¡Ya lo creo!

Mintió porque no quería amargarle el viaje a Xana. Si decía la verdad, Perico armaría un lío en la Inspección, se lo diría a su mujer por teléfono y Xana vendría en el primer avión... Decidió que no valía la pena, que a lo hecho le podía poner el mismo remedio al llegar. Y esperaba que regresase pronto, como decía en su carta.

Dentro de unos días iban a celebrar el cumpleaños de Mamita, el centenario, y tenían que prepararle una gran fiesta. Los preparativos le hicieron olvidarse de todo.

-2-

El día que se celebró el cumpleaños de Mamita Carmen, su centenario, la casa fue invadida por los parientes, que desde muy temprano fueron llegando dispuestos a ayudar en lo que hiciese falta, porque esperaban la visita de mucha gente. Incluso de *La Voz de Galicia* habían pedido permiso para enviar un reportero a hacer una entrevista a Mamita Carmen. La tía Angustias trajo una gran tarta con diez velas de color rojo. Sobre el merengue estaba escrito "100 años" con fino hilo de chocolate. Como sabía que era muy mala confitera y se notaba que la tarta había sido elaborada en casa, Mamita le preguntó quien había hecho aquella dulce maravilla:

–Fue una de las compañeras que viven en nuestro piso.

–¿Por qué no la invitas?

–¡Ah! ¡No sabía si podía!

–¡Pues claro que sí! ¡Qué *caraho*! ¿No va a venir a probar la tarta la propia cocinera? Vete a buscarla.

Angustias salió apresurada en su busca. Todo eran felicitaciones, regalos, besos, abrazos. El teléfono no cesaba de sonar. Llamó Xana y habló un buen rato con Mamita y con Carmiña. Les dijo que llegaría la semana siguiente... "¡Oh, Dios mío! ¡Ya me tarda que llegues! Caray, que acento argentino tienes", le dijo Carmiña.

Por la tarde vino tanta gente a felicitar a la bisabuela, que no había sillas suficientes para todos. Tere trajo media docena de su casa y Laura otras tantas, y a pesar de todo no llegaron. Por la casa desfiló todo Monte Alto y toda la Ciudad Vieja... A muchas de las personas que llegaban no las recordaba nadie, y Mamita terminaba preguntándoles:

–¿Y tú de quién eres familia?

Fue descubriendo que se trataba de las hijas, nietas, biznietas o parientes de amigas suyas ya fallecidas, que se habían enterado que "la cubana cumplía cien años" y que se acercaban a darle un abrazo y también a escuchar sus famosas historias, en las que siempre se podía reconocer a alguien. También aprovechaban la ocasión para pedirle consejo, porque era mucha la fama que tenía Mamita Carmen de sabia y prudente. Su aspecto les admiraba. No esperaban encontrar en ella tanto desparpajo y agilidad mental. Percibían la nobleza de los rasgos de su cara, surcada con las arrugas de la bondad surgiendo de entre el humo del puro habano que no había dejado de fumar en todo el día. Mamita permanecía sentada en la mecedora de la galería charlando y riendo, sin mostrar el mínimo cansancio. La rodeaban todas sus vecinas, que ocupaban la galería y parte del salón; la otra parte del salón la ocupaba Carmela con sus amigas y maridos... Carmela se sentía la reina de este grupo, fumando Winston desenfadada y desenvuelta; el olor del tabaco rubio se mezclaba con el del tabaco negro de los hombres y del puro de Mamita, con lo que la gente que estaba en la galería no aguantaba allí más de una hora. Al poco tiempo les daba la tos, se marchaban y dejaban el sitio a otros. Los pocos que resistían terminaban con los ojos totalmente irritados. Nadie se atrevió a abrir la ventana, a pesar de que el aire se hizo irrespirable.

Los jóvenes habían subido al desván, para divertirse con el tocadiscos, haciéndolo sonar a todo volumen. Coreaban la música hasta desgañitarse. Los primos de Betanzos eran los más animados, haciendo honor a la fama de los betanceiros, que con una taza de *ribeiro* en la mano, siempre que hubiese un mínimo de dos juntos, entonaban canciones que se podían escuchar en muchos metros a la redonda. De todo el grupo, la mayor era

Esthercita, que estaba un poco alejada, de espectadora; tenía treinta y cinco años, y novio formal desde hacía quince; este la acompañaba a todas partes y ya era considerado como de la familia. Antonio, el novio, lo estaba pasando muy bien cantando, comiendo y bebiendo sin parar, hasta que terminó poniéndosele la cara de "manzanita colorada", como solía decirle Carmiña bromeando. Era el centro de la reunión cantarina. Presumía de fuerza en los pulmones y separaba de su lado a empujones a todo el que osase competir con él. De entrada arrojó a Perico hasta el otro extremo del desván, haciéndolo caer a los pies de Esthercita, que muy sonriente y amable le ayudó a levantarse, pero Perico, fastidiado, no pudo menos que decirle:

–¡Qué tío más bestia es tu novio!

–Es de los que se acaloran cuando se les sube la sangre a la cabeza –miró a Antonio y lo vio muy congestionado. Intranquila lo llamó–: ¡Toñito! ¡Toñito!

Toñito no pudo oírla porque estaba dando "el do de pecho", ante el silencio de todos, que lo miraban atentos para prestarle los primeros auxilios, ya que parecía estar al borde del infarto. Esthercita corrió a su lado y consiguió que dejase de cantar. Lo llevó a un rincón, lo hizo sentarse y le dio aire, hasta que se fue normalizando el color de su rostro.

También estaba Rosalinda, una pariente de Mamita Carmen que se había hecho muy amiga de Carmiña y con la que había intimado al marcharse Xana. Era la encargada de desempolvar los discos, seleccionarlos y ponerlos en el tocadiscos. Preguntó a Carmiña:

–¿Cuándo se casa Esthercita?

–¿Esthercita? ¡Esa no se casa! Llevan demasiados años tonteando. No se sabe cuál de los dos es el que no se decide, pero… se dice, se comenta, se rumorea… que por medio anda la tía Angustias comiéndole el coco para lo del Opus, y que Esthercita se está rindiendo.

–¡Ya! Pues es una lástima.

–¡Tengo una familia...! Mira los gemelos... Son famosos por su soltería. Están enamorados de dos gemelas de Puentedeume. Pero lo malo es que son unas niñas impúberes a las que sus padre no les permiten tener novio; pero... ¡Oh, el amor! Ellos dicen que están dispuestos a esperarlas todo el tiempo que haga falta, y mientras se entretienen con lo que pueden agarrar. Así han adquirido fama de locos...

Los miraron; estaban sentados entre Perico y Mario. Los cuatro eran abogados, y en aquel momento estaban poniendo a parir a la Justicia Española, bebiendo para olvidarse de lo desgraciados que eran los que se atrevían a entrar en la Audiencia. De pronto los arrolló la tremenda voz de Toñito que, recobradas las fuerzas, comenzó a cantar con nuevos bríos. Volvió al grupo y consiguió enzarzarlos en nuevas canciones... Pronto estuvieron otra vez gritando todos a pleno pulmón. Rosalinda cesó en su trabajo de poner discos y se dedicó a escuchar. Llegó Angustias con el aviso de que estaban esperándolos para hacer las fotos, dándoles prisa, porque también acababa de llegar un reportero de *La Voz...* para hacer un interviú a Mamita Carmen. Se apresuraron a bajar.

El periodista estaba hablando con la bisabuela, rodeada de gente que escuchaba con atención; Carmiña se sentó en los brazos del sillón de Tere, que le comentó en voz baja y al oído:

–Ese joven está muy bien informado de la vida y milagros de Mamita. Le hizo preguntas con retranca suficiente para parar un carro... ¡No te digo!

–¿Y Mamita?

–Fue genial en sus contestaciones.

Carmiña se levantó y se colocó en la primera fila para poder escuchar sin perderse nada.

El periodista estaba preguntándole:

–Después de tantos años aquí, ¿se siente usted cubana o gallega?

Mamita, con el segundo puro del día casi consumido en los dedos, se balanceó suavemente antes de contestarle con el deje y la calma que la caracterizaban:

–¡Ay, mi niño…! ¡Qué *caraho*! Te voy a ser franca. Cuando era niña y vivía en La Habana me llamaban la gallega porque mi madre era hija de gallegos. Ella me hizo sentir amor por la tierra de sus padres. Me casé con Pedro, un emigrado de La Coruña. Su última voluntad fue que trajese sus cenizas a San Amaro y que no me separase de él nunca. Por eso vine, mi niño, por eso. Y, como ves, cumplí la palabra, quedándome aquí el resto de mi vida… ¡Ay, qué *caraho*! Ya lo creo, ya lo creo. ¡Bueno!, y ahora en La Coruña me llaman la cubana y… ¡Claro!, siento nostalgia… ¡Cómo no!, pero estoy aquí…

El periodista comenzó a toser a causa del humo que envolvía a Mamita Carmen, y le preguntó si no tenía miedo a morir de cáncer de pulmón.

–¿De cáncer de pulmón dices? –Mamita miró a su alrededor, asombrada por la ingenuidad de la pregunta, originada por la asfixia que estaba padeciendo el joven. Rompió a reír–: ¡Ja, ja, ja…! Pero, mi niño… ¿Te das cuenta que tengo cien años y que he fumado desde… desde… ¡desde que me amamantó la mulata Florita arropándome con el humo de los mejores habanos de todita Cuba…! –Miró para lo que quedaba del suyo, y añadió quejumbrosa–: ¡Aquellos sí que eran buenos! Mejores que estos. ¡*Oyá*! ¿Comprendes el significado de esta palabra? Es cubana y quiere decir "esta es la recompensa". ¿Te das cuenta, mi niño?

–Me parece que sí.

–¿Te das cuenta que si no hubiese fumado tantos habanos no cumpliría los cien años? Y no estaríamos aquí tú y yo hablando…

Al joven le atacó otra vez la tos. Tan pronto pudo calmar su garganta, le preguntó a boca de jarro:

–¿Es usted adivina?

Mamita, que se había estado riendo de los apuros que pasaba el periodista con el humo, al oír la pregunta se puso seria y le contestó:

–Adivina, no. Yo soy agorera yoruba.

–¿Qué es eso?

–Algo mucho más serio que adivina. Los yorubas son unos feticheros de los negros africanos en Cuba, seguidores de la religión de Yoruba o Nagos, católicos. ¿Alguna vez oíste hablar de ellos?

–Sí, sí… –dijo el chico, pero su mirada decía lo contrario.

–Bueno, da igual. ¿Alguna vez estuviste por el Caribe?

–Todavía no –contestó el periodista.

–¿Y piensas ir?

–Me gustaría…

–¿No serás de los que dicen que en Finisterre se acaba el mundo?

–No.

–¿Conoces algo de Monforte para abajo?

–Bueno, no… pero…

–Pues pregunta tú ahora, que es tu oficio, joven, y a ver si espabilamos el aburrimiento.

El periodista, desorientado, para continuar la entrevista necesitaba reaccionar. Disimuló revisando sus notas.

–¡Ah, sí! ¿Vivió usted en la ciudad de La Habana?

–¡Sí, señor! ¡En la mismita y sabrosona Habana Vieja! Recuerdo que solía jugar en los muelles de la Plaza de Armas, cerca del castillo de la Real Fuerza y de la Fortaleza de San Carlos. ¡Ay, qué *caraho*! Me casé en la iglesia de San Francisco.

–¿Pertenecía usted a la aristocracia habanera?

–¡Mira que tienes gracia, joven! ¡Pertenecía y pertenezco! Mi padre fue plantador de caña de azúcar, muy rico. A su muerte continuó mi hermano con la plantación. Y mi familia no resultó afectada por la gran crisis del año veintinueve. Desde el siglo dieciocho…

–¿Conoce lo que pasó en Cuba?

–¿Te refieres a la epidemia de cólera o a la Guerra de la Independencia? ¡Eso fue hace muchísimos años!

–No, señora. Me refiero al triunfo de la Revolución de Fidel Castro.

–¿Qué dices, joven? ¿Vamos a hablar de eso? Verás, no me importa, porque algo he leído en los periódicos, pero poca cosa, porque ya veo muy mal… También algo escuché por la radio, pero poco, porque estoy dura de oído… ¡En fin! –El periodista sonreía contento por haber hecho una pregunta ingeniosa e inoportuna. Mamita decidió contestarla–: A mí me parece un buen chico ese Fidel Castro, y… ¿ves tú?, también desciende de gallegos. Bueno, jovencito, ¿quieres un daiquirí?

–No, muchas gracias, no se moleste.

–¿O prefieres un Cuba Libre? Te puedo ofrecer el mejor *rum* de toda Cuba.

El periodista no aceptó. "¡No sabe lo que se pierde!", pensó Carmiña, porque a ella le estaba apeteciendo. Todos tenían la impresión de que el joven estaba molesto. De repente le entró prisa por marcharse. Se notaba que se sentía incómodo. Y todos sabían que la causa era Mamita, que lo estaba manejando a su antojo.

–¿Económicamente, notó el comunismo del señor Castro?

–Verás, mi niño… Yo no sé si Fidel Castro es comunista. ¿Cómo lo voy a saber si no sé a qué se llama comunismo hoy en día? ¡Bueno…! La verdad es que con Fulgencio Batista había mucha corrupción, y no se estaba bien. Te preguntarás cómo lo sé… ¡Pues porque lo escuché por la radio! Antes de la Revolución mi familia se marchó para Miami y se llevaron su dinero del Banco de Cuba. Unas propiedades sí que perdieron –Mamita soltó un par de carcajadas–. Pero… ¡más perdieron ustedes en la Guerra de Cuba! ¿No es cierto? ¡Ay, qué *caraho*!

El chico dio por terminada la entrevista. Atolondrado, tropezó con Carmiña, que estuvo a punto de caer al suelo. Le pidió perdón y quedó mirando descaradamente sus ojos distintos. Exclamó en voz alta ante el asombro de todos:

–¡Qué guapa y extraña mujer! –Tartamudeando, le preguntó–: ¿Es... de...de... la... la... familia?

Carmiña se lo confirmó con la cabeza. Entonces le volvieron las extrañas prisas y estuvo a punto de caer. "Tiene miedo de nosotras", pensó Carmiña. Lo vio salir y escuchó cómo tosía por las escaleras. Carmiña se volvió a Rosalinda y le dijo:

–Ese chico va maldiciendo a la cubana y a toda su parentela.

A los dos días publicaron la entrevista de Mamita Carmen en *La Voz...*, convertida en una pequeña reseña, totalmente irreconocible. Sólo mencionaba la buena forma física y mental de la centenaria, y añadía algunas mentiras idiotas como que Fidel Castro no le gustaba nada, que había perdido muchas propiedades la familia, y cosas así. La primera en leerlo fue Carmela, y muy sorprendida les comentó la noticia:

–¡Es indignante! ¡Parece el anuncio del Cola-Cao, solo le falta el negrito feliz del África Ecuatorial! –repetía enfadada.

Perico estaba dispuesto a pedir explicaciones a la Redacción de *La Voz...*, cuando a Carmiña se le ocurrió mencionar:

–El chico tenía mucho miedo.

–¿Miedo? –preguntaron todos–. ¿De qué?

–De nosotros.

Se encogieron de hombros y siguieron hablando del mismo tema. Al mediodía les instalaron una televisión que había comprado Carmela con el pretexto de distraer a la abuela... aunque todos sabían que era un capricho suyo porque Laura y Tere ya hacía tiempo que la tenían, y se olvidaron del periodista.

La estrenaron con el telediario de la noche, y se enteraron horrorizados del asesinato del presidente Kennedy. Con aquel suceso trágico quedó marcado el estreno del televisor.

Posiblemente fue lo que originó la irritación y el malhumor de Carmela, que repercutieron en Carmiña. Su enfrentamiento con la madre se manifestó con más fuerza que nunca. Y pensó seriamente en marcharse de casa... pero estaba Mamita, única que la retenía, y no tuvo el valor de hacerlo.

Un tiempo después, entre madre e hija, surgió el instante más crítico de su relación. Carmiña le llevaba una carta de Xana, y la encontró ausente, absorbida atendiendo la televisión, que estaba comentando el informe de la Comisión Warren. También ella prestó atención. La Comisión estaba estudiando el asesinato del presidente y afirmaba que Oswald era un enfermo paranoico agudo, que había actuado en solitario. Carmela comentó en voz alta:

–Los locos deberían estar encerrados.

–¿Es que crees todo lo que dice la gente? –le dijo Carmiña. Señaló la televisión con el dedo–. ¡Eso es una mentira, para que lo sepas!

La madre hizo un gesto de sorpresa, como si acabara de verla. Le respondió indignada:

–¿Pero qué hablas, criatura? ¡Tú sí que eres una mentira! ¡Venga ya! Mírate al espejo y dime a quién representas con esos andrajos. ¡Pareces una basura!

–¡Oh, Dios mío! ¡No me lo puedo creer! –Carmiña cruzó los brazos y se puso delante de la televisión–. ¿De verdad somos madre e hija? ¿No me habrán colocado los dioses a tu lado para que te lo creas?

–¡Separa!

–¡No me da la gana! ¿De verdad eres mi madre?

–¡Sepárate!

–Ya te dije que no quiero. ¡Contéstame!

La madre se puso de pie, levantó la mano moviendo amenazador el índice ante los ojos de Carmiña, y le gritó:

–¡Largo de aquí!

–¿Qué? ¿Me estás echando de esta casa? ¡Venga, dilo, venga! Alguna vez en tu puñetera vida, ¡di lo que piensas, joder!

Carmela se daba cuenta de lo peligrosa que resultaba la discusión y de lo imprevisibles que podían ser las consecuencias, pero era más fuerte el impulso de contestar que la razón.

–¡Ah! ¿Quieres que diga lo que pienso? ¿Quieres que diga lo que pienso de ti? –No paraba de agitar el dedo ante su cara, por el nerviosismo que se había apoderado de ella–. ¿Acaso lo ignoras, con lo sabia que tú eres?

–No, pero quiero oírlo de tus labios.

–¡Aparta! –Carmela jadeaba y, para terminar la conversación, volvió a sentarse.

–Pues verás… –insistió Carmiña mientras se dirigía a la puerta. Se volvió para rematar la discusión–: Lo siento, Mami. Nunca perdí la esperanza de entenderte pero… creo que ahora no importa. Voy a dejar bien claro que, por más que te empeñes, no me marcho de esta casa porque es la de Mamita y ella no quiere que me vaya. Cuando llegue la hora de irme, me iré y nadie lo podrá impedir. Desde luego, ¡entérate!, no lo haré mientras Mamita esté viva. ¡Después, te quedarás sola, porque eres insoportable! ¡Hasta Perico se cansará de ti! –Se estiró cuanto pudo. Vio a la madre levantar la barbilla con altivez, en un gesto conocido, y añadió para terminar–: ¿Sabes qué te digo, Mami? ¡Escúchalo bien! ¡Que… te… jo…dan!

Carmela apretó rabiosa los puños, escondiéndolos para que la hija no lo percibiese. Sabía que se iría y que no tardaría mucho en hacerlo, porque presentía el fin próximo de Mamita. Y entonces se quedaría con Perico y Xana, hasta que se cansaran de aguantarla. Eso era lo que la irritaba y volvía inaguantable, saber que su hija tenía razón. No iba a poder soportar la soledad, que por desgracia había sido la odiosa e inseparable compañera de su vida.

Carmiña fue a la galería a sentarse con la bisabuela, que las había oído discutir. Fumaron entre las dos, en silencio, el más grande de sus puros habanos, que Mamita guardaba para una gran ocasión. Le pareció que había llegado el momento.

-3-

Carmela entró en la habitación de Carmiña sin molestarse en llamar, para decirle que Mario la esperaba en el salón con Perico. La encontró acostada, muy deprimida, y notó que para levantarse hacía un gran esfuerzo; daba la impresión de estar muy apenada. Aquella misma mañana se encontraba normal, cuando le entregó dos cartas que le acababa de dar el cartero y que supuso felicitaciones de Navidad. Por lo visto no lo eran, ni buenas noticias. Ahora estaba segura de que por lo menos una había sido de Pepo. Y también debía de echar mucho de menos a Xana, que siempre estaba anunciando que regresaba, pero seguía en Buenos Aires resolviendo los problemas que se le plantearon con la herencia del padre. En su última carta prometía venir para Reyes.

Carmiña entró en el salón aparentemente recuperada. Mario la miró sorprendido:

–¡Pero si estás preciosa! ¿Qué te hiciste en los ojos?

–¿En los ojos? ¡Nada! Solo son… llamas que arden. ¿Querías verme? –dijo mirando a su hermano e indicándole con la mirada que se fuera. Perico los dejó solos.

–Quería quedar contigo para ir al cotillón de Fin de Año. ¿Vamos a la Hípica… o al Casino?

–Me da lo mismo. Escoge tú.

–Bien. Pues mañana, después de tomar las uvas, ponte deslumbrante que vendré a raptarte –se le acercó tanto que su aliento le rozó el rostro; ella dio unos pasos atrás, rechazando la proximidad.

–¡Amigos, Mario! Nada más. Estoy enamorada de Pepo…

–Pues sé buena y no me lo recuerdes. ¡Pepo! ¡Pepo! ¡Encima de tomar las de Villadiego…! Ya ves que no pierdo la esperanza. Las viudas también se casan, sobre todo las viudas de novios…

–Pero… ¡Qué modo de hablar es ese! Mario… ¡No sé cómo te soporto!

–Me soportas porque me amas.

–¡Déjalo! ¿Quieres?

Se despidieron. Mario se fue silbando la marcha nupcial. Ella quedó fastidiada por sus bromas. Pensó que tenía muchos defectos, pero también reconoció que era muy apuesto y con la gran virtud de serle un incondicional, por lo que su vanidad femenina quedaba satisfecha.

La noche de San Silvestre siempre le había resultado odiosa. En casa la celebraban al estilo caribeño, año tras año, y la ceremonia le aburría soberanamente; le llamaba mucho más la atención el jolgorio que veía desde la galería y que bajaba hasta la Puerta Real. Sin embargo, este año Carmiña era la más interesada en el ritual del Caribe para poder pedir sus tres deseos.

A la hora de preparar las cosas, no protestó, y todos la miraron extrañados. Colocó el paño de seda color nieve pura, lo extendió acariciándolo muy complacida por el agradable tacto, puso sobre él las velas y los claveles blancos, metió la miel en el tarro de barro y preparó todos los lazos azules y verdes. Estaba tan atareada que hasta olvidó arreglarse. La melena le molestaba en la cara y la ató con una pañoleta blanca de la que se escapaban los rebeldes rizos negros, empeñados en metérsele en los ojos. Increíblemente no se enfadó… Tenía puestos los pantalones tejanos y el jersey grueso de lana que le había tejido Mamita, a juego con los calcetines que le servían de zapatillas. Cuando tuvo todo preparado, cruzó los brazos y miró a su alrededor retadora y triunfante; los vio observando su ajetreo. Perico, desde una esquina, le hizo un gesto de aprobación que la molestó, y rápidamente contestó echándole la lengua. Carmela le sonrió con timidez... Mamita estaba en la mecedora limpiando el rosario de barrueco sin dejar de mirarla, sumamente complacida. Todos se mostraban encantadores y eso le hacía sentirse molesta...

Después de tomar las uvas, guiándose por las campanadas del reloj de la Puerta del Sol de Madrid, que estaban viendo por la televisión, quemaron los lazos, recogieron las cenizas e invocaron a la Virgen del Cobre. Se dieron los obligados abrazos deseándose suerte, prosperidad, salud y amor. Carmiña tenía el rostro arrebolado por el deseo de creer en toda la magia fantástica del ritual para la protección familiar. Y llegó la hora de pedir los tres deseos. Hizo trampa y pidió las tres veces el mismo: Pepo.

Una vez concluido el rito, era cuando la dejaban salir con Mario, que siempre llegaba en el momento de los brindis con el champán; les autorizaban a salir siempre con la condición de regresar antes de las tres... Brindaron, y se fue a su habitación a vestirse de "tiros largos", llevando con ella la copa de champán bien llena... que al terminar volvía a llenar en el comedor... Deseaba alegrarse para que no se le notara la tristeza que sentía por las ausencias de Pepo y de Xana. Llegó Mario y la encontró muy alborotada. Al salir, Carmela les hizo las inevitables recomendaciones:

–No vengáis tarde. Cuidaros de los gamberros.

–¡Que... te... jo...dan! –dijo entre dientes, pero Mario le recriminó al oírla.

–¿Por qué la tratas así?

–¡Oh, Dios mío! ¿Por qué va a ser? ¡Porque le gusta! Entérate: Es masoquista y le encanta sufrir. Yo le ayudo. ¿Vale?

Salieron. Carmela quedó crispada, con la mirada en el suelo; le rodaron unas lágrimas por las mejillas y, sin molestarse en secarlas, se fue a su dormitorio y se acostó.

Sustituyeron el salón de baile del Casino por la Parrilla del Hotel Embajador, que tantos recuerdos traía a Carmiña. Allí encontraron a todos sus amigos. Se besaron, se felicitaron, se rieron, bebieron, siguieron bebiendo, se dieron empujones, pisotones... Mario comenzó a sentirse incómodo y quiso ir a otro sitio, pero ella, agarrada a su hombro y a su cuarto Cuba Libre, gritaba que el buen *rum* era lo mejor que tenía Cuba, y no quería marcharse. Mario escuchaba sus lamentaciones sobre lo bien que lo estaba pasando Xana en la Argentina, hasta que terminó llorando sobre él. En la oscuridad y con ella encima, Mario no pudo resistir y le metió mano como un vulgar donjuán. Carmiña, en su llantina, se mostraba muy sensual y provocativa, y a él le comenzó a crecer el pene. Le dolía contener aquel enorme apetito jodedor. Decidió sacarla de allí y llevarla a un Night Club de la calle Vizcaya para que viese un espectáculo erótico que la animase de una vez a hacer el amor, porque las medias tintas ya no le valían. Carmiña estuvo mirando el espectáculo con sorpresa durante un rato, luego se acomodó en sus brazos y se quedó dormida. Se le escapaban pequeños, pero fuertes ronquidos, que sobresalían sobre la música haciendo que la gente los mirase. Mario, avergonzado, decidió llevarla a casa... a su pesar. Le resultó muy difícil, porque no era capaz de sostenerse en pie.

Al día siguiente Carmiña no recordaba nada; sabía que había bebido mucho porque sufría una fuerte resaca. Perico se enfadó con Mario por haberla llevado al Night Club de peor fama de toda la Coruña; Mario se disculpó alegando que habían bebido demasiado. Todo quedó en un disgusto y en la promesa de que no había pasado nada, pero que, de todas formas, no volvería a ocurrir.

La resaca le duró un par de días, que se pasó pensando en Cuba, en el barbudo revolucionario y en su destino. Y tomó la decisión de ir a consultar a una *meiga* muy famosa que había en una aldea cercana a Abegondo.

Era una viejecita de aspecto muy agradable, de una suavidad increíble. Despedía paz y tranquilidad. Por algún gesto imperceptible para Carmiña, de alguna extraña manera, le recordó a Mamita Carmen. La recibió en la cocina, entre ajos machos colgados de la *lareira*, a la luz de numerosas velas y de unas llamas muy vivas que abrazaban un *pote*, que pendulaba, bullendo a todo bullir, colgado de una gruesa cadena ennegrecida y *enferruxada*. Llevaba puestas unas minúsculas gafas que apoyaba sólo en la punta de la nariz y que le permitían mirar por encima. Se engalanaba con un collar de semillas y caracoles, parecido al de Ifá de Osunda que guardaba Mamita en el desván. Carmiña, al llegar, se sintió cohibida, pero adquirió rápidamente confianza, como si supiese de antemano lo que iba a encontrar. Le dio la impresión de que se conocían y no se sorprendió… Buscó con la mirada las manos de la anciana, pero las escondía bajo un mandil negro. Se le acercó poco a poco, con una sonrisa en los ojos, y cuando estuvo a su lado la mirada se le cambió por otra de asombro. Le dijo bruscamente:

–¿A qué *caraho* vienes? –Carmiña dio un respingo y aclaró sus ideas. Era una yoruba cubana–. Tú sabes más que yo, sólo tienes que escucharte –con gesto de complicidad, continuó en voz baja–: Enséñame el trébol…

¡Le estaba preguntando por el famoso trébol de cuatro hojas que nadie le había visto!, excepto Pepo, que tenía otro igual y en el mismo sitio… Aquel era su secreto mejor guardado. No se lo había dicho ni a Mamita Carmen. Quedó turbada durante un instante, pero una fuerza misteriosa hizo que se lo mostrase. Vio a la anciana dentellear con un tembleque o ansioso, y, sacando una mano del mandil, se la paso trémula sobre la piel del trébol sin apenas rozarlo, con el mismo cuidado que pondría en el más sagrado ritual la más competente de las sacerdotisas. ¡La estaba venerando! Carmiña se sobrepuso, se cubrió el pecho, se sentó y después le preguntó:

–¿Qué significa?

–¿De verdad no lo sabes?

–No.

–¡Poder! ¡Mucho poder! Y suerte, ¡mucha suerte! La persona que tenga el trébol de cuatro hojas vencerá y retornará con sus antepasados que le están esperando en el reino de Osunda. Tu mayor deseo es encontrarte con él y así será, porque tienes el camino trazado... ¡Irás! –De repente se echó a los pies de Carmiña y, quejándose como un animal herido, le pidió–: ¡Bendíceme! ¡Te lo ruego! ¡Te lo ruego!

Lo que pasó luego no tenía explicación, pero ocurrió. Carmiña sintió que se elevaba en el aire y quedó suspendida, flotando, lejos del suelo y rozando el techo. Una luz le rodeó dándole calor, mucho calor... y la iluminó, haciéndola etérea, transparente. No podría precisar el tiempo que duró la levitación, pero sintió que descendía lentamente hasta el suelo. La anciana se levantó frotándose los ojos una y otra vez. Extendió las manos tanteando hasta el sitio donde se encontraba Carmiña, quien pudo darse cuenta de que estaba ciega.

–¡Oh, Dios mío! –dijo Carmiña, muy afligida.

–¡No te asustes! Después de verte no puedo ver nada más. Así tiene que ser y así es. ¡Vete!

Se marchó muy preocupada por lo sucedido. Más adelante consiguió aclarar la sensación que siempre había tenido de ser manejada, utilizada, por una fuerza misteriosa e incontrolable. Explicaba su rebeldía ante la madre, que era una persona de carácter autoritario, y por ello le producía sensación de ahogo. En cambio Mamita era la otra cara de la moneda, avalaba su libertad. En ningún momento dudó que esto era así, sólo que lo repetía demasiadas veces, como si tuviese que convencer a alguien. "¿A quién?", se preguntó.

Estaban todos reunidos tomando café en la tertulia posterior al almuerzo, cuando les informó que estaba aprendiendo a conducir en la academia Marte, con su amiga Chiruca. Después de decirlo, todos se quedaron mirándola petrificados, sosteniendo ridículamente en el aire las pequeñas tazas de la que, por el momento, habían renunciado a sorber el humeante líquido. La miraban sin pestañear, lo que le causó humillación e indignación. A punto de romper a llorar, se levantó muy nerviosa, tirando la silla... Aquel ruido pareció despertarlos. Posaron las tazas al mismo tiempo en sus respectivos platillos y comenzaron a hablar todos juntos de otros temas. Para Carmiña resultó increíble el espectáculo; recogió la silla y volvió a sentarse. Sabía que la iban a ignorar y que no le dirigirían la palabra a pesar de tenerla en mente. Que nadie le iba a decir nada. Estaba dispuesta a esperar hasta que hablase la bisabuela, porque sería lo único que valdría la pena oír. Pero a Mamita le aburrió pronto aquel diálogo de sordos y, mostrando su desinterés, la cogió por un brazo y se fue con ella a la galería.

–Me alegro –le dijo–. Hoy en día una mujer que se precie de ser moderna, como tú lo eres, tiene que saber hacer cuatro cosas: nadar, escribir a máquina, bailar y... conducir. Mi regalo de Reyes será un coche. Vete pensando cuál.

–¡Oh, Dios mío! ¡No me lo puedo creer! El que tú quieras, viejiña, el que tú quieras...

Carmiña le acarició la arrugada y delgada mano, surcada por gruesas venas azuladas. Mamita, como ya era costumbre, compartió su puro con ella.

Aquella tarde se reunió el clan familiar, que formaban Mamita Carmen; las tías Laura y Tere con sus maridos, Carlos y Sindo; y la madre con el hijo. Carmiña asistió a la reunión desafiante. Desde un principio la ignoraron y ella, después de observarlos un momento, se decidió a divertirse con un juego que había inventado de niña. Consistía en pensar que era invisible, totalmente invisible para los que la rodeaban, y esta vez le resultó fácil, porque así estaba ocurriendo. Tenía que permanecer quieta como un mueble, al que la costumbre de verlo ocupando siempre el mismo espacio hacía que se lo ignorase. "¡Bien!, ya estoy lista. ¡Que comience el juego!", se dijo. Era evidente que en el clan había dos bandos: los del "sí", formado por Sindo y Carlos, que capitaneaba Mamita Carmen; y los del "no", en el que estaban Tere, Laura y Perico, capitaneado por su madre. Casualmente, o quizá no tan casualmente, se habían sentado los afines juntos y un bando frente al otro. Ella, como no la veían, puso su silla en un lugar estratégico de la habitación, para observar y seguir el peloteo. Unas iban, otras venían, haciéndola mover la cabeza rítmicamente de derecha a izquierda. Algunas respuestas eran muy ingeniosas y le daban ganas de aplaudir. Comenzaba a dolerle el cuello cuando se agotó el tema, dando paso a un fastidioso debate sobre el exceso de libertad que tenía actualmente la mujer.

–Por ejemplo Carmiña –dijo su madre, atacándola–. Es contestataria y usa su libertad como libertinaje –pero pronto perdieron el hilo de la discusión y olvidaron el tema.

Pasaron a los chismes, de los que su madre era tan devota: que si fulanita había casado a la hija por todo lo alto y sin tener recursos; que si menganita... "¡Bla, bla, bla!", pensó Carmiña. Estaban fumando cada uno su marca de tabaco y llenaron la habitación de un humo que llegó a hacerse irrespirable. Carmiña abrió la ventana de par en par y salió al exterior una bocanada negra y densa que llamó la atención del soldado de guardia en el Palacio de Capitanía. Carmiña, al verle su cara de susto, soltó una carcajada que nadie escuchó, excepto el soldado, que le sonrió. Cuando regresó a su silla, comenzaron las despedidas:

–Debe de pensar que es pan comido lo del carnet. Yo lo saqué a la segunda vez y cada día lo ponen más difícil –dijo Perico–. Además las mujeres son un peligro en la carretera, siempre pendientes de su peinado y mirándose en el espejo retrovisor...

Se puso furiosa y lo interrumpió a gritos:

–¡Perico! ¡Estás mucho más guapo con la boca cerrada! ¡Sería mucho mejor… repelente niño Vicente! ¡Oh, Dios mío! ¿Quieres que hable yo un poco? ¡Pues escucharme todos! –Lo señaló con el dedo–. Ese hipócrita suspendió la primera y única vez que se examinó. –La miraron como si estuviese loca–. ¡Sí, sí…! Como lo estáis oyendo. Luego pagó a un "chorizo" para que se examinara por él y… ¡A ver quién es el peligro en la carretera!

Aquellas acusaciones causaron impacto. Todos se volvieron hacia Perico que, humillado, se marchó a la calle dando un portazo. Carmiña cruzó los brazos y los retó con la mirada. La madre tuvo que sentarse hasta que pudo decirle:

–¡Qué barbaridad de criatura! Vas a terminar con mi salud. ¡No puedo soportarte! No haces nada en todo el día y no sé lo que pretendes. –Se dirigió al grupo–: ¡Terminará soltera como Angustias! Puede que sea hereditaria la tendencia.

Carmiña no pudo aguantar la comparación y le contestó, mucho más irritada:

–¿Te atreves a compararme con la jodida opusiana? ¡Me voy!

Se despidió de los tíos intentando controlar su tirantez y se retiró a su habitación. Desde ella siguió escuchando las lamentaciones de su madre, que había subido el tono para que no dejase de oír lo que decía. Furiosa, se tapó los oídos con los dedos, se tumbó en la cama y metió la cabeza bajo la almohada.

Entró en casa llena de júbilo, gritando a los cuatro vientos para que todos se enterasen:

–¡Ya tengo carnet de conducir!

Parecía que no había nadie en casa. Fue a la galería, pero tampoco estaba Mamita. Miró la fotografía de su flamante carnet y admitió que estaba irreconocible, pero era ella con su nombre, su dirección. Pasó la mano por la frente en un gesto inconsciente que simbolizaba todo el esfuerzo y los dolores de cabeza que le había costado conseguir aquel papelucho con su horrorosa foto incluida y sus datos personales...

"Pero ya tengo mi carnet de conducir... Y se lo voy a pasar a Perico por delante de sus asquerosas narices... Aunque no me hable... ¡Me da lo mismo!". Lo encontró en el desván clasificando sus monedas. Se lo enseñó, moviéndolo en el aire:

–¿Ves? ¡Míralo! ¡Es mi carnet de conducir!

Perico se encogió de hombros con desdén.

–Cuando salgas a la carretera, avísame para no cruzarme contigo.

–Descuida, así lo haré.

Unos días antes de Reyes, Mamita le dio el dinero para comprar el coche: un seiscientos gris descapotable. Sus amigos le regalaron muchos accesorios, desde el San Cristóbal de plata, hasta la pegatina que decía "no me toques el pito que me irrito", que sacó inmediatamente.

Cuando lo condujo por primera vez, no quiso que la acompañase nadie. Pensó en ir hasta Sada para cogerle la mano. En Cuatro Caminos estuvo a punto de calársele el motor. Le parecía que los conductores de los otros coches hacían todo lo posible por ponerla nerviosa y, como si no supiesen decir otra cosa, le repetían:

–¡Una mujer al volante! ¡Dónde vamos a parar!

A su lado se puso un Renault Cuatro-Cuatro, ocupado por tres chicos, que bajaron las ventanillas, y uno, sacando la cabeza fuera, le dijo:

–¡Eh, muñeca! ¿Te vienes con nosotros? Te podemos enseñar muchas cosas... ¡Y también a conducir!

Intentó ignorarlos, pero la persiguieron por la Avenida del General Sanjurjo, hasta que hizo que les reventara una rueda; así tuvieron que parar, maldiciendo a gritos. Carmiña recuperó la calma, sonrió y admitió la parte de culpa que le correspondía en el pinchazo… Continuó hasta el Mirador de los Castros, en donde un guardia de tráfico le mandó parar. Cuando quiso arrancar, como estaba en cuesta, el coche se le iba hacia atrás. Lo volvió a intentar con el freno de mano y se armó un lío. Detrás se fueron acumulando coches que, cada vez que rodaba unos metros, toda la cadena de vehículos tenía que dar marcha atrás al mismo tiempo. Cuando se cansaron de aguantar su inexperiencia, comenzaron los insultos, los fuertes pitidos de los cláxones, los gritos… Consiguió salir del trance, sin la menor rozadura en la carrocería, pero chorreando sudor.

–¡Mujeres! –decían al adelantarla.

Tendría mucho cuidado en no volver por allí hasta adquirir más soltura. Pasó el día entre sudores y con las mejillas al rojo vivo. Los nervios tuvieron mucha culpa… pero más el llevar la calefacción encendida al máximo en un día soleado, sin darse cuenta.

-4-

A finales del mes de enero regresó Xana de la Argentina, pero, como había dicho tantas veces que venía, sin hacerlo, nadie la esperaba. Por eso su llegada fue una sorpresa; como también lo fue su aspecto: estaba irreconocible... La gran estancia que había heredado de su padre le proporcionó mucho dinero y con ello pudo cumplir todos sus caprichos y adquirir la última moda, que tenía guardada en tres grandes baúles, que no llegarían hasta el mes siguiente, en un trasatlántico. Pero lo más reciente lo traía con ella en la maleta. Apareció muy enjoyada, moviendo las manos constantemente para que sonasen las pulseras al rozarse y no dejase nadie de verlas. Carmiña, deslumbrada por tanto oro y pedrería juntas, exclamó:

–¡Pareces el escaparate de la joyería Malde!

Traía la cara muy maquillada y vestía de gran dama; se había hecho un corte de pelo que recordaba la redondez de un orinal, con el flequillo cayéndole sobre la nariz, en redondo desde la nuca. Debía haber mezclado el perfume Chanel Nº 5 y la laca del pelo con excesiva abundancia, con la consecuencia de un olor verdaderamente repugnante.

Después de estar contando anécdotas sin parar durante dos días y sus noches, y de hablarle a Carmiña del barbudo cubano hasta marearla, le confesó que le había dado su dirección y que estaba interesado en escribirle, por si se animaba a visitar el Caribe.

–El día menos pensado recibes su carta –le dijo.

–Hablando de cartas… Recibí un oficio de la Inspección, de tu querido Inspector… Y tú tienes otra carta. Perdona que no te lo haya dicho antes, pero no quise amargarte el viaje.

–¿Qué? ¿Ocurrió algo? ¿Qué te dice en el oficio? –le preguntó alarmada.

–Pues el muy cínico me pidió la llave de la escuela, disculpándose con la Junta Municipal.

–¿Ya no vas a la escuela? ¿Se la entregaste? ¿Por qué hizo eso?

–¡Xana! ¡Y yo que sé! No. No voy a la Escuela. Y traje todo lo nuestro antes de entregar la llave. ¡Ya está todo hecho! Ahora dime lo que te escribe a ti el muy cabrón.

Le entregó la carta. Xana se puso a leerla. Antes de terminarla se sentó con la boca abierta, mirando a Carmiña.

–¿Qué dice?

En vez de contestarle, le dio el oficio. Carmiña lo leyó y también se sentó de golpe.

–Pero esto es una auténtica cabronada… Cuando recibí su comunicación pensé que no les interesaba que hiciese yo tu sustitución, porque no tenía título de maestra, y que eso era todo. Pero de eso a esto… No entiendo cómo se atreve. Tranquilízate, Xana. ¡Tenemos que consultarle a Perico!

–A Perico no quiero contarle nada.

–Pues entonces a otro de la familia, que abogados no nos faltan.

–No sé, no sé. Lo primero es ir a hablar con ese señor para que me aclare el asunto.

–No me agrada nada, pero te acompaño.

–Prefiero ir sola. No te preocupes, después de lo que dice aquí… voy preparada para cualquier cosa.

Carmiña leyó de nuevo la carta. Tenía toda la oficialidad que le daba un sello de la Inspección con número de Registro de salida y fecha:

Comunico a Usted que tiene quince días a partir de la fecha, para tramitar su excedencia en el Cuerpo del Magisterio Nacional. De no hacerlo así, esta Inspección se verá obligada a presentar contra Usted Pliego de Cargos por haber abandonado la Escuela de que es titular.

–Te dije que no te fiaras, que era muy falso –le recriminó muy enojada.

Xana, muy afectada, trató de disimular su disgusto y, pasado el primer momento, comenzó a resignarse.

–No tengo opción. Tendré que pedir la excedencia. Hay una especial para las maestras casadas que...

–¡De eso ni hablar! ¡Tienes que pelear por tu carrera! ¿O es que ya no te gusta como antes? Él te manda un pliego de cargos y tú presentas otro de descargos...

–Pero... Estoy pensando que... Quizás me convenga la excedencia de casada por dos años y así me tomo unas vacaciones. Luego reingreso...

–¡No seas tonta! ¿Vas a permitir tanto atropello? ¡Que te hubiese negado el permiso! Lo solicitaste oficialmente y te lo concedió.

Carmiña notó rara a su amiga, pero como desde su llegada de la Argentina le parecía cambiada, no le dio importancia. Al día siguiente, Xana salió sola, muy temprano, a hablar con el Inspector.

Durante el trayecto no pudo alejar de su mente la "espada de Damocles" que pendía sobre ella desde que había dejado al Inspector aquel folio firmado en blanco. Pero como había estado más días de permiso que los solicitados en principio, dio por hecho que el Inspector cumpliría su promesa. Ahora sospechaba que no. Se preguntaba por qué.

De nuevo se encontró en la salita y de nuevo tuvo que esperar cerca de tres horas. Ya pensaba irse cuando apareció el

Inspector, que esta vez ni le preguntó cómo estaba ni se disculpó por la tardanza:

–Ya era hora de que diese usted señales de vida. –Sacó su arrugado pañuelo y se limpió las comisuras de los labios y las sudadas manos. Ni intentó estrechar la de Xana. Sin levantar la vista del suelo, y escondiendo la cabeza entre los hombros, continuó hablando y salpicando con su saliva–. Supongo que viene dispuesta a pedir la excedencia.

–¿Por qué? –preguntó Xana, dando un paso hacia atrás para evitar las salpicaduras en la cara.

–Porque... se ha tomado más días de permiso de los solicitados, sin molestarse en justificarlos...

Xana lo interrumpìó y le aclaró:

–Lo llamé por teléfono y hablé con usted. Supongo que se acordará. Me dijo que no había problema, porque tenía el folio firmado por mí. ¡Hasta tuve la impresión de que tenía interés en que no me apurase!

–Claro, claro. A usted le pareció. Pero no era así, claro, como puede usted ver.

Al ver la actitud del Inspector, Xana le pidió tajante:

–¡Le ruego que me entregue inmediatamente el folio en blanco con mi firma!

–Precisamente, y sintiéndolo mucho, no puedo, porque la usaré en su contra si usted no pide la excedencia.

A Xana comenzaron a temblarle las piernas y tuvo que sentarse.

–Es usted un miserable. ¿Qué hará con mi firma?

–Tranquilícese, hijita. ¡Lo que se me ocurra! Pero si usted pide la excedencia, no haré nada.

–¿Me devolverá a cambio el documento?

–Claro, claro. En el momento en que me entregue la instancia, mano por mano –se secó de nuevo la boca y las manos, guardando el arrugado pañuelo en el bolsillo del pantalón. Con la vista baja, se frotó las manos diciéndole–: ¡Pues téngalo preparado para mañana!

Xana se levantó airada.

–¡Buenos días! –le respondió.

Salió disparada, porque no podía soportar más la presencia de un individuo tan rastrero y baboso. Escuchó su voz desde el final del pasillo:

–¡Ay, Dios mío! La pobre no tiene educación. Je, je, je…

Ya en la calle, respiró profundamente. Sentía un fuerte dolor de estómago y entró en el primer café que encontró a mano para tomar una infusión de manzanilla caliente, que le revolvió las tripas y la obligó a ir a los lavabos a vomitar. Pero el asco no dejó de sentirlo durante todo el día. "¡Y tengo que volver a verlo mañana!". Solo de pensarlo le volvía el dolor de estómago.

Carmiña la esperaba impaciente; le preguntó por la reunión.

–¡Me han hecho la mayor guarrada del mundo!

Entonces tuvo que contarle lo de la firma en blanco y todo lo demás. Carmiña no salía de su asombro. No entendía que un adulto pudiese ser tan ingenuo. Rabiosa, dijo:

–¡Oh, Dios mío! ¡No me lo puedo creer! ¿Cómo puede haber gente así en el mundo? Y tú… ¿cómo eres tan tonta? ¡Firmarle un folio en blanco a aquel repugnante individuo que no engaña a nadie! Haces bien en no querer contarle nada a Perico. Sería capaz de coger la pistola del tío Sindo y pegarle un tiro.

–Bueno. Yo me fié porque me informaron que era una persona muy religiosa, de comunión diaria.

–Pero… ¡Xana, por favor! ¿Acaso no te tengo repetido hasta la saciedad que los que comulgan a diario es porque o lo necesitan por ser grandes pecadores, o como mínimo son imbéciles que pretenden que la gente se trague que la forma hace el fondo? ¡Xana, Xana! Pareces tonta del culo.

–Aquel día debiste venir conmigo.

–¡Claro! Ahora voy a tener yo la culpa.

Xana le preguntó:

–¿Puedes venir mañana?

–Claro que sí. Y como no te devuelva el folio… ¡sí que va recibir hostias!

Pero no hubo ningún problema. Las atendió rápidamente, fue a buscar el papel e hicieron el intercambio entregándole la solicitud de excedencia. Se fueron rápidamente, sin haberle dado ocasión de lanzarles ni el mínimo salivazo.

Xana aprovechó la obligada vacación profesional para divertirse con su marido. Le entregaron un coche, "un carro" decía ella, que había comprado y traído de Buenos Aires, donde había sacado el Permiso de Conducir, asombrando a la gente por lo ostentoso y grande. Los fines de semana salían de viaje y regresaban el lunes, para que Perico llegase a tiempo al trabajo, aun cuando se veía cada vez más delgado y ojeroso por secundar el ritmo de vida de su incansable mujer.

A Xana le contaron que su escuela la había ocupado una maestra que se jactaba de haber pagado mucho dinero para conseguirla. Como era oriunda del Ayuntamiento, tenía por aquellos lugares muchos intereses que vigilar. Pero ya nada la sobresaltaba.

Carmiña recibió carta del barbudo cubano y le contestó muy ilusionada; en su carta siguiente notó que sólo hablaba de política y le avisó que en España se rumoreaba que existía la censura y que, posiblemente, el rumor era cierto; pero él volvió con lo mismo: con Fidel, con Kennedy, con la Guerra Fría, con la Bahía de Cochinos, con Bolivia… Pero no llegó a recibir su cuarta carta. Parecía haberse confabulado con Pepo para que no supiese nada de ellos.

Xana se divertía todo lo que podía; al principio trató de arrastrar a Carmiña con ella, pero a esta no le iba el nuevo modo de vivir la vida de su amiga, y prefirió seguir saliendo con Rosalinda, quien muchos días se quedaba a dormir en casa, ocupando la cama de soltera de Xana.

Les llamaba tanto la atención el cambio de actitud de Xana, que llegó a ser tema habitual de conversación entre las dos, y llegaron a la conclusión de que su amiga había quedado traumatizada por culpa de un resentido social que, con malas artes, la había obligado a abandonar el trabajo con el que se sentía realizada. También era cierto que, gracias a aquel miserable, había perdido de una vez la estúpida ingenuidad que la caracterizaba, y que había aprendido de golpe a desconfiar de los extraños.

Y surgió la Xana yé-yé con el ritmo del twist y del rock en el cuerpo, que, acompañada por su marido, se introdujo en las discotecas de moda, entrando a formar parte de los clientes asiduos, llegando al extremo de echarlos de menos cuando no aparecían. Eran muy conocidos. Acostumbraban a marear al *disc-jockey* pidiéndole música especial que, a base de dar propinas muy generosas, obligaban a bailar a todos. Se quedaban toda la noche bebiendo sus wiskytos con soda y, entre vaso y vaso, el consabido comentario de Xana:

–¡La noche es joven! ¡Vamos a bailar! –Y volvía a tirar del somnoliento Perico, arrastrándolo hasta el centro de la pista de baile.

Perico, al principio, se asombraba de la resistencia de su mujer, pero pronto se dio cuenta que el único sacrificado era él, porque se acostara a la hora que se acostara, tenía que levantarse para ir al trabajo, en tanto que Xana seguía durmiendo. Llegó a quejarse, afirmando que era mayor para tanto ajetreo, pero Xana ni le oía. Él le seguía la marcha como podía, pero a veces se quedaba dormido mientras Xana bailaba sola en la pista la música psicodélica de turno. Cuando se cansaba de bailar, iba a despertarlo y, tomando su vaso de la mesa, lo zarandeaba sin compasión:

–¡Vamos, vamos, despierta que eres joven! ¡Todo el mundo es joven! ¿Ves? –Y señalaba a los vejestorios que, en la pista, se movían como monos, sin gracia alguna, con la tristeza en la mirada y en el corazón.

Perico no podía resistirse al encanto de la nueva imagen de su mujer, tan moderna, tan mundana, tan alegre, tan joven, con aquellas largas y divinas piernas que lucían tan bien con las minifaldas Made in England, compradas en La Coruña en una tienda especializada... Cada día se le veía más enamorado... y más pálido, flaco y ojeroso, padeciendo como un condenado por los celos y el temor a que se la robase algún sinvergüenza, como ya le había pasado con su fiel y querido Perro. Todos sabían que a Perico le gustaría que Xana tuviese algo que hacer, algo distinto de las salidas nocturnas, que lo estaban destrozando.

Mamita Carmen se sumía en la mecedora, envejeciendo ostentosamente. Casi no hablaba, pero a Xana no dejaba de mirarla. Un día, haciendo un gran esfuerzo, le preguntó por qué no tenían hijos:

–Porque Dios no quiere. A mí no me importa.

–¿Y a... Perico?

–Creo que tampoco.

Mamita Carmen no volvió a hablar, pero siguió observándola.

También Carmiña se fijaba en Xana, comenzando a perder la confianza que siempre había depositado en ella. Desde su vuelta todo era distinto entre las dos. Carmiña ya no se atrevía a hacerle confidencias, y lo primero que le ocultó fue su visita a la *meiga*.

-5-

Carmela dedicaba todos los días una hora a leer el periódico, que venía atiborrado de noticias de la guerra del Vietnam. A lo largo de su vida había visto de todo, y lo que no llegó a ver se lo habían relatado con pelos y señales: Mamita Carmen, la guerra de Cuba; Luis, la de África... la guerra Mundial... la guerra Civil... la segunda guerra Mundial... la guerra de Corea... "¿Y ahora, con el Vietnam, que pasará?", se preguntaba. Cada un tiempo al mundo le salía un grano que crecía amenazador, convirtiéndose a veces en un furúnculo. Lo mismo siempre, pero con otros hombres. Lo mismo cuando Nasser nacionalizó el Canal de Suez... y Francia, el Reino Unido e Israel bramaron. Lo mismo cuando Mao Tsé-Tung... Lo mismo cuando John Kennedy y Fidel Castro... El mapa político mundial no cesaba de cambiar.

–Las cosas están volviendo a cambiar –dijo en voz alta.

Le sorprendió oír que su hija, que ignoraba que estuviera en la habitación, le contestase:

–Si cambian... ¡mejor! ¡Ya era hora!

El tono anunciaba las ganas que tenía de armar un enredo, pero Carmela no estaba dispuesta a darle motivos y continuó leyendo el periódico como si no la hubiese oído. Aunque desde la muerte de Luis no había vuelto a tener sus pesadillas y malas premoniciones, que siempre recordaba con las noticias bélicas, ahora las había sustituido con las que le proporcionaba su hija. Estaba muy preocupada por lo que suponía un nuevo cambio y le asustaban las posibles consecuencias.

Mamita, desde su mecedora, interrumpió sus pensamientos para decir, con mucho esfuerzo, lo que sería su única frase del día:

–Nada cambia. Siempre encuentras lo mismo en el fondo.

La miraron... Carmiña se acercó rápidamente a la bisabuela y, acariciando sus mejillas, le preguntó si necesitaba algo. Mamita Carmen le dijo que no con la cabeza.

En la Plaza de Azcárraga las niñas cantaban a coro "En el barranco del lobo". La canción que siempre escuchaba al pie de su ventana, convertida en una serenata morbosa, punzante, que retorcía su espíritu, y que una vez más le recordó a Luis. Lo imaginó cantándole el estribillo a Perico, como hacía cuando lo mecía en la cuna para que se quedase dormido. Carmela la cantó en voz baja sin quitar la vista del periódico, ante el asombro de su hija, que la observaba desde el otro extremo de la habitación. Le dijo como disculpa:

–La cantaba tu padre cuando recordaba el desastre de Annual. Ocurrió en el año veintiuno...

–Lo sé.

Dicen que los pensamientos flotan en el aire y que de allí se recogen. Debía de ser cierto porque, sin saberlo, estaban pensando lo mismo y al mismo tiempo, solo variaban los protagonistas.

Carmiña se complacía recordando los días que había estado en Madrid con Pepo. Habían sido los quince mejores días de su vida. Se había resignado con su ausencia muy lentamente, cuando llegó al convencimiento de que terminarían juntos, porque el destino así lo tenía dispuesto. Su ánimo se había tranquilizado con la visita a aquella *meiga* que luego resultó ser una yoruba. Sabía que las guerras, a las que maldecía, eran las culpables, y que le habían marcado la vida desde su nacimiento. Las odiaba y, para combatirlas, tomó partido por la filosofía pacifista y comenzó a reunirse con jóvenes que compartían su idea, dispuesta a marcharse con ellos mundo adelante tan pronto como le fuese posible. La madre intentaba convencerla sin discutir, pero no lo conseguía, y terminaba gritándole que aquella historia del pacifismo no era otra cosa que un enfrentamiento generacional tapujado como una movida de protesta contra lo que tenían delante, que en este caso eran las armas... Pero que de lo que realmente se trataba era de marcharse de casa con el pacifismo como pretexto.

–¡Es el clásico vaivén! –Terminaba diciéndole a su hija–. Estoy segura de...

–¡Estás equivocada! Nosotros vemos soluciones distintas para los problemas. No soy hippie, pero los admiro y comparto y respeto su filosofía de la vida.

–No, pero estás en el filo. Y lo malo es la admiración que sientes por ellos. Tengo miedo a que te laven el cerebro y te arrastren a sus comunas. Deberías casarte con Mario.

–Soy mujer de un solo amor. Amo a Pepo –así daba por finalizadas las absurdas discusiones con su madre sobre el matrimonio.

Cada vez discutían menos. Carmiña estaba dispuesta a que hubiese paz, por algo se llamaba pacifista, y se salía de las discusiones para refugiarse en el desván con Rosalinda; allí se entretenían haciendo oscilar el péndulo sobre el Mapa Mundi para poder ubicar a Pepo en algún lugar. Si colocaban el péndulo sobre el Vietnam, el vaivén se convertía en una auténtica galopada, que confirmaba lo que siempre había supuesto Carmiña. Pero también significaba que continuaba allí. Cuando se cansaban, se entretenían oyendo discos de rock. Si estaba Xana en casa, al oír la música subía al desván para mover el esqueleto:

–Me encanta el rock. ¡Qué música, señor! –solía decirles.

En ocasiones, Carmiña la sorprendía:

–¿Sabes cómo nació el rock?

–No. ¿Cómo?

–Lo dio a luz una blanca: la Country and Western Music..., pero lo engendró un negro: el Rhythm and Blues.

–¡Caray! ¡Pues les salió un mulato divino!

Solía contarle también cosas de sus amigos “progres”, exagerándolas para impresionarla. Le decía que fumaban hierba, y le explicaba con detalle los efectos de los alucinógenos. Xana, con cara de susto y preocupación, le preguntó si los había probado.

–Yo solo fumo los puros de Mamita Carmen.

Pero el cambio experimentado por Carmiña tenía preocupada a la familia. Y los barbudos que solían acompañarla, no les gustaban. El descuido en el vestir, la pegatina del coche que ponía “haz el amor, no la guerra”, eran síntomas alarmantes que ponían en guardia a todos, aunque se tranquilizaban pensando que Rosalinda, que era una persona muy sensata, iba siempre con ella.

Mario comenzó a aparecer por casa con mucha más frecuencia, dándole a Carmiña la impresión que era por habérselo pedido Perico y la madre, para apartarla de aquellas compañías. Pero la nueva y pacífica Carmiña terminó atrayéndolo mucho más que la anterior, y fue el propio Mario quien comenzó a cambiar, primero descuidando su modo de vestir y más tarde dejándose crecer la barba, con gran disgusto de Perico y Carmela, que se lamentaban desesperados.

Carmiña tenía la foto de Pepo encima de su coqueta rodeada de muchas velas que mantenía constantemente encendidas. La habitación apestaba a cirios y la coqueta parecía un Sagrario. En la foto estaban los dos juntos. La habían hecho en Madrid, en el Parque del Retiro. Hacían una buena pareja y estaban muy juntos, como si ambos supiesen que se iban a separar más adelante.

Miraba la foto cuando estaba sola en su dormitorio, y se recreaba en Pepo, consiguiendo apaciguar los ardores del amor, como si fuese una devota mojigata que dejaba pasar las horas rezando en espera de la muerte. Así llegó a encontrar su paz interior.

Un día observó la imagen que le devolvía el espejo, y quedó sorprendida. Era ella, pero muy distinta a la que aparecía en la foto: ¡había envejecido! Sus ojos... ya no brillaban y habían perdido el color azul-verde. Ahora los tenía grises, los dos iguales, apagados, muertos. Un fuerte ramalazo la sacudió. Se sintió frustrada, desencantada. En aquel momento la imagen de la foto de Pepo se convirtió en una bruma, en un sueño que le hablaba. Pero era ella la que hablaba consigo misma. Se acurrucó en el suelo, en un rincón alejado del espejo acusador, y se abandonó al recuerdo nostálgico, caminando por los campos de la imaginación, siempre nuevos, pero siempre los mismos. Pepo era un sueño, pero la oía y le prestaba mucha atención. No hablaba sola, no. Miró su entorno y se dijo que había muchas cosas con las que hablar. Se desahogó lentamente, sin prisas, con infinita melancolía, hablándole al aire sin cesar. Sus palabras cansadas se fueron apagando. Y entonces, en silencio, pensó en los niños que juegan, en los viejos que olvidan, en los jóvenes que no escuchan, en los que recuerdan, en los que se marchan, en los que vuelven, en los vivos, en los muertos. Cuando una está sola en su habitación... ¡piensa en tantas cosas! Miró las gaviotas... Siempre tan ruidosas, tan molestas... "¿Sollozan?", se preguntó... "¡Sollozan!", se contestó. Las veía que querían irse, pero se quedaban. Inclinaban el cuerpo y no echaban a andar. Se revolvían impacientes como en una despedida, pero permanecían allí. "¡Todo es mentira! ¿Qué sabrán ellas de las mentiras? No hay como nacer distinto de los demás para estar solo". Carmiña se sentía como una mentira más. "Pero qué importa... ¡Hay tantas mentiras que van y vienen movidas por el aire! ¿Qué importancia tiene una más?".

Cuando su madre le preguntó que le ocurría, le contestó que la culpa de todo su malestar la tenía la televisión, porque la habían instalado en el lugar de honor de la casa, convirtiéndola en la reina del hogar, y porque les llenaba la cabeza de las peores mentiras, las que se dicen a medias y todos se creen. Le molestaba verlos convertidos en consumistas empedernidos, en víctimas ametralladas por los anuncios publicitarios, en neuróticos obsesionados por el nivel de vida.

Acompañaba a Mamita Carmen, que cada vez estaba más silenciosa y encogida, mientras los demás veían la televisión. Eran dos soledades distintas que compartían. Le hablaba a la bisabuela, sin esperar contestación, en un monólogo siempre bien recibido en aquel rincón de la casa, en la galería.

–Mamita... –le decía–, ya no es igual que antes. Ahora vino la televisión a aumentar nuestra soledad.

Seguía haciendo referencia a aquel aparato que enmudecía a la gente, hasta que la bisabuela se quedaba plácidamente dormida, arrullada por la voz de la biznieta.

A Carmiña no le gustaba el mundo moderno. Había conocido cómo vivían las personas sencillas, con sus costumbres rurales tradicionales y sin cambios técnicos, y eso la atraía. Aquellas gentes no aceptaban variar su modo de vida fácilmente. Sobre ellas pesaba más la tradición que la novedad. Añoraba los días vividos en la escuela de Xana, en aquel mundo tribal, y terminó divinizándolos. La vida en la ciudad la asfixiaba y quería escapar, irse, librarse de todo lo que la oprimía. Estaba rodeada de personas sordas y mudas, que lo único que hacían era ver televisión.

-6-

Rosalinda tenía una finca cerca de la playa de Arteijo e invitó a Carmiña a pasar con ella los fines de semana del mes de agosto, que aquel año sorprendió a todos con su excesivo calor y fuerte sol.

Se fueron a Arteijo el jueves y durante tres días disfrutaron de una gran playa para ellas solas. Lo único que hacían era bañarse, tomar el sol tumbadas en el inmenso arenal, o corretear entre las dunas. Pronto se broncearon. Rosalinda le propuso quedarse unos días más, pero Carmiña no aceptó; tenía el presentimiento de que era necesaria su presencia en casa. Regresó a La Coruña con el bronceado más intenso de su vida...

Encontró a toda la familia, incluido Mario "El Persistente", como lo llamaba Rosalinda, reunida en el comedor. Estaban muy tristes. Carmiña les preguntó:

–¡Ah! ¿Quién se ha muerto?

Resultaba evidente que había ocurrido una desgracia. Nadie le contestó. Los interrogó impaciente con la mirada y bajaron la vista:

–¿Se trata de Mamita? –preguntó temerosa.

–Sí –le contestó Xana–. Está muy enferma. Un día u otro, lamentablemente, tenía que ocurrir.

Dejó allí mismo la bolsa de la playa y corrió a ver a la bisabuela.

–¡Oh, Mamita! Mamita, viejiña... ¿Qué te ocurre?

La habitación estaba a oscuras y encendió la lámpara de la mesa de noche; Mamita no estaba en la cama. Fue a buscarla a la galería. La vio sentada en la mecedora, encogida, temblando e intentando taparse torpemente con la pequeña manta de cubrir las rodillas.

–¡Oh, Dios mío! Déjame a mí. Yo te lo hago. –La tapó, le frotó las azuladas manos y fue rápida a buscar la manta eléctrica. Se la puso bajo los pies–. ¿Por qué no estás en la cama? –Le tocó la frente–. Tienes mucha fiebre, mucha…

A la bisabuela le castañeteaban los dientes. Tenía la mirada ausente, pero Carmiña siguió hablándole porque sabía que su voz la complacía:

–No te cuidan bien. No te preocupes. Ahora estoy yo… Sí, aquí estoy yo. –Seguía frotándole las manos con suavidad. Notaba que estaban reaccionando y comenzaban a calentarse. Mamita inclinó la cabeza y se quedó dormida. La dejó bien arropada y fue al comedor para que le contasen lo ocurrido. Su madre, mientras unas gruesas lágrimas le corrían por las mejillas, se lo explicó:

–Ocurrió de repente. No podía respirar y vino el médico. Dijo que tenía una cardiopatía muy grave, pero que lo peor eran los muchos años. ¡Se nos está muriendo! Está quedándose como un pajarito, sin enterarse la pobre –Carmela se sonó con fuerza, haciendo mucho ruido.

–¡Qué va! ¡Ya lo creo que se entera! Mami, la bisabuela estuvo esperándome.

–Ya… me lo imagino –y continuó sonándose.

El deterioro de Mamita fue muy rápido, en unas horas pasó a la simplicidad de la nada. Estaban todos en su dormitorio para acompañarla en los últimos momentos y nadie quería salir de la habitación bajo ningún pretexto, porque sabían que el fin estaba próximo; querían estar con Mamita Carmen para recoger su último suspiro. Laura y Tere fueron a ayudar y se encargaron de hacerles la comida. La llevaron al dormitorio, pero nadie probaba bocado.

Madre e hija, unidas en el dolor, se consolaban mutuamente. Estaban atentas, vigilando a la anciana, porque sabían que Mamita Carmen, al morir, les mandaría sus pensamientos.

Mamita abrió los ojos mostrando una gran alegría en su rostro. Dijo con voz clara:

–Pedro...

Extendió los brazos al mismo tiempo que se incorporaba en el lecho, para después desplomarse sobre la almohada. Había fallecido. Sus ojos estaban cerrados y su rostro sonreía. Entonces la oyeron mentalmente, todos a la vez, con fuerza y claridad. Xana y Perico se abrazaron y permanecieron con los ojos cerrados, mientras la voz de Mamita les decía:

–No lloréis nunca por mí, porque la muerte es lo más hermoso que tiene la vida. Vosotros dos sois nuestra esperanza.

Xana temblaba. Sintió como la empujaban hasta sentarla suavemente en una silla, y se dejó llevar. No había sido Perico, que estaba mirándola desde lejos. Comprendió que había sido Mamita Carmen. Las lágrimas resbalaron por sus mejillas en silencio.

Lo que oyó Carmela fue diferente:

–A tu hija le faltó siempre la fe que tú tienes. Déjala marchar en paz. Nuestra historia perdurará. Toma el mando.

Carmiña también recibió su voz:

–Nos has vencido. Nunca me dijiste que tenías el trébol de cuatro hojas, pero lo sospeché el día que conociste a Pepo. Búscalo, te necesita y te espera.

Después se dirigió a todos:

–Me voy con Pedro, que me está esperando al final de la luz.

Antes de que el cuerpo de Mamita Carmen se enfriase, comenzaron los preparativos.

Respetaron todo lo que había dispuesto en vida. Embalsamaron su cuerpo, lo perfumaron y lo adornaron con numerosas flores blancas. Solicitaron un permiso especial para poder tenerla expuesta durante cinco días en un ataúd hermético con tapa de cristal. La familia se vistió totalmente de blanco, y prepararon la casa para recibir a la gente que llegaría a despedirse de "la cubana". Cubrieron la mesa del comedor con un mantel de hilo y sobre él colocaron la mejor vajilla, la cubertería de plata, los vasos de cristal de Bohemia. Ofrecieron suculentos manjares a las numerosas personas que se acercaron a dar el pésame, que fueron llenando la casa, incluso las escaleras y el portal. Estuvieron, entre otros muchos, la presidenta de las Damas de la Caridad, la de la Asociación Española contra el Cáncer, la familia del fallecido alcalde Molina, los compañeros de Perico de la Diputación y todos los curas párrocos de la Ciudad Vieja. Parecía un acto social, donde la gente, en lugar de rezar y llorar de pena, cantaba alabanzas de la difunta, comía, se reía y escuchaba la música que tocaba Carmela al piano, creyendo que eran blues del más puro estilo, cuando en realidad se trataba de salmos fúnebres de los yorubas, que acompañaban con sus voces madre e hija.

Durante los cinco días que duró el duelo, solo se rezó un rosario; lo dirigió Carmela, pasando las Avemarías con las perlas de barrueco. Después introdujeron el ataúd dentro de otro de caoba de Cuba y lo transportaron a hombros hasta el cementerio de San Amaro. Los portadores se detenían por el camino para descansar y recuperar las fuerzas, tomando refrescos en los bares próximos a sus paradas, porque el camino era largo y el día soleado y caluroso. Era una alegre comitiva que se exhibía en un hermoso día del mes de agosto, en la que los parientes vestían de blanco, seguidos por una carruaje también blanco, forrado de satén y cubierto totalmente de coronas y de flores, del que tiraban dos hermosos caballos. Ante el panteón familiar pronunció el último responso el mismo sacerdote que se lo había dicho a Luis.

Regresaron a casa, y el festín se prolongó hasta cumplirse nueve días de duelo. Sabían que Mamita seguía estando con ellos y por eso su sitio, en donde se sentaba siempre, permaneció vacío. No iban a permitir que se la olvidase.

Mamita Carmen dejó escritas sus últimas voluntades en un testamento ante notario. A Carmela le legó la casa, que había sido construida por la familia del abuelo Pedro, para que viviese en ella con sus descendientes; le dejó también el anillo yoruba, con una gran esmeralda y los bártulos criollos de los agoreros. A Perico le dejó su valiosísima colección numismática. A Carmiña el rosario de barrueco, la gaita gallega del bisabuelo Pedro y un gran número de joyas familiares. Xana recibió el desván con todo lo que había dentro, que no se sabía exactamente qué era. El resto de las joyas las distribuyó entre Xana y Carmela.

Las demás propiedades fueron todas para Perico. El dinero de los bancos lo dividió a partes iguales entre sus tres descendientes. Todo fue repartido tal y como lo había dicho en vida.

-7-

Carmiña entró inmediatamente en posesión de la herencia de la bisabuela. No le molestaba ser rica, pero odiaba los signos externos de la riqueza y procuró que esta no se le notara. No quiso cambiar. Tenía muy presente el ridículo de Xana con la herencia de su padre y le horrorizaba caer en el mismo error. Pero gracias a su nueva fortuna podría realizar el sueño de toda su vida: viajar. Se aferró a Rosalinda e hicieron planes para marcharse juntas a Cuba. Decidieron organizarlo bien, sin prisa, para no cometer errores.

Durante meses, se encerraron en el desván y se dedicaron a preparar minuciosamente el viaje. Rosalinda se hizo asidua de la casa, igual que Mario, que no las dejaba nunca solas, y llegó a resultarles molesto porque también a él, como a los demás, le ocultaban sus planes, para evitar que nadie interfiriese. Cada vez que llegaba al desván, cambiaban de conversación. Hasta que lo notó:

–¿Qué estáis maquinando? Sea lo que sea, yo voy con vosotras.

Cruzaron las miradas, incrédulas. Añadió:

–¡Soy un caballero! No os dejaré solas nunca.

Consiguió convencerlas y terminaron contándole sus planes, poco a poco, como si fuese una novela por entregas. Cuando les preguntó a dónde pensaban ir, no le dijeron, sólo que trataban de salir de España, porque después de lo ocurrido con la revuelta de mayo en Francia, sentían que se estaban ahogando. Mario estaba de acuerdo, con tal de seguir a su lado.

Los periódicos y demás medios de comunicación de aquel sábado 25 de enero, dieron la noticia del acuerdo del Consejo de Ministros, en el que había sido declarado por Decreto-Ley el estado de excepción durante tres meses y se suspendían determinados artículos del Fuero de los Españoles. El pretexto era las acciones universitarias de los meses anteriores.

Comenzaron las detenciones, encarcelamientos y persecuciones de todo tipo, de todo aquel que se pudiese relacionar de alguna manera con la Universidad. El Gobierno de Franco atacaba demostrando el miedo que sentía. Por un tiempo dejó de hablarse en los medios de comunicación de la "Paz de Franco", y dejaron de inaugurarse pantanos... La "Noche de las barricadas" del mayo francés pesaba como un fantasma en España, fantasma al que querían detener a toda costa, pero al que sólo consiguieron detener por unos meses. Los estudiantes, los obreros y los intelectuales se unieron en sus protestas y el Gobierno fue presa del pánico, lo mismo que antes lo habían sido De Gaulle y Pompidou, aunque la reacción en España fue distinta, usando mano de hierro, llenando las cárceles de detenidos y saturando de juicios el Tribunal de Orden Público. Se hicieron Consejos de Guerra a los nacionalistas vascos, catalanes, gallegos...

Los conformistas veían la tele y escuchaban los telediarios sin pensar en otra cosa, como Xana "la dulce", que no se perdía ningún episodio de Perry Mason, alegando que le atraían los juicios por eso de que su marido era abogado... Pero tampoco se perdía el concurso de turno y todas las demás juergas televisivas. Carmiña comentó con Rosalinda que Xana se había convertido en "pasota". Que había tenido su momento yé-yé, su momento pop, su momento op-art y que ahora le tocaba eso, censurándola como vivo ejemplo del español medio. Por su parte, Perico se había metido de lleno en su trabajo, en su Diputación y en su Colegio de Abogados, donde las tertulias versaban sobre la necesidad de la supresión del Tribunal de Orden

Público y de las demás jurisdicciones especiales, tan insistentemente reclamada por la Abogacía española, y en la preparación para el Congreso General que se celebraría próximamente.

Carmela comenzó a usar como propia la mecedora de Mamita Carmen en la galería y a tejer placenteramente puntillas de Camariñas, diciendo que eran para la canastilla del bebé que tendrían Xana y Perico algún día… pese a los muchos años que llevaban casados sin hijos. Lo que estaba ocurriendo en España no la alteraba, y se dedicaba a tranquilizar a todos, diciendo que no ocurriría nada grave. Su modo de hablar fue adquiriendo la forma y el deje de Mamita Carmen, e incluso comenzó a balancearse en la mecedora, en la oscuridad, mirando la cuesta de Santiago tras la ventana, vestida como la bisabuela… Todos estaban de acuerdo en que era la viva imagen de Mamita Carmen… Hasta el punto de que la hija se sintió atraída poderosamente por su nuevo aspecto, al tiempo que sentía la necesidad de darle el cariño que antes había depositado en la bisabuela. También la madre había dulcificado su carácter volviéndose mucho más humana. Dejó de tocar el piano, de sermonearla, de mirarla como si fuese su rival, y de preocuparse por lo que hiciese o dejase de hacer. Las dos comenzaron a aceptarse tal y como eran, conscientes de la posición que cada una había adoptado a la muerte de Mamita Carmen; primero se respetaron, luego se apreciaron y terminaron queriéndose. La paz reinó en el hogar.

La idea del viaje continuaba en sus planes. Rosalinda y Mario "El Persistente" hicieron muchos itinerarios que Carmiña terminaba rechazando y que estaba convirtiéndolo en el cuento de nunca acabar. Discutían las ventajas, las dificultades, los inconvenientes… siempre reunidos en el desván, donde nadie podía oírlos. Como cada vez pasaban más tiempo juntos, Rosalinda y Mario se quedaron a vivir en la casa, con la autorización de Carmela. Mario ocupó la habitación de Mamita

Carmen, desentendiéndose cada vez más de su bufete. Cuando Perico se lo echaba en cara, le contestaba riéndose:

–¡Bah! ¡Peor va a quedar!

Perico no entendía cómo su amigo se había convertido en un soñador. Fue en el momento en que empezó a tomar parte de los sueños de Carmiña y de Rosalinda... Soñaban juntos con las playas del Caribe, sin nombrar jamás a Cuba, que seguía siendo el objetivo de Carmiña, porque pensaba que allí era donde se reuniría con Pepo.

Revolviendo entre unas cajas del desván, Mario encontró un cuaderno manuscrito que le llamó la atención. Estaba escrito con letra infantil y lleno de poesías. Leyó para sí la primera que encontró al abrirlo y, como le gustó, comenzó de nuevo en voz alta para que lo oyesen:

Rumbo a la mar se encamina
mi paloma mensajera...
Por ver si puede posarse
en el pliegue de una vela
de un bergantín marinero,
de esos que nunca se rizan,
que casi nunca despliegan.

–¡Es mía! ¡Joder!, ya no me acordaba –dijo Carmiña, gozosa–. ¿A que es bonita, eh? ¡Continúa, Mario, que entonas muy bien!

Rosalinda, que presumía de ser la persona "más romántica del mundo", se acercó a Mario y leyó por encima de su hombro.

–¡Pero si es preciosa! –exclamó.

Mario le guiñó un ojo antes de continuar leyendo:

Y así pasará las noches
y los días, a la espera,
oteando el horizonte

hasta ver playas de América,
y cruzando el azul cielo,
mi paloma mensajera
buscará una casita
de balcón, hecha de piedra,
con grandes enredaderas.
Allí dentro hay quien la espera...

–No sabía... –dijo Mario, mirando a Carmiña.

–No pretenderás saberlo todo de mí. Lo de la poesía lo llevo en la sangre. Mi padre también escribió algunas que encontré por aquí. ¡Están dentro de un viejo maletín por alguna parte! Se las dedica todas a mi madre... y habla del sufrimiento del alma que vaga por el mundo sola. Cuando lo encuentre, ya os las enseñaré.

Rosalinda dijo, entre suspiros:

–Yo... leía a Bécquer... Y lo que se me daba muy bien era la prosa poética...

Carmiña observó que, de pronto, Mario parecía muy interesado por el romanticismo quinceañero de Rosalinda, y se dio cuenta que lo que le estaba empezando a interesar era la propia Rosalinda. Siempre se situaba en medio de las dos, como calibrando cual era la que le gustaba más. "¡Ojalá que terminen enamorándose!", pensó, complacida con la idea. Quería a Mario como a su propio hermano y le deseaba lo mejor, que en este caso sabía que era Rosalinda. "¿Qué tendrá este desván? –se preguntaba mirándolos–. ¡Ya tiene historia y antecedentes amorosos! Parece que a todo el que permanece aquí el tiempo suficiente, le apetece el arrullo. Aquí se enamoraron Maruxa y Tomás, Xana y Perico... y ahora Mario y Rosalinda".

La noticia de que los americanos habían llegado a la luna, acaparó la atención de todos. Perico andaba por la casa como alucinado, repitiendo una y otra vez:

–¡Esto es Historia!

–Todo es Historia –contestaba Carmiña–. No solo eso. Ahí tienes los movimientos americanos anti Vietnam, los derechos civiles de los negros, la contracultura… –Se entusiasmaba, hasta que Perico la interrumpía:

–¡Bla, bla, bla…! –marchándose para no oírla

–¡Los bonzos que se queman! ¡Los asesinos de mira telescópica! ¡Los terroristas! –le gritaba yendo tras él.

–¡Bla, bla, bla…! –repetía Perico y se iba más lejos.

–¡A ti solo te interesa el espectáculo del hombre en la luna! ¡Hermano! ¡Hermano! ¡Estás muerto!

Lo dejaba y subía a refugiarse en el desván. "Pero… ¿por qué no me marcharé de una vez? –decía gritando, enojada, al aire–. Es como… ¡como si me quedase algo por saber! ¿Qué podrá ser?".

Ninguno de los tres hablaba. Estaban mirando el mapa de Méjico.

–¡Qué extraña sensación! ¡Algo pasa!–dijo Carmiña.

Cogió el péndulo y, sosteniéndolo con pulso firme, lo puso sobre el mapa. Comenzó a oscilar furioso sobre la costa mexicana del Oeste.

–¡Acapulco! –exclamó Carmiña.

–No. Colorado –dijo Mario.

–¿Por qué?

–No lo sé. Pero es Colorado.

–¡Claro! Lo dices porque no te gusta el clima de la costa. ¿No será que le tienes miedo al vómito negro y a las fiebres? Tranquilo, que yo conozco las plantas curativas y os cuidaré.

–¿Conocéis el *chilli*? –preguntó Rosalinda, sin que le hiciesen caso.

–Estoy de acuerdo contigo, Mario –siguió diciendo Carmiña–. Tenemos que estudiar la Baja California Norte, frente a la costa de la California estadounidense. La ciudad de Mexicali está... –las cabezas inclinadas sobre el mapa le impedían ver, las apartó– ¡aquí!, en la orilla derecha del tramo final del río Colorado.

–¡Me hace mucha ilusión! –dijo Rosalinda y se puso a canturrear "Guadalajara en un llano...". Dejó de cantar y les dijo–: Iremos a... Sonora, y también a...

–¡Oh, Dios mío! ¡No me lo puede creer! Estamos cambiando el hermoso y cálido Caribe de mis antepasados, por algo tan inhóspito como es el desierto de Sonora y el Gran Colorado. ¿Y si nos equivocamos? Pero la idea me gusta. Me parece que algo muy importante me espera allí. Pienso en Pepo con el péndulo en la mano, lo pongo sobre el Vietnam... y ahora no se mueve. ¡Pero en Sonora...! ¡Ya lo estáis viendo! ¡Pepo está allí!

Mario le contestó escéptico:

–Nunca creí en el péndulo, porque tengo la impresión de que haces trampa. ¡Y mucho menos en que Pepo esté esperándote!

–¿Pero qué puede estar haciendo en Méjico? –se preguntó Carmiña, intrigada, sin hacer caso a Mario.

–Pues... ¡bailar corridos después de correrse en la piltra! –Mario se rió de su chiste–. ¿Por qué no dejas esa historia de Pepo? Si tenéis que encontraros, os encontrareis aunque sea en el quinto infierno y a pesar de los toltecos, chichimecos, aztecas, colhues...

Lo interrumpió Rosalinda:

–Hace muchos años leí sobre Hernán Cortés y la conquista de Méjico. Recuerdo que era apasionante.

–¿Y cómo no? Todo aquello es excitante. Los rituales de los sacerdotes, los escritos astrológicos, la similitud de sus jeroglíficos con los símbolos del Antiguo Egipto... Sí, sí, Mario... ¡Y no me mires así! Pero la religión de aquella antigua civilización es aún más increíble, por su coincidencia con la nuestra. La leyenda de la vida de sus dioses tiene gran parecido con narraciones de los poetas griegos sobre el Olimpo...

–¿Ah, sí? –se interesó Mario–. No lo sabía.

–Y también tienen analogía con las tradiciones bíblicas. Los mejicanos conocían el dogma de un pecado original, del cual se purificaban con el bautismo, y consideraban al género humano arrojado, en castigo, sobre la tierra.

–¿Qué? –dijo Rosalinda, incrédula–. ¡Nos estás tomando el pelo!

–Ni mucho menos. Es más: los sacerdotes repartían la comunión a los fieles… ¡dándoles fragmentos de una imagen de Dios, que se comía como su propia carne! ¿Imagináis? Hasta tenían una especie de confesión y… ¡una cruz entre los objetos del culto!

–¿Qué dices? Cuesta creerlo –insistió Rosalinda.

–Sí… Pero no todo es así. Hacían sacrificios humanos terribles para aplacar a los dioses. Esa parte de la historia no te gustaría.

–¡A mí sí! –dijo Mario.

Cada vez estaban más entusiasmados con Méjico. Empezaron a buscar libros de los que pudiesen sacar información que les sirviese para el viaje.

Arreglaron los pasaportes y sacaron los billetes de avión. Se ocuparon del alojamiento y prepararon los documentos necesarios de bancos, agencias turísticas… Cuando tuvieron todo en orden, Carmiña fue a decírselo a su madre. La encontró en la galería fumando uno de los puros habanos de Mamita Carmen y meciéndose al mismo tiempo. La madre la miró sonriente y le dijo:

–Sé a lo que vienes. Vete con mi bendición.

Carmiña se sentó a su lado, en el mismo sitio que lo hacía con la bisabuela, y le pidió compartir con ella el puro.

–Toma. El humo te hará ver. También a mí me gustan los puros de Mamita.

Durante muchas horas estuvieron hablando del viaje a Méjico.

–¿Por dónde entraréis?

–Por Miami. Primero vamos a visitar a la familia. Ya les escribí y me contestaron. Nos esperan y están deseando conocerme. Y yo a ellos.

–Sí, sí… Lo sé. ¡Se van a llevar un buen susto contigo!

En aquel momento entraba Rosalinda en la galería, escuchó la frase de Carmela, y preguntó con curiosidad:

–¿De qué se van a asustar?

–De mí. Soy el vivo retrato de la madre de Mamita.

–Así es –confirmó Carmela–. ¿No te fijaste en el cuadro que está encima del piano? Es la tatarabuela.

–¿En serio? Siempre di por supuesto que era Carmiña. ¡Voy a volver a mirarlo!

Al salir tropezó de bruces con Mario, que había bajado del desván a buscarlas, y le contó lo del retrato de la tatarabuela.

–Yo ya lo sabía, pero nunca me llamó la atención que hubiese tanto parecido. Vamos a verlo.

Mario le pasó cariñosamente el brazo por encima del hombro. Hacían una buena pareja.

–Esos dos se casan –dijo Carmiña, mirándolos.

–Sí, sí… Agua que no has de beber…

–Deseo que sean muy felices. Pero… ni siquiera saben que están enamorados.

–Pronto lo sabrán, a su tiempo. –Aspiró una bocanada de humo y le pasó el puro a la hija antes de añadir preocupada–: Xana lo va a sentir mucho y ahora más. Hay que decírselo con tacto. Ella aún no lo sabe, pero está embarazada.

Carmiña no se sorprendió.

–Últimamente se sentía muy mareada y llena de ascos. También yo pensé en esa posibilidad. Hoy me dijo que iba al médico a llevarle unos análisis.

–Así es. Traerá la noticia al llegar.

La esperaron en la galería y la vieron subir la cuesta de Santiago, corriendo, muy alborotada y saludándolas con la mano. Al entrar se le trabucaban las palabras:

–¡Voy a tener un hijo! –Se arrodilló a los pies de Carmela y le preguntó, acariciándole las rodillas–: ¿Se engorda mucho, Mamita Carmela?

–Solo lo necesario.

–Voy a decírselo a Mario y a Rosalinda. ¿Vienes conmigo, Carmiña?

Carmela se quedó sola; tenía en el rostro una enigmática sonrisa. Pensaba en la inmadurez de la nuera, lo que haría mucho más fácil que fuese ella la que se encargara de la educación de la futura nieta.

Entró de nuevo Xana, a la que la alegría no dejaba estar en el mismo sitio mucho tiempo.

–¡Soy tan feliz! ¡Me tarda que llegue Perico! ¡Quién lo iba a decir a mis treinta y cinco años! Justo la edad que tenías tú cuando engendraste a Carmiña. ¡Si es una niña se llamará Carmen!

–Será una niña. Y ese es el nombre que ha de llevar.

Hicieron proyectos para el bebé, hasta que Carmela se fue al dormitorio, cansada. Rosalinda y Mario salieron a celebrarlo y Carmiña se quedó acompañando a Xana, que esperaba a Perico. Llegó a las dos de la madrugada y se sorprendió al verlas levantadas tan tarde. Xana le dio un abrazo junto con la inesperada noticia:

–¡Vamos a tener un hijo!

Carmiña lo veía desde la puerta. No quería perderse la emoción de su hermano... Perico se encogió y fue empequeñeciendo lentamente. Quería hablar y no podía; hacía grandes esfuerzos para no llorar. Camiña se daba cuenta de que precisaba ayuda para que exteriorizase de alguna forma su emoción cuanto antes. Pero la "dulce Xana" no se enteraba de nada y se limitaba a acariciarle suavemente las mejillas. El pánico que sentía por la futura paternidad era el responsable de su parálisis. Avanzó decidida hacia Perico y le dio un bofetón. Reaccionó con una risita histérica y convulsiva. Después se relajó y terminó feliz. Cuando vio que se había tranquilizado, Carmiña se fue a la cama, pero no podía dormir porque tenía en su mente las imágenes de Perico. De pequeña pensaba que su hermano era un personaje odioso y por eso lo llamaba "el repelente", porque gozaba dándose a notar con sus extraños conocimientos de sabihondo insoportable. Incluso había habido un tiempo en el que había llegado a creer que lo odiaba. Más tarde supo que la rabia que sentía no era otra cosa que una manifestación del amor fraterno, que permanecería siempre inalterable, constante, aquí y allí, hasta la muerte.

"Me estoy volviendo cada vez más juiciosa, más sabia. O en todo caso menos necia. La verdad es que adquiero conocimiento de todo lo que me rodea sin esfuerzo. Me doy cuenta de que ya he pasado el tiempo de las dudas y que ahora recuerdo con claridad todo lo que aprendí de Mamita, que me enseñó a ver y a mirar. ¡Es cierto! ¡Ahora veo con los ojos y miro con el alma! Mi vista es una función y mi mirada es la revelación de mi espíritu, tal como decía Mamita Carmen que tenía que ser. ¡Quien ve, hace! Quien mira, ¡piensa y siente!, me repetía constantemente. ¿Llegará madre a ser como ella?".

Rosalinda todavía no había llegado. Se sentó delante su sagrario. La foto de Pepo estaba como siempre, iluminada por las velas. Ante su fija mirada iba perdiendo forma, luz, realismo. Se frotó los ojos para que mejorase su visión y se desesperó al ver que no lo conseguía. El resplandor de la luz se alzaba ante ella encogiéndose, estirándose, acortándose, disolviéndose... y homogeneizando finalmente una figura humana: la de Mamita Carmen.

Pasó los dedos por los labios sin darse cuenta. En aquel momento echaba de menos el sabor de un puro habano. Lo necesitaba para estar con la bisabuela durante el tiempo que durase la aparición. Recordó que en el bolso llevaba siempre alguno y, sin separar la vista de la deslumbrante figura, pudo cogerlo a tientas. Se tranquilizó tan pronto lo tuvo encendido en la boca y entonces escuchó hablar a Mamita, con las mismas palabras que había usado cuando ella, con solo ocho años y llena de curiosidad, le había preguntado:

–Mamita, ¿por qué se fuma?

–La boca es el primer sentido que usamos al nacer, buscando el pezón materno. Esa sensación perdura en la memoria durante nuestra vida y queremos saborear y oler, lo que conseguimos con el tabaco.

–¿Por qué lo enciendes?

–Porque el fuego es calor, vida… Gracias a él sentimos la seguridad que teníamos dentro del vientre de la madre.

–¿Cuándo yo sea mayor puedo fumar?

–Siempre que te apetezca y tengas sensación de inseguridad.

Escuchaba las palabras de la bisabuela y sentía el placer del humo de su puro pasando de la boca a la nariz. La memoria le trajo el recuerdo del olor lácteo y el sabor dulzón del amamantar de una joven madre. Entre el denso humo que expulsaba su nariz, estaba Mamita sonriéndole. Escuchó las campanadas del reloj de la Iglesia de Santiago dando las seis de la madrugada. Cuando ya las gaviotas comenzaban con sus gritos histéricos, Rosalinda y Mario aún no habían llegado. Se quedó dormida llena de paz, la que necesitaba para poder cumplir su destino.

Todo había alcanzado la madurez al mismo tiempo que ella. Sus problemas se habían terminado con el anuncio del nuevo descendiente. Esta vez iba a volar para dejar el nido… Se convertiría en un halcón capaz de ir en busca de su presa a través de los Océanos, porque alguien, al nacer, le había enseñado el arte de la caza.

De lejos, a través del tiempo, le llegó una voz conocida que le decía al oído:

–¡Húchocho!, ¡húchocho!

La Coruña, a 10 de abril de 1994

EMILIA PARDO BAZÁN

Historias y cuentos de Galicia

I.S.B.N.: 978-84-1337-570-0

Emilia Pardo Bazán nutrió su obra de las historias tradicionales de su tierra gallega y de las leyendas y el folclor de toda España. Esta colección de cuentos se adentra en la problemática rural y urbana de la Galicia de la segunda mitad del siglo XIX y principios del XX. Sus textos, además de entretener y divertir al lector, proporcionan muchos datos para estudiar la vida gallega de la época, así como todo el cúmulo de costumbres, problemas, preocupaciones y creencias del campesinado gallego. En estos relatos, doña Emilia trató temas tan vigentes como los problemas de la tierra, el campesinado, el caciquismo y la emigración.